KATHY REICHS

Née à Chicago, Kathy Reichs est anthropologue judiciaire à Montréal et professeur d'anthropologie à l'université de Charlotte, en Caroline du Nord. Elle fait partie des cinquante anthropologues judiciaires certifiés par l'American Board of Forensic Anthropology et collabore fréquemment avec le FBI et le Pentagone. Elle s'impose en France dès son premier roman, *Déjà dead* (1998, récompensé par le prix Ellis), dans lequel apparaît pour la première fois son héroïne Temperance Brennan, également anthropologue judiciaire. Depuis, elle a publié aux éditions Robert Laffont *Passage mortel* (2000), *Mortelles décisions* (2002), *Voyage fatal* (2003), *Secrets d'outre-tombe* (2004), *Os troubles* (2005), *Meurtres à la carte* (2006), *À tombeau ouvert* (2007), *Meurtres au scalpel* (2008), *Meurtres en Acadie* (2009) et *Les os du diable* (2010).
Kathy Reichs participe également à l'écriture du scénario de *Bones*, adaptation des aventures de Temperance Brennan pour la télévision.

SECRETS D'OUTRE-TOMBE

DU MÊME AUTEUR
CHEZ POCKET

DANS LA SÉRIE TEMPERANCE BRENNAN

DÉJÀ DEAD
PASSAGE MORTEL
MORTELLES DÉCISIONS
VOYAGE FATAL
SECRETS D'OUTRE-TOMBE
OS TROUBLES
MEURTRES À LA CARTE
À TOMBEAU OUVERT
MEURTRES AU SCALPEL
MEURTRES EN ACADIE

KATHY REICHS

SECRETS D'OUTRE-TOMBE

traduit de l'américain
par Viviane Mikhalkov

ROBERT LAFFONT

Titre original :
Grave Secrets

Publié avec l'accord de Scribner/Simon and Schuster, New York

ISBN : 978-2-266-14899-3

Pour les innocents

Guatemala

1962-1996

New York, État de New York
Arlington, Virginie
Shanksville, Pennsylvanie
11 septembre 2001

J'ai touché leurs ossements
et je pleure leur absence.

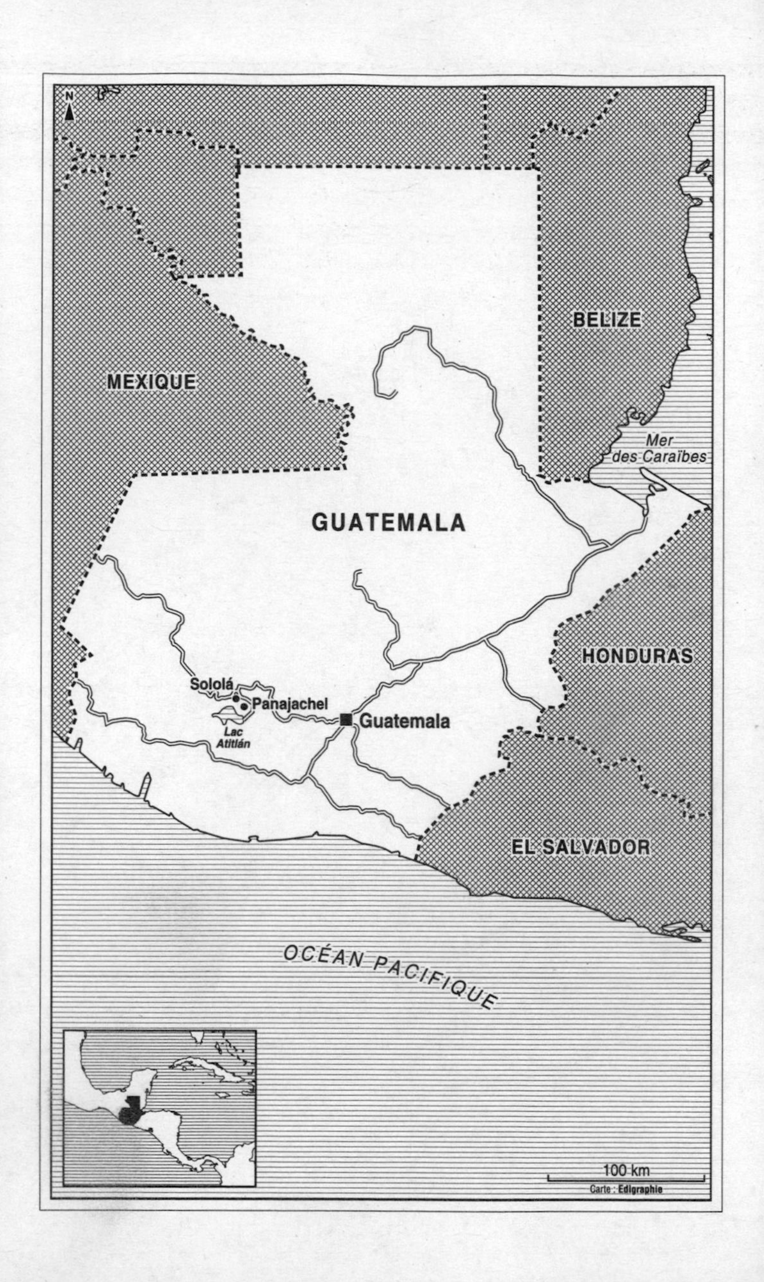
N
MEXIQUE
BELIZE
Mer
des Caraïbes
GUATEMALA
HONDURAS
Sololá
Panajachel
Guatemala
Lac
Atitlán
EL SALVADOR
OCÉAN PACIFIQUE
100 km
Carte : Edigraphie

1.

— Je suis morte. Ils m'ont tuée, moi aussi.

Les paroles de la vieille femme m'ont frappée en plein cœur.

— S'il vous plaît, racontez-moi ce qui s'est passé ce jour-là.

Maria parlait si doucement que j'ai dû tendre l'oreille pour arriver à comprendre ce qu'elle disait en espagnol.

— J'ai embrassé les petits et je suis partie pour le marché. (Regard rivé au sol, voix dénuée d'expression.) Je ne savais pas que je ne les reverrais plus.

La traduction du k'akchiquel à l'espagnol et vice versa n'émoussait en rien l'horreur du récit.

— Quand êtes-vous rentrée à la maison, señora Ch'i'p ?

— *¿ A qué hora regresó usted a su casa, señora Ch'i'p ?*

— *Chike ramaj xatzalij pa awachoch, ixoq Ch'i'p ?*

— Tard dans l'après-midi. Quand j'ai eu vendu tous mes haricots.

— Et votre maison était en feu ?

— Oui.

— Avec les enfants à l'intérieur ?

En réponse à la question posée par Maria Paiz (la jeune anthropologue), hochement de tête de la vieille Maya et de son fils âgé d'une quarantaine d'années. Des souvenirs trop horribles pour s'habiller de mots.

Dans mon cœur, je sentais la colère se heurter au chagrin comme les éclairs là-bas, à l'horizon.

— Qu'avez-vous fait ensuite ?

— On les a enterrés dans le puits. Très vite, avant que les soldats reviennent.

Le visage de la vieille femme me faisait penser à du velours côtelé marron. Elle avait des mains calleuses, une longue tresse qui tirait sur le gris. Le carré de laine bizarrement plié sur sa tête et dont un coin battait, soulevé par le vent, était tissé dans des tons lumineux, rouge, rose, jaune et bleu, selon des motifs plus anciens que les montagnes alentour.

Elle ne souriait pas. Elle n'avait pas pour autant un visage buté, simplement un regard fixe qui ne cherchait pas à rencontrer le mien, même brièvement. Et c'était tant mieux, car je ne sais pas si j'aurais eu la force de supporter sa douleur. Peut-être le devinait-elle, et, pour cette raison, empêchait-elle ses yeux d'en entraîner d'autres dans l'enfer qui était le sien.

Ou peut-être se méfiait-elle. Peut-être que les horreurs qu'elle avait vues ne l'incitaient pas à regarder dans les yeux les gens qu'elle ne connaissait pas.

J'avais la tête qui tournait. J'ai retourné un seau et je me suis assise dessus.

J'étais à plus de deux mille mètres d'altitude à l'ouest du Guatemala, à Chupan Ya, un village au fond d'une gorge encaissée de cette région dite des Montagnes. À environ cent vingt-cinq kilomètres au nord-ouest de la capitale, Guatemala, au cœur d'une forêt luxuriante – un océan de vert parsemé de petites îles :

les champs ou les parcelles cultivées. Çà et là, des terrasses construites par la main de l'homme dévalaient comme d'espiègles cascades le gigantesque damier des versants. Plus haut, accroché aux cimes, un voile de brume adoucissait les contours et prêtait au paysage une douceur à la Monet.

Spectacle d'une rare beauté, qui pouvait rivaliser avec les Grandes Montagnes Fumeuses, Gatineau, au Québec, sous la lumière du Nord, la barrière d'îles le long des côtes de Caroline, le volcan Haleakula à l'aube. La splendeur de l'environnement rendait encore plus cruelle la tâche pour laquelle j'étais là.

Mon travail d'anthropologue en médecine légale consiste à déterrer les morts afin de leur restituer leur identité. À faire en sorte que ces corps brûlés, momifiés, décomposés ou réduits à l'état de squelette ne restent pas ensevelis dans des fosses communes. Parfois l'examen n'aboutit qu'à une identification partielle : sexe, race, âge. D'autres fois, il fait apparaître des preuves concrètes grâce auxquelles l'identification supposée sera confirmée. Dans certains cas, il permet de révéler la façon dont ces personnes sont mortes. Ou les mutilations qu'ont subies leurs cadavres.

La mort est donc pour moi chose habituelle. Son odeur, sa vue, son idée même me sont familières. Sur le plan des émotions, mon métier m'a endurcie. J'ai appris à rester détachée.

Pourtant, quelque chose chez cette vieille femme faisait voler en éclats ma carapace.

Nouvelle vague de vertige. L'altitude, bien sûr.

Tête baissée, j'ai entrepris de respirer profondément.

Bien que rattachée aux services judiciaires de Caroline du Nord et à ceux du Québec, je me trouvais au Guatemala pour un mois. J'y étais venue en tant que volontaire, comme conseiller auprès de la FAFG, la *Fundación de Antropología Forense de Guatemala,* dont le travail consiste à localiser et identifier les restes des personnes disparues entre 1962 et 1996, au cours de ces guerres civiles qui furent parmi les conflits les plus sanglants de l'histoire de l'Amérique latine.

Depuis mon arrivée, une semaine plus tôt, j'avais appris bien des choses sur ces massacres perpétrés par l'armée guatémaltèque avec l'aide de groupes paramilitaires. Le nombre estimé de victimes se montait à cent ou deux cent mille, des paysans pour la plupart. Femmes et enfants se comptaient par milliers. Tués à l'arme à feu ou à la machette en général.

Rares étaient les villages où les gens avaient eu le temps de cacher leurs morts, comme ici, à Chupan Ya. Le plus souvent, les corps avaient été enterrés (sans aucun signe distinctif) dans des fosses communes ou jetés dans les rivières, quand ils n'étaient pas abandonnés sous les huttes ou les maisons en ruine. Aucune explication n'avait été fournie aux familles, aucune liste des disparus, aucun document officiel. La commission des Nations unies chargée de la clarification historique parlait de génocide du peuple maya.

Les familles et les voisins appelaient les absents des *desaparecidos*. Des disparus. Le FAFG tâchait de les retrouver ou, plutôt, de retrouver leurs restes. Et j'étais venue leur apporter mon soutien.

Ici, à Chupan Ya, c'était par un matin d'août 1982 que l'armée assistée de patrouilles civiles avait commis ses exactions. Craignant d'être accusés de collaboration avec la guérilla locale, les hommes du village s'étaient sauvés en disant aux femmes de se regrouper avec leurs enfants dans des fermes bien précises. Celles-ci avaient obtempéré, parce qu'elles avaient confiance dans l'armée, ou peut-être parce qu'elles la craignaient. Hélas, repérées par les soldats, elles avaient été violées des heures durant et massacrées ensuite avec leurs enfants. Toutes les maisons de la vallée avaient été brûlées.

Les survivants parlaient de cinq charniers. Dont ce puits devant lequel se tenait la señora Ch'i'p. À ce qu'on disait, vingt-trois femmes et enfants gisaient au fond.

La vieille Maya poursuivait son récit. Je pouvais voir derrière elle la structure que nous avions érigée trois jours plus tôt afin de protéger le site de la pluie et du soleil. Des sacs à dos et des appareils photo pendaient aux montants métalliques, et des bâches recouvraient l'ouverture du puits. Des caisses, des seaux, des pelles, des pics, des brosses et des récipients d'entreposage étaient éparpillés là où nous les avions laissés le matin.

Des piquets, plantés autour de l'excavation et reliés par une corde, créaient une frontière entre spectateurs et ouvriers. Trois membres de l'équipe de la FAFG étaient assis à l'intérieur de ce périmètre. De l'autre côté se massaient les villageois. Ils venaient chaque jour en silence nous regarder travailler.

Et puis il y avait les policiers qui nous avaient enjoints de stopper les recherches. De tout arrêter, alors que nous étions à deux doigts de mettre au jour des preuves tangibles. La terre remontée commençait à devenir plus friable et présentait des scories. Sa couleur acajou virait au gris typique des cimetières. Nous avions déjà retrouvé dans le tamis une barrette d'enfant. Des fragments de tissu. Une minuscule espadrille.

Seigneur ! La famille de cette vieille femme se trouvait-elle vraiment à quelques centimètres du niveau où nous avions été forcés de nous arrêter ?

Cinq filles et neuf petits-enfants. Abattus à bout portant, puis coupés en morceaux à la machette et brûlés dans leur maison avec les autres femmes et enfants du village. Comment pouvait-on supporter cela ? Qu'est-ce que la vie pouvait vous offrir après un tel drame, sinon une douleur sans fin ?

J'ai embrassé du regard la campagne environnante. On distinguait une demi-douzaine de fermes entre les arbres. Des murs de pisé, des toits de tuiles, de la fumée montant des feux. Des cours en terre battue avec les cabinets en planches, et un ou deux chiens efflanqués. Les plus riches avaient des poulets, un cochon décharné, une bicyclette.

Deux des filles de la señora Ch'i'p avaient habité le hameau de huttes sur le versant est, à mi-chemin du sommet. Une autre tout en haut, là où nous avions garé les véhicules de la FAFG. Toutes trois étaient mariées, mais la vieille mère ne se souvenait plus de leur âge. Celui de leurs bébés, oui : trois jours, dix mois, deux, quatre et cinq ans. Et puis elle avait encore deux filles de onze et treize ans qui vivaient avec elle.

Familles reliées par les sentiers de cette montagne autant que par les gènes. Cette vallée était tout leur monde.

Je me suis imaginé la señora Ch'i'p rentrant ce jour-là du marché, descendant peut-être ce même chemin de terre escarpé que nous empruntions chaque jour, matin et soir. Elle avait vendu ses haricots. Elle devait être contente.

Et soudain, l'horreur.

Vingt ans, ce n'est pas assez long pour oublier. Une vie entière ne suffirait pas.

Pensait-elle souvent à ses enfants ? Aujourd'hui, quand elle refaisait le trajet pour se rendre au marché, leurs fantômes l'accompagnaient-ils ? Se faufilaient-ils chaque soir derrière le tissu déchiré qui lui servait de rideau, lorsque le jour avait fui la vallée ? Quand ils venaient peupler ses rêves, lui apparaissaient-ils joyeux, tels qu'ils avaient été dans la vie, ou bien ensanglantés et carbonisés, tels qu'elle les avait retrouvés ?

Je sentais ma vue se brouiller. J'ai de nouveau laissé tomber ma tête et j'ai fixé le sol. Comment des hommes pouvaient-ils faire subir de telles horreurs à leurs semblables ? À des femmes, à des enfants seuls et sans défense ?

Au loin, le tonnerre a grondé. Des secondes, peut-être des années plus tard, l'interview s'est interrompue. Une question est restée en suspens dans les airs, sans traduction. J'ai relevé la tête. Maria et l'interprète fixaient la colline derrière moi. La señora Ch'i'p se tenait la joue d'une main, les doigts serrés en boule comme les nouveau-nés. Elle n'avait pas cessé de fixer ses sandales.

— Mateo est de retour, a lancé Elena Norvillo, membre de la FAFG pour la région d'El Petén, et elle s'est levée.

Je me suis retournée. Le reste de l'équipe observait de dessous la tente.

Deux hommes avançaient le long d'un des nombreux sentiers qui serpentaient jusqu'en bas de la gorge. Celui qui marchait en tête portait un coupe-vent bleu, un jean fané et une casquette marron ornée de l'inscription FAFG, impossible à déchiffrer d'aussi loin mais que je connaissais bien car les six que nous étions dans cette équipe d'excavation en portaient d'identiques. L'homme qui venait derrière était en costume-cravate et trimbalait une chaise pliante.

Le duo choisissait son chemin au milieu d'un pauvre champ où poussaient du maïs et une demi-douzaine d'autres plants, en prenant garde de ne rien endommager, un pied de haricots ici, un autre de pommes de terre là, nourriture sans grande valeur pour nous, mais ô combien précieuse pour la famille qui la possédait.

— Tu l'as ? a crié Elena quand ils n'ont plus été qu'à une vingtaine de mètres de nous.

Mateo a levé un pouce en l'air.

L'injonction de suspendre les travaux émanait d'un magistrat local, pour qui l'ordre d'exhumer ne pouvait être exécuté hors de la présence d'un *juge* – équivalent guatémaltèque de nos procureurs. N'en ayant pas trouvé sur les lieux le matin lorsqu'il était venu visiter le site, il avait ordonné l'arrêt immédiat des fouilles. Mateo s'était donc rendu à Guatemala dans l'espoir d'obtenir cassation de l'ordonnance.

Mateo a conduit son compagnon tout droit vers les deux agents de la police civile nationale en uniforme chargés de veiller au respect de l'arrêté et leur a montré un document. Le plus gradé des deux a repoussé en arrière le pistolet pendu à sa ceinture afin de se plonger dans la lecture du papier. Sa chevelure a miroité dans la lumière de la fin de journée quand il a baissé la tête. Son coéquipier, un pied en avant, affichait son ennui. Le gradé a échangé quelques mots avec le visiteur en costume puis, après un hochement de la tête, a restitué à Mateo l'autorisation de reprendre le travail.

Près du puits, Juan, Luis et Rosa se tapaient dans les mains en signe de victoire, sous les regards curieux des villageois silencieux. Mateo et son compagnon les ont rejoints. Elena leur a emboîté le pas. Quant à moi, je suis allée à la tente, non sans jeter en chemin un coup d'œil au couple formé par la señora Ch'i'p et son fils.

L'homme affichait un air buté, on sentait la haine sourdre de tous ses pores. Haine envers qui ? Envers ceux qui avaient massacré sa famille ? Envers nous qui débarquions d'un autre monde pour déranger les ossements des siens ? Envers des autorités qui siégeaient à des centaines de kilomètres et bloquaient notre effort minime de révéler la vérité ? Haine envers lui-même qui avait survécu à l'horreur ? Sa mère en revanche demeurait impassible. À croire que son visage était taillé dans le bois.

Mateo nous a présenté l'homme en costume : Roberto Amado, substitut du procureur à Guatemala. Sa présence, avait statué le juge, rendait l'exhumation exécutoire. Amado resterait donc avec nous à titre d'observateur pendant toute la durée des travaux et son constat permettrait à la cour de valider le travail accompli.

Amado a serré la main de tout le monde et s'est rendu dans le périmètre protégé. Là, il a déplié sa chaise et s'est assis. Mateo a commencé à répartir les tâches.

— Luis et Rosa, remettez-vous au tamis, s'il vous plaît, pendant que je creuserai avec Tempe. Juan, tu te charges du transport de la terre. Nous ferons des rotations, si nécessaire.

Mateo avait une petite cicatrice en forme de V sur la lèvre supérieure qui s'élargissait en U quand il souriait. En cet instant, le V était fin comme une aiguille.

— Elena, tu t'occupes de la documentation. Inventaire des ossements, inventaire des objets et catalogue photos. La moindre molécule doit être répertoriée.

— Où sont Carlos et Molly ? a demandé Elena.

Représentant d'une organisation de défense argentine des droits de l'homme, Carlos Menzes travaillait comme conseiller à la FAFG depuis sa création en 1992. Molly Carraway, elle, était une archéologue récemment débarquée du Minnesota.

— Ils conduisent une autre camionnette. Elle ne sera pas de trop pour remporter l'équipement et tout ce qu'on aura retrouvé. (Il a jeté un coup d'œil au ciel.) L'orage va éclater dans deux heures. Trois, avec de la chance. Essayons de retrouver ces gens avant qu'une autre connerie administrative ne nous tombe sur le poil.

Sur ce, Mateo a rangé l'arrêté de la cour dans son sac à dos et suspendu celui-ci à une barre transversale. C'est un homme aux yeux et aux cheveux noirs comme du jais. Son corps, trapu et court, évoque une prise d'eau pour incendie comme il y en a dans les rues des villes américaines. Aidé de Luis, il a entrepris de retirer les bâches qui recouvraient l'excavation. Les muscles de son cou et de ses bras se sont tendus jusqu'à ressembler à des tuyaux. J'ai réuni des truelles dans un seau attaché à une longue corde.

Mateo a posé son pied sur la première des marches que nous avions creusées dans la paroi du puits. Les bords se sont effrités sous sa botte et de la terre est allée atterrir deux mètres plus bas. Il a entamé la descente dans un léger bruit de cascade.

Quand il a été au fond, j'ai fait descendre le seau, puis j'ai remonté la fermeture Éclair de mon coupe-vent. Trois jours ici m'avaient servi de leçon. Si dehors, au cœur de ces montagnes, le temps était agréable en ce mois de mai, sous terre, il faisait un froid humide qui vous transperçait jusqu'à la moelle. Tous les soirs, je quittais Chupan Ya les doigts gourds, et glacée jusqu'aux os.

À mon tour, je suis descendue dans le puits en posant, comme Mateo, mes pieds parallèles à la paroi et en m'arrêtant à chaque échelon pour en tester la solidité. Je sentais mon pouls s'accélérer à mesure que le noir se refermait sur moi.

En bas, Mateo me tendait une main, je l'ai prise. Je me trouvais à présent dans un trou qui ne faisait pas deux mètres carrés de surface et dont le fond et les parois étaient lisses. L'air humide sentait le moisi.

Mon cœur battait à tout rompre, juste en dessous de mon sternum. Une goutte de sueur a dégouliné le long de ma colonne vertébrale.

Mais qu'est-ce que c'était que cette vie à traîner à longueur de temps dans des boyaux étroits et obscurs ?!

Tournant le dos à Mateo, j'ai fait semblant de nettoyer ma truelle. J'avais les mains qui tremblaient. Les yeux fermés, j'ai lutté de toutes mes forces contre la claustrophobie. J'ai pensé à ma fille : Katy bébé, Katy étudiante à l'université de Virginie, Katy à la plage. J'ai pensé à mon chat Birdie, à ma maison à Charlotte, à mon appartement à Montréal. Et j'ai joué à un jeu que je pratique souvent : chanter la première chanson qui me vient à l'esprit. *Harvest Moon*, de Neil Young. J'ai cherché à me rappeler les paroles.

Ma respiration a fini par se calmer, mon rythme cardiaque s'est ralenti. J'ai rouvert les yeux et regardé ma montre. Cinquante-sept secondes. Pas aussi bien qu'hier, mais mieux que mardi. Et nettement mieux que lundi.

Mateo, à genoux, grattait déjà la terre humide. Je

me suis installée à l'autre bout. Nous avons travaillé les vingt minutes suivantes sans échanger un mot. Déblayer la terre à la truelle, l'examiner, la transvaser dans des seaux.

Des objets apparaissaient de plus en plus souvent. Un tesson de verre. Un gros morceau de métal. Du bois carbonisé. En haut, Elena les mettait chacun dans un sac et en tenait l'inventaire.

Des bruits du monde au-dessus de nos têtes parvenaient jusqu'à nous. Une plaisanterie. Une demande. Un aboiement de chien. De temps à autre, je lançais un regard vers la trouée de lumière, cherchant inconsciemment à me rassurer.

Des visages se penchaient vers nous. Des hommes en chapeau de gaucho, des femmes en costume maya traditionnel avec des enfants pendus à leurs jupes et des bambins attachés dans leur dos au moyen de bandes tissées de toutes les couleurs de l'arc-en-ciel. Et tout ce monde nous regardait avec des yeux ronds. Cent variantes de pommettes saillantes, de cheveux et d'yeux noirs comme du jais, de teints terre de Sienne.

À un moment, j'ai aperçu une petite fille. Le bras levé au-dessus de la tête, elle se retenait à la corde. Gamine typique de la région avec ses bonnes joues rondes, sa queue de cheval et ses pieds sales.

J'ai ressenti un pinçon de douleur.

Elle avait le même âge qu'une des petites filles de la señora Ch'i'p jetée dans ce puits, et elle portait la même barrette que celle que nous avions retrouvée dans le tamis.

Je lui ai souri. Elle s'est détournée et a enfoui son visage dans les jupes de sa mère. Une main brune s'est abaissée sur sa tête.

D'après les témoignages, ce trou que nous explorions, prévu pour servir de réservoir, n'avait jamais été achevé. Le soir du massacre, on l'avait transformé à la hâte en sépulture. En un charnier pour des victimes en tous points semblables aux gens rassemblés là-haut pour veiller leurs morts.

Je me suis remise à creuser avec une rage décuplée.

Concentre-toi, Brennan. Mets ta fureur au service de ton but. Découvre des preuves, donne toute ta mesure !

Dix minutes plus tard, ma truelle a heurté quelque chose de dur. Je l'ai abandonnée pour dégager la boue à la main.

La chose, mince comme un crayon, se terminait en formant un angle. Une surface rugueuse, un cou surmonté d'un chapeau minuscule et, tout autour de ce chapeau et de ce cou, une coupe évasée.

Assise sur les talons, j'ai examiné ma trouvaille : un fémur et un os pelvien. La hanche d'un enfant qui n'avait pas deux ans.

J'ai relevé la tête. Mon regard a croisé celui de la petite fille. De nouveau, elle a disparu, mais pour revenir, cette fois, en glissant un œil entre les plis de la jupe de sa mère. Elle m'a adressé un sourire timide.

Doux Jésus au royaume des cieux !

Des larmes ont brûlé mes paupières.

— Mateo !

J'ai désigné les petits ossements. Il s'est déplacé à croupetons jusque dans mon coin.

Le fémur était parsemé de taches grises et noires sur presque toute sa longueur, signe qu'il avait été exposé au feu et à la fumée. L'extrémité distale, blanche et friable, indiquait qu'à cet endroit, la chaleur avait été plus intense.

Pendant un moment, aucun de nous n'a prononcé un mot. Puis Mateo s'est signé et a dit à voix basse : « On les a ! »

Il s'est relevé et a répété sa phrase à voix haute. L'équipe tout entière s'est rassemblée au bord du puits.

Je n'ai pu m'empêcher de penser : On a qui, Mateo ? Les victimes, pas les assassins ! Quelle chance y a-t-il pour qu'un seul de ces bouchers à la solde du gouvernement passe un jour devant la justice ? Mieux encore, pour qu'il soit condamné ?

Elena nous a lancé un appareil photo, puis un sachet en plastique marqué n° 1. J'ai replacé l'os tel que je l'avais trouvé et je l'ai photographié sous tous les angles.

Puis Mateo et moi sommes retournés à nos truelles et les autres à leur tamisage et à leur transport. Au bout d'une heure, ça a été mon tour de passer la terre au tamis. Une heure encore plus tard, je suis retournée au fond du puits.

L'orage restait cantonné au loin.

Peu à peu, le réservoir nous révélait son histoire. L'enfant avait été l'une des dernières victimes à être descendue dans la tombe clandestine. Sous ses restes et autour se trouvaient les squelettes d'autres gens. Les uns gravement brûlés, les autres à peine seulement.

Vers la fin de l'après-midi, sept numéros avaient été assignés aux ossements, et cinq crânes nous contemplaient de dessous un enchevêtrement d'os. Trois des victimes étaient des adultes, deux au moins des adolescents. À part l'enfant retrouvé en premier, impossible de dire l'âge des autres.

À la tombée du jour, j'ai fait une découverte dont le souvenir m'accompagnera jusqu'à la fin de ma vie. Cela faisait plus d'une heure que je travaillais sur le squelette n° 5. J'avais exhumé le crâne et la mâchoire inférieure et dégagé les vertèbres, les côtes, le bassin et les membres. J'avais tracé le contour de ses jambes et retrouvé des os de son pied parmi ceux de la victime d'à côté.

C'était le squelette d'une femme, à en juger d'après l'étroitesse des arêtes des orbites, l'aspect lisse et la minceur des pommettes, la petitesse des mastoïdes. Une phalange délicate portait encore une alliance rouillée. La moitié inférieure du corps était enveloppée dans un lambeau de tissu putréfié qui avait dû être semblable à celui dont étaient faites les jupes des femmes au-dessus de ma tête. Celui de la blouse adhérait encore à la partie supérieure du torse. Malgré les taches et la décoloration, on en devinait le motif. Un paquet, enveloppé dans un tissu différent, reposait entre les os d'un bras, en appui sur la cage thoracique effondrée. J'ai soulevé la première couche de tissu en faufilant délicatement le bout de mes doigts à l'intérieur.

Une fois, à Montréal, j'avais eu à examiner un sac en jute trouvé au bord d'un lac. Après en avoir retiré plusieurs pierres, j'étais tombée sur des os si fragiles que j'avais pensé tout d'abord que c'étaient ceux d'un oiseau. Erreur. Il s'agissait de trois chatons qu'on avait noyés. J'avais été prise d'un dégoût si violent que j'avais dû quitter le laboratoire en catastrophe et faire plusieurs kilomètres à pied avant de pouvoir me remettre au travail.

Le paquet que tenait le squelette n° 5 renfermait une arche minuscule faite de côtes et de vertèbres. Les os des bras et des jambes n'étaient pas plus gros que des allumettes. Il y avait aussi une toute petite mâchoire.

Le petit-fils de la señora Ch'i'p.

Parmi les os du crâne, brisés et fins comme du papier, une balle de 556. Le calibre employé pour les fusils d'assaut.

J'ai ressenti le même désarroi qu'à la vue des

chatons mais, cette fois, mêlé à de la fureur. Il n'y avait pas de rue ici, à Chupan Ya, nulle part où je puisse laisser éclater ma colère. J'ai regardé les petits os en essayant de me représenter l'homme qui avait tiré cette balle. Comment pouvait-il dormir, la nuit ? Et le jour, comment pouvait-il regarder les gens en face ?

À six heures, Mateo a donné l'ordre d'arrêter la fouille pour la journée. En haut, l'air sentait la pluie, et des veines de foudre palpitaient à l'intérieur des nuages lourds et noirs. Les gens du cru avaient disparu.

Nous nous sommes empressés de recouvrir le site et de remiser le matériel que nous laisserions sur place. Entre-temps, la pluie s'était mise à tomber. De grosses gouttes froides martelaient la tente. Amado, le substitut, attendait debout, le visage impassible, sa chaise pliée à la main.

Mateo a signé le registre de la journée et l'a remis aux policiers. Nous sommes partis à travers le champ de maïs, marchant les uns derrière les autres comme des fourmis le long d'une trace odorante. Nous venions à peine d'entamer la longue ascension quand l'orage a éclaté. Une pluie drue m'a cinglé le visage et trempée de la tête aux pieds. La foudre clignotait, le tonnerre grondait. Les arbres et les épis pliaient sous le vent.

En l'espace de quelques minutes, l'eau a dévalé la pente et transformé le chemin en un torrent d'une épaisse boue marron. À plusieurs reprises, j'ai perdu l'équilibre et je me suis ramassée violemment sur un genou. J'ai repris la grimpée en rampant, me retenant de la main droite à la végétation et trimbalant derrière moi le sac rempli de truelles. Je dérapais, incapable de trouver d'appui solide pour mes pieds. Malgré le martèlement de la pluie, j'entendais les voix de mes compagnons au-dessus et en dessous de moi. Chaque fois qu'un éclair zébrait le ciel, leurs formes tordues s'illuminaient en blanc. J'avais les jambes qui tremblaient et la poitrine en feu.

Une éternité plus tard, j'ai atteint la corniche. Je me suis traînée sur la langue de terre où nous avions garé nos véhicules, onze heures plus tôt. Je déposais les pelles dans la benne d'une camionnette quand une sonnerie a retenti, à peine audible dans le fracas du vent et la pluie. Le téléphone satellite de Mateo.

— Quelqu'un peut répondre ? a hurlé celui-ci.

En glissant et en dérapant, j'ai réussi à gagner la cabine, à attraper le sac à dos de Mateo, à trouver l'appareil, à enfoncer la touche « OK » et à crier « Tempe Brennan ! » avant que la sonnerie s'interrompe.

— Vous êtes toujours sur le site ?

De l'anglais. Molly Carraway, ma collègue du Minnesota.

— On est sur le point de prendre la route. Il pleut des trombes.

Je criais, tout en essuyant l'eau de mes yeux du revers de la main.

— C'est sec par chez nous.

— Vous êtes où ?

— Juste à la sortie de Sololá. On est partis avec du retard. Je crois qu'on est suivis.

— Suivis ?

— Une berline noire nous colle au train depuis Guatemala. Carlos a essayé plusieurs fois de la semer, rien à faire. Le type nous tient comme une mauvaise grippe.

— Tu peux le voir au volant ?

— Pas vraiment. Il a des vitres teintées.

Un coup violent, un cri perçant, puis un grésillement, comme si le téléphone avait roulé à terre.

« De dieu ! »

La voix de Carlos, amortie par la distance.

— Molly ?

Des mots inquiets que je n'ai pas réussi à comprendre.

— Molly, qu'est-ce qui se passe ?

Des cris. Un autre coup sourd. Un raclement. Un Klaxon de voiture. Un fort craquement. Des voix d'hommes.

— Qu'est-ce qui se passe ?

La peur avait fait grimper ma voix d'une octave.

Pas de réponse.

Un ordre hurlé. La réponse de Carlos : « Va te faire foutre ! »

— Molly ! Qu'est-ce qui se passe, dis-moi !

Je criais presque. Mes compagnons s'étaient arrêtés de charger et me dévisageaient.

« Non ! »

La voix de Molly Carraway, toute faible et grêle, comme si elle venait d'une autre galaxie. Paniquée.

« S'il vous plaît, non ! »

Deux échos sourds.

Un autre hurlement.

Encore deux bruits flasques.

Et puis plus rien.

2.

Nous avons découvert Carlos et Molly à environ huit kilomètres de Sololá – moins de trente kilomètres de notre site et plus de quatre-vingt-dix de Guatemala.

Il avait plu sans arrêt pendant que notre convoi bringuebalait sur l'étroit chemin de terre et de rochers qui reliait la gorge à la route. Un premier véhicule s'était enlisé, puis un autre. Pour les dégager, l'équipe tout entière avait dû pousser, en pataugeant dans une mer de boue. Enfin nous avions pu repartir, couverts de terre de la tête aux pieds comme les indigènes de Nouvelle-Guinée lors des cérémonies funéraires.

Il faut normalement vingt minutes pour rejoindre la route goudronnée. Ce soir-là, le trajet nous a pris plus d'une heure. Agrippée à l'accoudoir, je tanguais d'un côté à l'autre du camion, l'estomac noué par l'angoisse. Comme Mateo, bien que ni lui ni moi n'en soufflions mot. Qu'était-il donc arrivé à Molly et à Carlos ? Qu'est-ce qui pouvait les avoir retardés autant ? Avaient-ils vraiment été suivis ? Par qui ? Où se trouvaient maintenant ces gens inquiétants ?

À l'embranchement du chemin et de la route, le señor Amado est descendu de la Jeep et s'est hâté vers sa voiture, se fondant dans la nuit. Visiblement, le substitut n'avait aucune envie de prolonger ce moment en notre compagnie.

La pluie nous avait pris en chasse. Conduire sur l'asphalte n'était pas sans danger. Un quart d'heure plus tard, nous avons repéré la camionnette de la FAFG renversée dans le fossé, de l'autre côté de la route. Les phares, restés allumés, louchaient, et la portière du conducteur était ouverte. Mateo a fait un demi-tour serré et s'est garé sur le remblai. J'ai bondi dehors avant même que la voiture se soit complètement arrêtée, les entrailles tordues par la crainte au point de sentir à la place un nœud dur et glacé.

Malgré la pluie et l'obscurité, on pouvait voir des taches sombres sur le flanc du véhicule. À la vue du spectacle à l'intérieur, mon sang s'est figé dans mes veines.

Carlos était plié en deux sous le volant. Ses pieds et sa tête dépassaient par la portière ouverte comme si on l'avait poussé de dehors dans l'habitacle. L'arrière de son crâne et le dos de sa chemise avaient la couleur d'une piquette bon marché et d'horribles éclaboussures maculaient son jean et ses bottes. Le haut du dossier et l'avant du siège étaient trempés d'un sang qui avait dégouliné jusqu'à former une mare autour des pédales.

Côté passager, Molly était effondrée comme une poupée de chiffon, les jambes écartées, une main sur la poignée de la portière, l'autre sur ses genoux, paume en l'air. Sa tête rejetée en arrière faisait un angle bizarre avec le siège. Deux taches en forme de champignons obscurcissaient le devant de son coupe-vent en nylon.

J'ai foncé vers Carlos et j'ai posé mes doigts tremblants sur sa gorge. Rien. J'ai déplacé ma main, cherchant un signe de vie. Rien. J'ai essayé le poignet. Rien.

Mon Dieu, je vous en supplie ! Mon cœur tambourinait dans ma poitrine comme s'il était pris de folie.

Mateo, qui m'avait rejointe, m'a fait signe d'aller examiner Molly. Je me suis précipitée, les jambes en coton. Passant le bras par la fenêtre ouverte, j'ai saisi son poignet. Le pouls ne battait plus. J'ai palpé sa gorge à différents endroits. La chair était toute pâle. Sur l'autre siège, Mateo faisait les mêmes gestes désespérés que moi, tout en hurlant dans son téléphone.

À la quatrième tentative, j'ai senti un battement. Faible et incertain, à peine un tremblement, mais un battement quand même. J'ai crié :

— Elle vit !

Derrière moi, Elena écarquillait les yeux. Elle a ouvert la portière et je me suis glissée à l'intérieur pour prendre Molly dans mes bras. En la maintenant redressée, j'ai ouvert sa veste, et relevé son sweat-shirt. Le sang coulait de deux endroits. Les pieds écartés pour assurer mon équilibre, j'ai appuyé fermement sur les blessures en priant pour que les secours arrivent sans tarder.

La pluie dégoulinait dans mon cou, mon sang battait dans mes tympans. Des centaines de battements. Des milliers de battements.

Je murmurais des mots rassurants à l'oreille de Molly, je la suppliais de rester avec moi. Mes bras devenaient gourds, j'avais des crampes dans les jambes. Ma position instable me laminait le dos. Une douleur à hurler.

Mes compagnons se serraient les uns contre les autres ou se tenaient embrassés, échangeant un mot par-ci par-là pour se réconforter. Des voitures passaient à vive allure. Des visages se tournaient vers nous, curieux, mais pas au point de s'en mêler.

Avec ses lèvres aux commissures toutes bleues, Molly avait quelque chose de fantomatique. Elle portait une chaîne en or où était accrochée une croix minuscule. Sa montre, en or également, indiquait huit heures vingt et une. J'ai cherché des yeux son téléphone portable, je ne l'ai pas vu.

La pluie s'est arrêtée aussi subitement qu'elle avait commencé. Un chien a aboyé, d'autres lui ont répondu. Un oiseau de nuit a émis un piaulement timide, puis l'a répété.

Enfin j'ai repéré un point rouge au loin sur la route.

— Les voilà, ai-je chantonné à l'oreille de Molly. Tiens bon, ma fille, tout ira bien !

Le sang et la sueur faisaient déraper mes doigts de ses blessures.

Le point rouge approchait. Il s'est divisé en deux. Quelques minutes plus tard, une ambulance et une voiture de police se sont arrêtées dans un crissement de pneus, en nous expédiant des gerbes de gravier et une vague d'air chaud. Du rouge s'est mis à clignoter sur l'asphalte mouillé, sur les carrosseries luisantes de pluie et sur nos visages blafards.

Molly et Carlos ont reçu les premiers soins, puis ont été transférés dans l'ambulance, direction : l'hôpital de Sololá. Elena et Luis ont suivi pour organiser l'admission. Après une courte déposition, le reste de l'équipe a été autorisé à reprendre la route pour Panajachel, la ville où nous demeurions. Sauf Mateo qui a fait le voyage jusqu'au commissariat de Sololá.

Nous étions descendus à l'Hospedaje Santa Rosa, un hôtel tout simple au bout d'une petite rue, non loin de l'Avenida el Frutal. À peine dans ma chambre, je me suis débarrassée de mes vêtements sales que j'ai laissés en tas dans un coin de la pièce, et j'ai foncé sous la douche. Une chance que la FAFG ait accepté de payer les quelques quetzals de supplément pour l'eau chaude ! Après quoi, je me suis écroulée dans mon lit. J'avais beau ne rien avoir avalé depuis mon sandwich au fromage et ma pomme du déjeuner, l'inquiétude et l'épuisement m'avaient coupé la faim. J'étais trop angoissée pour Molly et Carlos et trop découragée par toutes ces victimes de Chupan Ya.

Des cauchemars m'ont taraudée toute la nuit. Crânes d'enfants éclatés en mille morceaux. Orbites évidées. Os de bras emprisonnés dans un *güipil* en état de putréfaction. Camionnette éclaboussée de chair humaine.

À croire qu'il n'y avait pas d'échappatoire à la mort violente, dans ce pays. De jour comme de nuit, jadis comme aujourd'hui.

Je me suis réveillée au son d'un croassement de perroquet. Une aube douce et grise filtrait par les volets. Je sentais quelque chose d'horrible. Mais quoi ?

Le souvenir de la soirée précédente s'est abattu sur moi comme une vague glacée, me laissant tout engourdie. Recroquevillée en chien de fusil, je suis restée au lit, tiraillée entre le désir d'avoir des nouvelles et la peur de savoir.

Écartant mon édredon, je me suis levée pour effectuer mon rituel quotidien. Version abrégée, ce matin. Après m'être habillée en vitesse, jean, T-shirt, sweatshirt, veste et casquette, je suis descendue dans la cour.

Mateo et Elena s'y trouvaient déjà, attablés devant un café. Leurs silhouettes se détachaient nettement sur le mur rose saumon. Je les ai rejoints. La señora Samines a posé un café devant moi, des plats devant les autres : *huevos rancheros*, haricots noirs, pommes de terre et fromage.

— *¿ Desayuno ?* a-t-elle demandé. Petit déjeuner ?

— *Sí, gracias.*

J'ai ajouté du lait dans ma tasse, puis j'ai levé les yeux vers Mateo.

— Carlos a pris une balle dans la tête et une autre dans le cou, a-t-il dit en anglais. Il est mort.

Le café a viré à l'acide dans ma bouche.

— Molly a été touchée en deux endroits à la poitrine. Elle a survécu à l'opération, mais elle est dans le coma.

J'ai regardé Elena. Elle avait des cernes bleu lavande sous les yeux, et le blanc de l'œil humide et strié de rouge.

— Comment ça s'est passé ? ai-je demandé en reportant mon regard sur Mateo.

— On pense que Carlos a résisté. Il a été abattu à bout portant, hors du camion.

— Une autopsie sera demandée ?

Les yeux de Mateo ont croisé les miens. Il a gardé le silence.

— Le motif de l'agression ?

— Le vol.

— Le vol ?

— C'est un véritable problème sur ce tronçon de route.

— Molly a dit qu'ils étaient suivis depuis Guatemala.

— Je l'ai signalé à la police.

— Et ?

— Avec ses cheveux châtains et sa peau claire, Molly est une *gringa* typique. Les flics pensent que Carlos et elle ont été repérés à Guatemala, pris pour des touristes et suivis jusqu'à ce que se présente un endroit propice à l'agression.

— Sur une grand-route, à la vue de tout le monde ?

Comme Mateo ne réagissait pas, j'ai insisté :

— Et les voleurs auraient laissé les bijoux et la montre ?

— La police n'a retrouvé ni portefeuilles, ni pièces d'identité.

— Considérons les choses calmement. Ils auraient été suivis pendant plus de deux heures par des bandits de grand chemin qui auraient piqué leurs portefeuilles et laissé les bijoux ?

— *Sí*, a répondu Mateo, passant à l'espagnol.

— C'est comme ça que procèdent les voleurs, chez vous ?

Il a hésité avant de répondre.

— Ils ont peut-être pris peur.

La señora Samines est revenue avec mes œufs. J'ai crevé le jaune et planté ma fourchette dans une pomme de terre. Carlos et Molly auraient été abattus pour de l'argent ? Cette idée de vol à main armée me révoltait. Bizarre, non ? pour quelqu'un qui était venu au Guatemala persuadé qu'il lui faudrait combattre de front la bureaucratie, les bactéries intestinales, les chauffeurs de taxi malhonnêtes et les pickpockets ? Pourquoi cette idée de vol à main armée me choquait-elle autant ? Car enfin, le principal producteur d'homicides par arme à feu, c'est quand même mon pays, les États-Unis. Chez nous, les rues et les lieux de travail sont zones de guerre. Des ados sont abattus pour leur blouson, des épouses pour avoir servi le dîner en retard, des écoliers pour avoir déjeuné à la cantine du lycée. Tous les ans, plus de trente mille Américains sont fauchés par balle. Tous les ans, la NRA recommence sa propagande, et l'Amérique tout entière avale le baratin. Les pistolets prolifèrent et les massacres continuent. En matière de port d'arme, la police a perdu l'avantage, elle n'est plus qu'à égalité avec le reste de la population.

Mais au Guatemala ?

La pomme de terre avait un goût de sciure. J'ai reposé ma fourchette et pris ma tasse de café.

— Ils pensent que Carlos est descendu de voiture ? ai-je demandé.

Mateo a hoché la tête.

— Pourquoi les voleurs ont-ils pris la peine de le remettre à l'intérieur ?

— Parce qu'un véhicule endommagé attire moins l'attention qu'un cadavre sur le bas-côté de la route.

— Vous y croyez, vous, à ce scénario de vol ?

Les mâchoires de Mateo se sont crispées, relâchées et crispées à nouveau.

— Ce sont des choses qui arrivent.

Elena s'est raclé la gorge, mais n'a pas pipé mot.

— Et maintenant, qu'est-ce qu'on fait ?

— Elena va aller monter la garde à l'hôpital et nous, continuer les fouilles à Chupan Ya. (Il a jeté son reste de café dans l'herbe.) Et on va tous prier.

Le travail physique est l'antidote imaginé par Dieu pour contrer le chagrin, avait coutume de dire ma grand-mère qui croyait aussi que la vue d'un crapaud rend les femmes stériles. Mais ça, c'est une autre histoire.

Au cours des six jours suivants, notre équipe en a avalé des mégadoses, de cet élixir cher à ma grand-mère. L'équipement descendu dans la vallée, nous avons trimé au fond du puits du lever au coucher du soleil, jouant tour à tour de la truelle, du seau et du tamis. Le soir venu, nous nous traînions de l'*hospedaje* jusqu'à l'un des restaurants installés au bord du lac

Atitlán. Brefs moments de sursis, ô combien appréciés, dans nos journées où la mort dirigeait tout. Une odeur de poisson et d'algues montait du lac dans la nuit si noire qu'elle effaçait jusqu'aux volcans de la rive en face, et l'on entendait le clapotis des vagues s'enroulant autour des piliers du ponton en bois. Touristes et gens du cru se promenaient sur la grève. Des femmes mayas passaient, portant des paquets incroyables sur la tête. Au loin, des xylophones déversaient leurs mélodies dont des bribes seulement parvenaient jusqu'à nous. La vie suivait son cours.

Certains soirs, nous mangions en silence, trop fatigués pour échanger ne serait-ce qu'un mot. D'autres fois, nous parlions travail, ou bien de Molly et de Carlos, de cette ville où nous nous trouvions.

L'histoire de Panajachel est aussi colorée que les tissus qu'on y vend dans la rue. Dans un âge antérieur, ce village a été fondé par les Mayas k'akchiquels, ancêtres de ceux qui le peuplent aujourd'hui. Puis il a été conquis par des guerriers rivaux, les Tzutujils, lesquels ont été défaits par les Espagnols. Plus tard, les franciscains ont établi une église et un monastère à Pana, et le village a servi de camp de base pour leurs missions.

Darwin avait raison : la vie est assurément une succession de bonnes et de mauvaises occasions. Le malheur des uns fait le bonheur des autres. Au XXe siècle, dans les années 1960 et 1970, ce lieu est devenu une terre d'asile pour les *gringos*, gourous, hippies et autres marginaux. La rumeur selon laquelle le lac Atitlán serait l'un des rares « champs d'énergie du vortex » au monde a drainé vers ses rivages quantité de guérisseurs cosmiques et de mages adeptes du cristal. Aujourd'hui, Panajachel est un méli-mélo de traditions mayas et d'habitudes contemporaines à la sauce Occident. Les *hospedajes* côtoient les hôtels de luxe et les cafés européens, les *comedores* locales. On y trouve des distributeurs de billets et des marchés en plein air ; des *güipils* et des débardeurs ; des mariachis et des disques de Madonna ; des *brujos* mayas et des prêtres catholiques.

Mercredi soir, l'exhumation à Chupan Ya était achevée. En tout, vingt-trois corps avaient été retirés du puits. Treize balles et cartouches avaient été retrouvées, ainsi que deux lames de machette brisées. Chaque ossement ou objet avait été dûment répertorié, photographié et mis sous scellés pour être acheminé au labo de la FAFG, à Guatemala. L'anthropologue avait enregistré vingt-sept récits et prélevé des échantillons d'ADN sur seize personnes.

Le corps de Carlos avait été transporté à la morgue de Guatemala, et son autopsie avait confirmé les suppositions de la police locale : la mort avait bien été causée par une balle tirée à bout portant.

Quant à Molly, elle était toujours dans le coma. Tous les jours, l'un de nous faisait le voyage jusqu'à l'hôpital San Juan de Dios à Sololá, restait un moment à son chevet et revenait nous faire un rapport de la situation. Le même chaque fois : pas de changement.

La police n'avait relevé ni trace identifiable ni empreinte digitale. Elle n'avait retrouvé aucun témoin et n'avait pas de suspect. Les recherches se poursuivaient.

Mercredi, après le dîner, je suis allée rendre visite à Molly. Deux heures durant, je lui ai tenu la main et caressé la tête en espérant que son esprit, où qu'il se trouve, soit capable de sentir ma présence. Je lui ai parlé aussi, de temps à autre, évoquant des moments que nous avions vécus ensemble et des gens que nous connaissions toutes les deux avant de venir ici. Je lui ai raconté les fouilles à Chupan Ya en lui énumérant tout ce que nous attendions d'elle dans l'avenir. Le reste du temps, je suis restée près de son lit à écouter son moniteur cardiaque ronronner dans la chambre silencieuse, tout en priant pour qu'elle se rétablisse.

Jeudi matin, nous avons chargé les camions et la jeep, sous l'œil indifférent du señor Amado, puis nous avons pris la route pour la capitale sous un ciel sans nuages. Succession de lacets abrupts à flanc de montagne. Tout en bas, le lac était d'un bleu de satin et le soleil qui jouait dans les arbres donnait au feuillage une transparence lumineuse où miroitaient des toiles d'araignée.

Tout en haut de la montagne, au moment d'aborder le dernier virage en épingle à cheveux, j'ai admiré les volcans de l'autre rive du lac Atitlán.

Le mont San Pedro. Le mont Tolimán. Le mont Atitlán.

Les yeux fermés, j'ai récité tout bas une prière à l'intention du dieu qui voudrait bien m'entendre.

Faites que Molly vive, je vous en supplie.

La ville de Guatemala est divisée en zones, la FAFG se trouve dans la 2. Jadis apprécié de la bonne société, c'est un joli quartier planté d'arbres qui s'étire sur une langue de terre séparant deux ravins pentus ou *barrancas*. Il abrite de nos jours quantité d'entreprises privées et de services publics. Les rares résidences qui s'y trouvent encore s'agrippent au lieu comme des ventouses sur le dos d'un malade. Le stade national de base-ball se dresse tout au bout de la Calle Simeón Cañas, une artère à quatre voies, jalonnée des deux côtés par des abribus couverts de graffitis et sillonnée aussi bien par des autobus de toutes les couleurs que par des marchands qui poussent leurs charrettes. Des vendeurs, installés dans des guérites en ferraille percées d'une fenêtre à glissière, attirent les passants. L'un propose du Pepsi, l'autre du Coca. Des *tamales*. Des *chuchitos*. Des hot dogs nature ou *chucos* – sales : avec de l'avocat et du chou.

Les laboratoires et les services administratifs de la FAFG occupent un ancien hôtel particulier de deux étages avec piscine et cour intérieure. De l'autre côté de la calle Simeón Cañas, une demeure identique abrite aujourd'hui la section enlèvements et crime organisé du ministère de l'Intérieur.

Arrivé au portail, Mateo a klaxonné. Dans la seconde qui a suivi, une jeune femme avec un visage de chouette et de longues tresses brunes est venue nous ouvrir. Nous sommes allés nous garer sur une aire en gravier, à droite du bâtiment. L'autre camion et la jeep ont suivi, et la concierge a refermé le portail.

L'équipe a mis pied à terre et entrepris de décharger le matériel. Les caisses en carton portaient chacune une inscription indiquant le nom du site et la date de l'exhumation, ainsi que le numéro de code des restes contenus à l'intérieur. Dans les semaines à venir, tout ce qui avait été récupéré à Chupan Ya, os, dents ou objets, serait analysé en vue d'établir l'identité des victimes et la cause de leur mort. Pourvu que nous ayons fini avant que mes obligations professionnelles ne m'obligent à repartir, au mois de juin !

J'en étais à transporter mon troisième carton quand Mateo m'a entraînée à l'écart.

— J'ai un service à vous demander.

— Bien sûr.

— Le *Chicago Tribune* projette de faire un article sur Clyde.

Clyde Snow est l'un des savants les plus éminents de notre profession, l'homme à qui l'anthropologie légale doit d'avoir été reconnue comme spécialité à part entière.

— Oui ?

— Il y a un journaliste qui voudrait m'interviewer à propos du travail de Clyde chez nous. Je lui avais dit de venir, il y a des semaines, ça m'était complètement sorti de la tête.

— Et alors ? ai-je demandé avec un manque d'enthousiasme évident.

Je devinais où il voulait en venir, seulement, moi, je n'éprouve pas un amour immodéré pour la presse.

— Il est dans mon bureau, et très excité à l'idée de vous rencontrer.

— Comment est-il au courant de ma présence ici ?

— J'ai dû la mentionner, probablement.

— Mateo !

— D'accord, je le lui ai dit. Mon anglais me joue des tours, parfois.

— Vous avez été élevé dans le Bronx. Votre anglais est parfait.

— Le vôtre est nettement meilleur. Vous voulez bien le rencontrer ?

— Qu'est-ce qu'il veut savoir ?

— Les trucs habituels. Si vous lui parlez, moi je pourrai commencer à enregistrer les données de Chupan Ya et répartir le boulot.

— C'est bon.

Plutôt me taper la rougeole que de passer un après-midi à tenir la jambe à un journaliste soi-disant passionnant ! Mais bon, j'étais venue au Guatemala pour aider, n'est-ce pas ? Je devais donner le meilleur de moi-même.

— Je vous revaudrai ça, a fait Mateo en me serrant le bras.

— J'espère bien !

— *Gracias.*

— *De nada.*

J'ai trouvé le journaliste dans le bureau de Mateo au second étage. En train de se curer une narine. À mon entrée, il a baissé la main et fait semblant de tirer sur les poils maigrichons qui ombraient sa lèvre supérieure. Feignant la surprise, il a bondi sur ses pieds et m'a tendu la main.

— Ollie Nordstern. Olaf, en réalité, mais mes amis m'appellent Ollie.

— J'étais en train de décharger les camions, ai-je répondu avec un sourire d'excuse en remontant mes mains contre ma poitrine pour ne pas toucher la main de ce monsieur.

Surtout, ne rien recevoir de son butin nasal.

— Oui, c'est un sale boulot.

Nordstern a laissé retomber sa main.

Du geste, je lui ai indiqué de se rasseoir. Un monument au polyester que ce Nordstern, de ses cheveux raidis de gel à la pointe de ses chaussures de randonnée K-mart. Sa tête partait en avant, vissée sur un cou aussi gros que mon bras. Il devait avoir dans les vingt-deux ans.

— Ainsi..., avons-nous commencé en même temps.

Je lui ai fait signe de continuer.

— Vous n'imaginez pas le plaisir que j'ai à vous rencontrer, Dr Brennan. J'ai tellement entendu parler de vous et de votre travail au Canada. Et j'ai lu votre témoignage au Rwanda.

— En vérité, la cour siège à Arusha, et c'est en Tanzanie.

Nordstern voulait parler de mon intervention à propos du Rwanda devant le Tribunal pénal international des Nations unies.

— Oui, oui, naturellement. Et ces affaires avec les Hell's Angels de Montréal. À Chicago, nous avons suivi cela de très près. La Ville venteuse a aussi ses motards, vous savez.

Il a cligné de l'œil et froncé le nez.

Pourvu qu'il ne recommence pas à se triturer les naseaux !

— J'imagine que je ne suis pas la raison de votre présence ici, ai-je dit après un coup d'œil ostensible à ma montre.

— Pardonnez-moi. Je me suis laissé emporter.

Ayant extirpé un calepin de l'une des cent cinquante poches de son gilet de camouflage, Nordstern en a rabattu la couverture et s'est préparé à écrire, le stylo pointé vers le plafond.

— Je voudrais en apprendre le plus possible sur le Dr Snow et la FAFG.

Je n'avais pas ouvert la bouche pour répondre qu'un homme s'est encadré dans la porte restée ouverte. Un teint sombre et un visage irrégulier, comme s'il avait reçu des coups. Des sourcils saillants, un nez bosselé et légèrement dévié. La ligne blanche d'une cicatrice au milieu du sourcil gauche. De petite taille, mais musclé. Pas une once de graisse. La célèbre phrase « C'est nous, les gangsters » m'est venue à l'esprit.

— Dr Brennan ?

— *Sí.*

Il a produit un insigne. SICA. Unité spéciale d'investigation criminelle, police civile nationale du Guatemala. Mon estomac est parti en chute libre.

— Mateo Reyes m'a dit que je vous trouverais ici.

Un anglais sans accent et un ton signifiant clairement qu'il n'était pas venu faire des mondanités.

— Oui ?

— Sergent-détective Bartolomé Galiano.

Seigneur Dieu ! Molly serait-elle morte ?

— C'est en rapport avec l'homicide près de Sololá ?

— Non. C'est qui, lui ? (Coup d'œil à Nordstern et retour sur moi.) Le sujet est délicat.

Ouille, ouille, ouille, Brennan ! En quoi intéresses-tu la SICA ?

— Cela peut attendre quelques instants ?

Le regard fixe de Galiano m'a fourni la réponse.

3.

Confortablement carré dans le siège libéré à contrecœur par Ollie Nordstern, le sergent-détective Galiano a croisé négligemment ses jambes, la cheville sur le genou, et m'a pourfendue d'un regard qui ne cillait pas.

— De quoi s'agit-il, détective ? ai-je demandé de ma voix la plus calme possible, bien que des scènes sorties tout droit de *Midnight Express* fassent la cavalcade dans ma tête.

Les yeux de Galiano me perforaient comme l'aiguille perfore l'insecte épinglé sur la planche.

— À la police civile nationale, nous sommes au courant de vos activités, Dr Brennan.

Je n'ai rien répondu. Je me suis contentée de retirer mes mains du bureau et de les poser sur mes genoux. Deux auréoles de sueur sont restées sur le sous-main en plastique.

— J'en suis en grande partie responsable.

En dehors des touffes de cheveux qui se hérissaient au sommet de son crâne à chaque bouffée d'air expédiée par le ventilateur, l'homme était parfaitement immobile.

— Tiens donc.

— Eh oui.

— Et pourquoi cela ?

— J'ai passé une partie de ma jeunesse au Canada, je me tiens au fait de ce qui s'y produit. Vos exploits ne passent pas inaperçus.

— Mes exploits ?

— La presse vous aime.

— La presse aime surtout vendre son papier. (Mon ton irrité n'a pas dû lui échapper.) Qu'est-ce qui vous amène, détective ?

En guise de réponse, il a sorti une enveloppe brune de sa poche et l'a posée devant moi. Je l'ai regardée sans y toucher. Un numéro de dossier y était inscrit à la main, police ou coroner.

— Jetez-y un coup d'œil, a fait Galiano en se rasseyant dans son fauteuil.

L'enveloppe contenait des photographies en couleurs. La première représentait un paquet sur une table d'autopsie en acier : un liquide suintait des côtés et formait un magma marron sur le plateau perforé. La seconde montrait le paquet ouvert : un jean et l'extrémité inférieure d'un tibia dépassant de l'ourlet effiloché. Troisième photo : une montre et ce qui devait être le contenu d'une poche – peigne, élastique pour les cheveux et deux pièces de monnaie. La dernière photo était un gros plan de tibia et de deux métatarses.

J'ai levé les yeux sur Galiano.

— Découvert hier.

J'ai regardé plus attentivement les parties de squelette. Sous la tache couleur chocolat noir, on distinguait de la chair encore accrochée aux os.

— Il y a une semaine, les toilettes d'un petit hôtel de la zone 1 ont commencé à se boucher. La Pensión Paraíso ne cherche pas à concurrencer le Ritz, mais les clients ont quand même râlé. Les propriétaires ont exploré la fosse septique. Ce Levi's bouchait le conduit d'évacuation.

— À quand remonte la dernière vérification du système ?

— Les propriétaires ne sont pas très à cheval sur l'entretien. Un test de routine a été effectué en août dernier. On peut donc supposer que le corps y est entré après cette date.

Cela me paraissait évident, mais je n'en ai rien dit.

— La victime est probablement une jeune femme.

— Je ne saurais avoir d'opinion d'après ces seules photographies.

— Je ne me serais pas permis de vous la demander.

Dans la chaleur étouffante de la salle, nous nous sommes regardés en chien de faïence. Galiano avait des yeux extraordinaires, bruns avec une pointe de rouge. De l'ambre miroitant au soleil. Ses cils auraient pu lui valoir un contrat avec Maybelline, pour peu qu'il ait été une femme.

— Au cours de ces dix derniers mois, quatre jeunes femmes ont disparu ici. Les familles sont effondrées. Nous pensons que ces disparitions pourraient être liées. (Un téléphone a retenti au bout du couloir. Il n'y a pas prêté attention.) Si tel est le cas, la situation est pressante.

— Bien des gens s'évanouissent dans cette ville.

J'ai revu en esprit le Parque Concordia où des enfants des rues se retrouvent le soir pour sniffer de la colle et dormir. Je me suis rappelé les histoires d'enfants des rues enlevés et tués. En 1990, des gens armés en avaient enlevé huit, d'après les témoignages. On les avait retrouvés quelques jours plus tard. Morts.

— C'est différent. (La voix de Galiano m'a ramenée

à la réalité.) Ces jeunes femmes-là ne correspondent pas au modèle habituel.

— Quel rapport avec moi ? ai-je demandé, tout en le sachant pertinemment.

— J'ai parlé de vous à mes supérieurs, je leur ai dit que vous étiez au Guatemala.

— Comment le saviez-vous ?

— Disons que la SICA est tenue informée des faits et gestes des ressortissants étrangers qui viennent déterrer nos morts.

— Je vois.

Galiano a désigné les photos.

— J'ai été autorisé à vous demander votre concours.

— J'ai d'autres engagements.

— L'exhumation de Chupan Ya est terminée.

— On commence tout juste les analyses.

— Le señor Reyes est d'accord pour vous prêter à nos services.

D'abord le journaliste, et maintenant la police. Il n'avait pas chômé, le Mateo, depuis notre retour en ville !

— Le señor Reyes peut se charger d'examiner vos ossements.

— L'expérience et la formation du señor Reyes ne sauraient se comparer aux vôtres.

C'était vrai. Si Mateo et son équipe avaient analysé des centaines de victimes retrouvées dans des charniers, ils avaient peu travaillé sur des cas d'homicides récents.

— Et puis vous avez cosigné un article sur les corps retrouvés dans les fosses septiques.

Bien renseigné, le flic ! En effet, trois ans plus tôt, un petit trafiquant de drogue de Montréal, arrêté alors qu'il approvisionnait un prétendu acheteur, avait préféré déballer que son associé flottait dans une fosse septique quand il avait compris qu'il risquait de passer un bon bout de temps loin de son armoire à pharmacie. La police provinciale s'était adressée à mon patron, le Dr Pierre LaManche, lequel s'était adressé à moi. Grâce à quoi, j'en savais à présent plus que je ne le désirais sur la façon d'utiliser les fosses septiques pour se débarrasser des gêneurs. Avec LaManche, nous avions passé des jours à superviser la récupération. D'où cet article publié dans le *Journal des sciences judiciaires*.

— C'est une affaire intérieure, ai-je fait valoir. Qui devrait être réglée par des experts d'ici.

Le ventilateur ronronnait. Les mèches de Galiano enchaînaient pirouettes et pliés.

— Avez-vous déjà entendu parler d'un certain André Specter ?

J'ai secoué la tête.

— C'est l'ambassadeur du Canada chez nous.

Le nom m'a vaguement rappelé quelque chose.

— Sa fille Chantal est au nombre des disparues.

— Dans ce cas, c'est aux services diplomatiques de s'en occuper, n'est-ce pas ?

— Specter exige une discrétion absolue.

— La publicité se révèle parfois très utile.

— Il y a des... (Galiano a hésité, cherchant les mots qui convenaient)... circonstances atténuantes.

J'ai attendu qu'il développe. Il s'est abstenu. Dehors, une portière de camion a claqué.

— S'il apparaissait qu'il y a effectivement un lien avec le Canada, le fait d'avoir la liaison directe entre les deux systèmes judiciaires nous serait fort utile.

— Et j'en connais un rayon sur les fosses septiques.

— Ce dont peu de gens peuvent se vanter. De plus,

vous avez déjà élucidé des affaires pour le ministère des Affaires étrangères du Canada.

— Oui.

Ce flic avait manifestement potassé ma biographie.

Et là, il a joué son atout :

— Mon service a pris la liberté de solliciter auprès du ministère dont vous dépendez au Québec l'autorisation de vous engager comme conseiller spécial.

Deuxième objet à émerger de la poche de Galiano : un fax frappé d'un blason représentant une fleur de lys. Qui a trouvé le chemin du bureau comme par lui-même.

M. Serge Martineau, attaché au ministère de la Sécurité publique, et le Dr Pierre LaManche, chef de service au Laboratoire de sciences judiciaires et de médecine légale, autorisaient Temperance Brennan, si celle-ci était d'accord, à être détachée temporairement auprès de l'unité spéciale d'investigation des crimes de la police civile nationale du Guatemala.

Si mes patrons à Montréal faisaient partie du complot, comment échapper à l'embuscade ?

J'ai relevé la tête.

— Vous avez la réputation de faire jaillir la vérité, Dr Brennan. (Ses yeux Maybelline avaient un regard implacable.) Des parents souffrent le martyre de ne pas savoir ce qui est arrivé à leurs enfants.

J'ai pensé à ma fille. Si Katy disparaissait, je serais épouvantée. Mais si elle disparaissait dans un pays dont elle ne connaisse ni la langue, ni les lois, ni les procédures – un pays dont les autorités pouvaient aussi bien ordonner des recherches que ne rien faire du tout –, je vivrais alors dans un état de terreur absolue.

— C'est bon, détective. Je vous écoute.

La zone 1, partie la plus ancienne de Guatemala, est une ruche bourdonnante d'activité, composée d'un ramassis d'échoppes délabrées, d'hôtels bon marché, de gares routières et de parkings, avec ici et là un zeste de modernité. Des Wimpy et autres McDonald's se partagent les rues étroites avec des épiceries, des traiteurs, des bars de sport, des restaurants chinois, des magasins de chaussures, des cinémas, des ateliers de réparation d'électroménager, des boîtes de strip-tease et des cabarets.

Comme beaucoup d'écozones, celle-ci vit selon un rythme diurne. Quand vient l'obscurité, les vendeurs et les piétons qui obstruaient les rues se regroupent autour des stands de cigarettes et des prostituées. Les cireurs de chaussures, les chauffeurs de taxi, les musiciens ambulants et les prédicateurs abandonnent le Parque Concordia aux enfants des rues qui s'y préparent un lit pour la nuit.

Trottoirs défoncés, réclames au néon, pollution et boucan, c'est tout cela la zone 1. Mais elle a aussi son côté élégant, car c'est là que se trouvent le Palacio Nacional, la Biblioteca Nacional, le Mercado Central, le Parque Central, le Parque del Centenario, plusieurs musées, une cathédrale et une admirable poste de style mauresque. Le commissariat central de la police est situé dans un château exotique au croisement de la Calle 14 et de l'Avenida 6. C'est à un pâté de maisons au sud de l'Iglesia de San Francisco, célèbre pour sa sculpture du Sacré-Cœur et pour sa collection de livres à l'Index qui fut retrouvée dans la charpente où des rebelles parmi le clergé les avaient dissimulés, il y a des dizaines d'années de cela.

Une heure et demie plus tard, je me retrouvais en compagnie de Galiano autour d'une table de conférences vétuste, au troisième étage dudit château. Étaient également présents : son coéquipier, le sergent-détective Pascual Hernández, et Juan-Carlos Xicay, chef de l'équipe chargée de draguer la fosse septique.

La salle, d'un gris tristounet, ne devait pas avoir été repeinte depuis l'époque où les *padres* cachaient leurs livres. Quant à mon fauteuil, il laissait voir une bourre couleur étain. Je me suis demandé combien de postérieurs inquiets, épuisés ou terrorisés s'y étaient déjà tortillés.

Une mouche bourdonnait contre l'unique fenêtre de la pièce. Je me suis sentie prise de pitié pour cette malheureuse bête, en quête d'évasion comme moi. À travers les stores crasseux, on apercevait une partie des remparts. Le bon côté de la situation, c'était qu'on ne risquait pas de subir l'assaut de chevaliers du Moyen Âge.

Poussant un soupir, j'ai remué sur mon siège pour la cent millième fois et je me suis mise à tapoter la table avec un trombone. Cela faisait vingt minutes que nous attendions un émissaire du procureur. J'étais en nage, fatiguée et déçue de m'être vu retirer mon travail à la FAFG. Et je n'arrivais pas à le cacher.

— Ça ne devrait plus tarder, a fait Galiano après un regard à sa montre.

— Je ne pourrais pas déjà expliquer en gros la procédure au señor Xicay ? ai-je demandé. Il lui faudra peut-être un certain temps pour réunir l'équipement nécessaire.

L'intéressé a levé un sourcil, mais n'a pas dit un mot. Hernández a manifesté son impuissance en laissant retomber bruyamment une main sur la table. C'était un homme pesant, avec des cheveux noirs ondulés qui lui descendaient bas dans le cou et des poils tout aussi noirs sur les avant-bras et les mains, à cette différence près que, là, ils étaient raides.

— Je retourne me renseigner, a dit Galiano, et il a traversé la salle d'un pas lourd d'ennui.

Se renseigner sur qui ? me suis-je demandé. Sur moi ? Sur le retard du substitut ? Auprès d'un supérieur ?

Presque immédiatement, sa voix m'est parvenue du couloir. Débit rapide et véhément. J'ai raté pas mal de mots, mais pas le ton venimeux du dialogue, ni mon nom, prononcé au moins deux fois.

Au bout de quelques instants, les voix se sont tues et Galiano est rentré dans la pièce, suivi d'un homme mince de haute taille, affublé de lunettes roses. Il se tenait un peu voûté et son ventre mou débordait au-dessus de sa ceinture.

Galiano a joué les maîtresses de maison.

— Dr Brennan, puis-je vous présenter le señor Antonio Díaz qui dirige la section d'investigation criminelle au parquet ?

Je me suis levée. Ignorant ma main tendue, Díaz est allé se placer dos à la fenêtre. Bien que ses verres colorés ne me permettent pas de voir ses yeux, il puait l'hostilité à plein nez.

— Je suis procureur depuis presque vingt ans, Dr Brennan, et durant toute cette période, je n'ai jamais demandé d'aide extérieure pour aucune enquête.

Anglais correct malgré un fort accent.

Ahurie, j'ai laissé retomber ma main.

— Vous considérez peut-être que nos médecins légistes n'ont pas l'entraînement suffisant et sont prisonniers d'un système médico-légal sous-développé ; qu'ils ne sont que des rouages dans une justice désuète, inefficace et minée par la bureaucratie. Néanmoins, permettez-moi de vous dire que, pour la compétence, ils peuvent rivaliser avec les plus grands noms de la profession.

Pourpre d'humiliation, à moins que ce ne soit de colère, j'ai regardé Galiano.

Il est intervenu d'une voix dure comme de l'acier.

— Comme je vous l'ai dit, señor Díaz, le Dr Brennan est ici à notre demande.

— Pourquoi *exactement* êtes-vous venue au Guatemala, Dr Brennan ? a repris Díaz.

La colère me rend hargneuse, j'ai rétorqué du tac au tac :

— Je projette d'ouvrir un établissement thermal.

— Le Dr Brennan est ici pour une tout autre affaire, a expliqué Galiano. C'est une anthropol...

— Je sais parfaitement qui elle est, l'a coupé Díaz.

— Le Dr Brennan, qui a de l'expérience en matière de récupération dans les fosses septiques, s'est proposée pour nous aider.

Proposée ? De moi-même ? Curieuse façon de présenter les choses !

— Ce serait idiot de notre part de nous priver de son expérience.

Le visage en béton, Díaz fixait Galiano. Hernández et Xicay gardaient le silence.

— Nous verrons.

Sur ce, le procureur a quitté la salle après un regard dur dans ma direction.

Silence sépulcral, uniquement brisé par le bourdonnement de la mouche. C'est Galiano qui l'a rompu :

— Je vous présente mes excuses, Dr Brennan.

La colère a également pour effet de me pousser à l'action. J'ai demandé :

— On peut enfin commencer ?

— Il ne l'emportera pas au paradis, a marmonné Galiano en tirant une chaise.

— Autre chose.

— Dites.

— Appelez-moi Tempe.

J'ai passé l'heure suivante à détailler à l'assemblée l'avantage que représentent les fosses septiques quand il s'agit de faire disparaître quelqu'un. Galiano et son équipier m'écoutaient attentivement, m'interrompant parfois pour obtenir une précision ou faire un commentaire. Xicay restait silencieux, les yeux baissés, le visage dénué d'expression.

— De conceptions diverses, les fosses septiques peuvent être construites en pierre, en brique, en béton ou en fibre de verre, et selon des conceptions variées. On en trouve des rondes, des carrées ou des rectangulaires, avec un seul compartiment, ou bien deux, ou trois, qui sont alors séparés par des murets à mi-hauteur ou par des cloisons entières.

— Comment fonctionnent-elles ? a demandé Galiano.

— En gros, ce sont des chambres étanches qui agissent comme des incubateurs pour les bactéries anaérobies, les champignons et les actinomycètes dont la fonction est de digérer les solides organiques tombés au fond.

— Comme la cuisine de Galiano, est intervenu Hernández.

— Qu'est-ce qui se passe après ? a poursuivi Galiano sans s'arrêter à la remarque de son coéquipier.

— En raison de la chaleur engendrée par le processus de digestion, des gaz bouillonnent à la surface. Combinés avec des particules de graisse, de savon, d'huiles, de cheveux et de tout autre type d'ordure, cela peut produire une écume mousseuse. C'est la première chose qu'on aperçoit quand on ouvre la cuve.

— Un rayon de soleil dans votre journée ! a lancé Hernández.

— Au bout d'un certain temps, si on n'y touche pas, une couche à demi solide se forme en surface.

— Le gâteau de merde.

Humour macho pour cacher sa répulsion.

— Les fosses devraient être vidées tous les deux ou trois ans. Mais si les propriétaires de celle dont vous me parlez sont aussi négligents que vous le dites, ils n'ont pas dû le faire, et on a toutes les chances de rencontrer ce type de sédiment.

— Bon. On a donc cette soupe aux microbes. Mais après, où est-ce que tout cela s'en va ? a demandé Galiano.

— À un certain niveau de remplissage, les déchets modifiés sont évacués par un conduit jusque dans plusieurs tuyaux placés généralement en parallèle et formant ce qu'on appelle un réseau de collecteurs.

— Ils sont en quoi, ces tuyaux ?

— Le plus souvent, en terre ou en plastique perforé.

— Dans le cas présent, ils sont sûrement en terre, vu que chez ces gens, le système doit dater des conquistadores. Ensuite ?

— Les collecteurs reposent sur un lit de gravier le plus souvent recouvert de terre et planté. Quand la rupture aérobie se produit à cet endroit, le champ sert alors de filtre biologique.

— Grosses gouttes ou petites gouttes, c'est le secret du bon café.

Il commençait à me taper sur le système, le Hernández.

— Pendant la dernière étape du traitement, des eaux

résiduaires s'écoulent des tuyaux et traversent le lit de gravier. Bactéries, virus et autres polluants sont ensuite absorbés par la terre ou par les racines des plantes.

— Ce qui explique que, dans un jardin, l'herbe soit plus verte au-dessus de la fosse septique ? s'est enquis Galiano.

— Plus verte et beaucoup plus heureuse. Que savez-vous d'autre sur celle installée ?

Galiano a sorti un calepin à spirales et parcouru ses notes.

— Elle est située à un peu plus de deux mètres du bâtiment, côté sud. Elle fait environ trois mètres de long sur un mètre cinquante de large et deux mètres de profondeur. Elle est en béton et elle est fermée par huit dalles rectangulaires, en béton également.

— Combien de compartiments ?

— Le señor Serano, propriétaire des lieux, n'en a aucune idée. Soit dit en passant, il ne risque pas de se voir offrir le Nobel.

— Pigé.

— Lui et son fils, Jorge, se rappellent que les ouvriers ont travaillé sur le côté est, l'été dernier. C'est de ce côté que la dalle a été soulevée. La fosse était pour ainsi dire pleine à ras bord et le jean bouchait le conduit d'évacuation.

— Par conséquent, le conduit d'entrée se trouve à l'ouest.

— C'est ce qu'on s'était dit.

— Très bien, messieurs. Nous allons avoir besoin d'une excavatrice pour retirer ces dalles.

— Les huit ?

Première intervention de Xicay depuis le début de la réunion.

— Oui. Comme nous ne savons pas ce que nous

allons trouver, il faut les retirer toutes. S'il y a plusieurs chambres, des parties du squelette peuvent se trouver n'importe où.

À son tour, Xicay a sorti un calepin pour prendre ma liste en note :

— Un camion de pompage pour vider la mousse et les couches de liquide, et un camion-citerne de pompiers pour diluer le sédiment inférieur.

Xicay inscrivait.

— Il y aura pas mal de gaz d'ammoniaque et de méthane, alors, il faut aussi de l'oxygène. Équipement complet.

Xicay m'a interrogée des yeux.

— Un masque standard couvrant toute la figure, et une bouteille d'oxygène dans le dos avec un seul tube. Le genre qu'utilisent les pompiers. Et puis ce serait bien d'avoir des pulvérisateurs.

— Comme ceux qu'on emploie pour détruire les mauvaises herbes ?

— Exactement. L'un rempli d'eau pure, l'autre d'eau javellisée à dix pour cent.

— On peut savoir pourquoi ? a demandé Hernández.

— Pour me rincer quand je sortirai de la fosse.

Xicay a complété sa liste.

— Enfin, des tamis. Diamètre des mailles : un demi-centimètre. Pour le reste, matériel standard.

Je me suis levée.

— Demain matin sept heures ?

— Sept heures.

La journée suivante devait être l'une des pires de ma vie.

4.

Les dernières stries pourpres de l'aube se fondaient en une brume couleur bronze quand Galiano est passé me prendre à l'hôtel, le lendemain matin.

— *Buenos días.*

— *Buenos días*, ai-je marmonné en m'installant côté passager. Jolis, les carreaux !

Il portait des lunettes d'aviateur plus foncées qu'un trou noir.

— *Gracias.*

Il m'a désigné la tasse en carton dans le support au milieu du tableau de bord et a embrayé. J'ai pris le café avec reconnaissance.

Nous n'avons guère parlé en roulant vers la zone 1. Je déchiffrais la ville à mesure qu'elle défilait sous mes yeux. Bien qu'elles ne soient pas rédigées dans une langue des plus châtiées, les réclames et les affiches me permettaient d'améliorer mon espagnol.

Et de ne pas penser à ce qui m'attendait.

Au bout de vingt minutes, Galiano s'est arrêté à côté de deux voitures de police qui barraient l'accès à une petite ruelle. Au-delà de ce point de contrôle, des fourgons de police, une ambulance, un camion de pompage et un camion-citerne de pompiers étaient stationnés le long des trottoirs. Les autres véhicules devaient appartenir à divers services officiels. Les badauds se rassemblaient déjà.

Galiano a présenté sa carte. Un flic en uniforme l'a autorisé à se garer dans la ruelle. Nous avons fait le reste du chemin à pied.

La pensión Paraíso se trouvait au milieu du pâté de maisons, en face d'un entrepôt désaffecté. Pour l'atteindre, nous sommes passés devant un magasin de spiritueux, un autre de sous-vêtements, un barbier et un traiteur chinois. Aux devantures, des articles défraîchis, des modèles de coupes de cheveux à la mode au temps d'Eisenhower et, chez Long Fu, un menu, une réclame pour Pepsi et une bannière en satin avec un faisan brodé. Tous ces commerces étaient fermés pour la journée au moins.

L'hôtel était un bunker de deux étages en brique, recouvert d'un stuc blanc décrépit qui avait viré au gris depuis certainement un bon bout de temps. Tuiles cassées sur le toit, fenêtres crasseuses, volets bancals, porte d'entrée avec grille de protection rétractable. En un mot, le paradis.

Second policier en faction devant l'entrée. Nouvelle vérification des identités.

L'intérieur de l'hôtel exauçait les promesses de la façade : tapis élimé recouvert d'un chemin de couloir en plastique jaunasse, comptoir tendu de lino, casier en bois pour les clefs et le courrier, murs en plâtre fissurés. Une odeur séculaire de moisi, de poussière, de cigarettes et de transpiration.

À la suite de Galiano, j'ai traversé un hall désert, longé un couloir étroit et franchi tout au bout une porte qui donnait sur une cour. Soleil : néant ; entretien : même soin qu'à l'intérieur du bâtiment. Fleurs desséchées dans des pots en terre, chaises en fer rouillées, vinyle des sièges déchiré, meubles de jardin en plastique vert piqueté de moisissures, brouette retournée, sol en terre battue. Un seul arbre.

Un canapé en tissu auquel manquait un pied était appuyé contre la façade. Tout du long, des morceaux de plâtre et des briques tombés du mur, des feuilles mortes, des petits bouts d'emballage en cellophane et des canettes en alu. La seule tache de gaieté dans cet environnement sinistre était la pelle mécanique jaune canari. À côté, on pouvait voir de la terre retournée et la dalle de ciment replacée sur la cuve à la va-comme-je-te-pousse, séquelles de l'inspection faite par les Serano père et fils.

Étaient déjà présents sur les lieux : Juan-Carlos Xicay en conversation avec un type en combinaison bleu marine identique à la sienne, le conducteur de l'excavatrice, assis par terre près de son engin, et un flic en uniforme devant l'entrée de service. Et aussi ce cher Antonio Díaz, qui errait tout seul à l'autre bout de la cour, les yeux cachés derrière ses lunettes roses.

Je lui ai adressé un sourire et un coucou de la main. Il n'a pas répondu. Il n'a pas non plus détourné la tête.

Une belle journée en perspective.

Pascual Hernández était là, lui aussi, en compagnie d'un type à face de rat, raide et coincé, portant sandales, jean et sweat-shirt des *Cowboys* de Dallas. À côté, une dondon vigoureuse avec une ribambelle de bracelets en plastique et une poitrine tombante sous sa robe noire brodée.

Nous sommes allés les retrouver. Hernández nous les a présentés comme les tenanciers du gourbi.

De près, j'ai constaté que la señora Serano avait les yeux vairons, un marron et un bleu, ce qui lui donnait un drôle d'air bancal. Difficile de décider lequel fixer quand elle vous regardait. Elle avait aussi la lèvre inférieure tuméfiée et fendue. Ce rat la battrait-il ?

— Ces messieurs dames nous seront aussi utiles que des chrétiens à la grand-messe, a déclaré Hernández avec un regard pourfendeur au patron. Même si ça leur coûte infiniment de devoir rester ici.

— Je n'ai rien à cacher, a répondu Serano en élevant ses mains, doigts écartés. Je ne suis au courant de rien.

Il était si nerveux que j'avais du mal à comprendre son espagnol.

— Non. Vous avez seulement un cadavre dans votre fosse septique.

— Je ne sais pas comment il y est arrivé.

Les yeux du bonhomme passaient à toute vitesse de l'un à l'autre d'entre nous.

Galiano a dirigé ses carreaux sur Serano.

— Qu'est-ce qu'il y a d'autre que vous ne savez pas, señor ?

— *Nada.*

Rien.

Ses yeux de rat virevoltaient comme un moineau en quête de perchoir. Galiano a laissé échapper un soupir fatigué.

— Je n'ai pas le temps de faire joujou, señor Serano. Alors, gardez bien dans votre coffre-fort ce que je vais vous dire. (Petits coups frappés sur la poitrine du monsieur, en plein sur le C bleu de *Cowboys*.) Quand nous en aurons terminé ici, nous aurons un vrai cœur-à-cœur, tous les deux.

Serano a hoché la tête sans piper.

Les lunettes Darth Vader se sont tournées vers la pelle mécanique, et Galiano a crié :

— Tout est prêt ?

Xicay a interrogé le conducteur et levé le pouce. Il m'a ensuite désignée, puis les équipements entassés pêle-mêle à côté du flic en uniforme, et il a fait le geste de remonter une fermeture Éclair sur sa poitrine. Autrement dit, je pouvais aller me préparer. J'ai acquiescé en levant le pouce en l'air.

Galiano s'est retourné vers les Serano et a repris d'une voix égale :

— Votre boulot aujourd'hui consistera à ne rien faire, et à le faire, assis là, dans le plus grand silence. (Doigt pointé sur le canapé crevé.) *Vámonos !*

Et d'accompagner sa déclaration d'une série de ronds de la main au-dessus de sa tête.

Je me suis hâtée vers le tas d'équipement. Dans mon dos, l'excavatrice est revenue à la vie dans un grondement sonore. Pendant que j'enfilais une combinaison étanche et des bottes en caoutchouc montant jusqu'aux genoux, le conducteur a placé l'engin à l'endroit voulu. La pelle s'est abaissée avec des crissements rauques, ses griffes ont raclé le sol jusqu'à la dalle en ciment, l'ont saisie, puis l'ont déposée à gauche de la fosse. Une odeur de terre humide a embaumé l'air du matin.

Munie de mon dictaphone, je me suis approchée du bord.

Affreux liquide marron sur le pourtour des compartiments, surmonté d'une écume organique gélatineuse sur laquelle des millions de cafards couraient en tous sens. À la vue de ce spectacle, mon estomac s'est contracté.

Galiano et Hernández m'ont rejointe.

— *Cerote*, s'est écrié le second, portant la main à la bouche.

Galiano s'est abstenu de commentaire.

J'ai dégluti et commencé à dicter. Date. Heure. Lieu. Personnes présentes.

La pelle a cliqueté et est retombée. Les griffes ont mordu le sol, balancé pendant un moment et se sont renversées. Un deuxième couvercle de ciment est apparu. Déplacé à son tour. Puis un troisième, un quatrième, un cinquième. L'odeur de putréfaction a bientôt supplanté définitivement celle de la terre humide.

À mesure que des choses apparaissaient, j'enregistrais leur description au magnétophone en précisant chaque fois leur localisation exacte. Xicay, lui, prenait des photos.

Vers le milieu de la matinée, huit dalles en béton s'entassaient à côté de la cuve. J'ai repéré un os de bras logé contre le conduit d'entrée sur le côté ouest, des lambeaux de tissu dans le coin sud-est et un objet en plastique bleu et plusieurs os de la main au milieu de l'écume.

— Je fais venir le camion ? a demandé Galiano quand j'ai eu enregistré ma dernière description.

— Qu'il se mette en position. Mais avant de commencer le pompage, je dois retirer tout ce qui est visible et fouiller aussi la couche supérieure.

Je me suis tournée vers Xicay et lui ai indiqué qu'on m'apporte un sac mortuaire. Ensuite, je suis allée choisir un masque dans la caisse des équipements et d'épais gants en caoutchouc. Ayant fixé le haut de mes bottes aux jambes de ma combinaison à l'aide d'une bande adhésive, je suis revenue près de la fosse.

— Comment allez-vous faire ? m'a demandé Galiano.

J'ai remonté mes gants jusqu'aux coudes et lui ai mis le rouleau de bande autocollante entre les mains.

— *¡ Dios mío !* s'est exclamé Hernández.

— On peut vous aider ? a proposé Galiano tout en étanchéifiant mes bras.

Enthousiasme mesuré. J'ai considéré son costume-cravate et sa chemise blanche amidonnée.

— L'occasion requiert une tenue plus élégante.

— Criez si vous avez besoin de moi, a fait Hernández, et il est parti vers le tas d'équipement.

Là, il a retiré sa veste et l'a suspendue soigneusement sur le couvercle de la caisse. Bien qu'il ne fasse pas encore chaud, sa chemise était mouillée à hauteur de la poitrine, et on devinait son maillot de corps en dessous.

Galiano sur les talons, j'ai rejoint le bord ouest de la cuve.

Le señor Serano nous observait depuis son sofa avec des regards brillants de curiosité. Son épouse, elle, suçotait une mèche de ses cheveux.

L'assistant de Xicay est venu nous retrouver avec le sac mortuaire. Je lui ai demandé son nom. Mario Colom. À ma demande, il l'a ouvert, étendu derrière moi, et a posé un drap propre dessus. Je lui ai ordonné de mettre ses gants et son masque et j'ai moi-même attaché le mien, après avoir remis mon magnéto à Galiano.

Je me suis accroupie et penchée sur la fosse, l'estomac noué. J'avais un goût de bile dans la bouche et je sentais frémir le dessous de ma langue.

Respirant par petites saccades, j'ai plongé la main dans le magma en décomposition et attrapé l'os du bras. Deux cancrelats ont foncé à toute vitesse vers le haut de mon gant. Sous le caoutchouc, j'ai senti un frôlement furtif de pattes et d'antenne. J'ai eu une secousse dans le bras et j'ai poussé un cri aigu. Derrière moi, Galiano a fait un bond de côté.

Arrête, Brennan. Tes gants sont étanches !

J'ai dégluti et chassé les insectes. Puis j'ai mis ma main en coupe, doigts écartés, pour laisser goutter le magma. De gros tas gluants se sont formés par terre. J'ai posé le cubitus sur le drap blanc.

J'ai pêché ainsi, en me déplaçant autour de la fosse, jusqu'à ce que soit extrait du purin tout ce qui devait l'être. Xicay prenait des photos. À la fin, reposaient sur le drap : un cubitus, deux os de la main, un os de pied, trois côtes et l'arc médian d'une paire de lunettes.

Après avoir expliqué à Mario comment s'y prendre là où il était, je suis retournée à l'angle sud-est de la fosse. Stade numéro deux de la fouille : palper systématiquement chaque millimètre de cette mousse flottante aussi loin que nous le permettaient nos bras, en suivant le bord sur toute la longueur.

Quarante minutes plus tard, nous avions écumé la totalité de la couche supérieure. Deux côtes et une rotule s'étaient ajoutées à la pêche.

Le soleil était au zénith. Impasse sur le déjeuner, c'était l'avis de tout le monde. Xicay est donc allé prévenir les gars du pompage de se mettre en place. Quelques instants plus tard, le camion-citerne a pénétré dans la cour par un trou dans le grillage.

Tandis que le technicien installait son matériel, j'ai jeté un coup d'œil par-dessus mon épaule. Díaz maintenait sa surveillance. Dans la lumière mouchetée du soleil, ses verres de lunettes étincelaient comme des diamants roses. Il ne s'est pas approché.

Cinq minutes après, Xicay a crié :

— Prête ?

— Allez-y.

Un second moteur est entré en action. Dans un bruit de succion, l'épais liquide noir s'est mis à bouillonner.

Galiano, bras croisés à côté de moi, regardait fixement la cuve. Hernández suivait la scène de loin, près de la caisse avec l'équipement de rechange. Le couple Serano se tenait toujours sur son divan, le teint couleur porridge.

Le niveau de la cuve baissait lentement. Deux centimètres, six centimètres, quinze centimètres.

À environ soixante centimètres du fond, une surface grumeleuse parsemée de débris est apparue. Le technicien a stoppé la pompe et m'a regardée.

J'ai montré à Mario comment écoper la cuve à l'aide du filet à long manche. Une cuillerée après l'autre, il a récolté tout le résidu et l'a déposé en tas à mes pieds. Je l'ai examiné par petits paquets, bien décidée à lui faire régurgiter tout son butin.

Une chemise à fleurs avec des côtes, des vertèbres et un sternum ; des chaussures et des os du pied dans les chaussettes. Un fémur, un humérus, un radius et un bassin. Le tout couvert de magma organique.

Certains os présentaient encore de la chair en putréfaction. Luttant contre la nausée, je les grattais avant de les poser sur le drap, et Xicay les filmait en vidéo. N'étant pas en état de procéder à un examen approfondi, je me suis contentée d'établir l'inventaire du squelette. Je ferais une analyse minutieuse une fois que les ossements auraient été nettoyés.

Quand Mario a eu puisé tout ce qui pouvait l'être, j'ai fait le tour de la cuve et je me suis assise au bord. Galiano est venu me rejoindre.

— Vous allez y entrer ?

Ce n'était pas vraiment une question. J'y ai répondu par un hochement de tête.

— On ne peut pas aspirer le reste avec un tuyau ?

J'ai écarté mon masque pour pouvoir parler.

— Seulement quand j'aurai retrouvé le crâne.

Mon masque remis en place, j'ai roulé sur le ventre jusque au bord et me suis laissée descendre dans la fosse. Mes semelles ont touché la surface avec un floc. La boue a recouvert le dessus de mes bottes et la puanteur m'a enveloppée.

Remuer dans ce magma me donnait l'impression de me frayer un chemin dans un ragoût d'excréments humains et de purée microbienne – ce qui était précisément le cas. Les frémissements sous ma langue se sont accélérés, de la bile est de nouveau remontée dans ma gorge.

Arrivée au coin sud-est, j'ai tendu le bras. Mario m'a passé une longue tige. M'efforçant de ne respirer qu'avec le haut de mes poumons, j'ai entrepris de sonder systématiquement la bouillasse, un pas après l'autre. Cela, sur toute la longueur.

Quatre paires d'yeux suivaient ma progression.

Au quatrième passage, j'ai heurté un objet coincé dans le même drain que le jean. J'ai tendu la tige à Mario. Prenant une grande respiration, j'ai plongé les deux mains dans la vase putride.

L'objet en question avait plus ou moins la taille et la forme d'un ballon de volley et reposait sous une couche de saloperies d'environ trente centimètres. Malgré la nausée, mon pouls est monté d'un cran.

Délicatement, j'ai palpé ma trouvaille du bout des doigts, m'efforçant de déchiffrer un Braille anatomique à travers mes gants épais.

Un globe. Ovale. Des cavités séparées par un pont. Des aplats rigides partant vers l'extérieur à partir d'une ouverture oblongue.

Le crâne !

Fais gaffe, Brennan !

Ignorant les soubresauts de mes boyaux, je me suis pliée en deux pour saisir à deux mains la boîte à cerveau et tirer vers moi. La boue infâme refusait de lâcher sa proie.

Frustrée, j'ai écarté la bouillasse à la main jusqu'à ce que j'aperçoive un bout du pariétal. J'ai resserré mes doigts autour du crâne et tiré, tout en exerçant une pression dans un sens, puis dans l'autre.

Rien n'a bougé.

Zut !

Réfrénant à grand-peine mon envie de tirer d'un coup sec, j'ai poursuivi mon mouvement de vrille. Un tour dans le sens des aiguilles d'une montre, un tour dans l'autre sens. Un tour dans le sens des aiguilles d'une montre. Une sueur chaude dégoulinait le long de mon corps.

Deux torsions supplémentaires, et ce qui retenait le crâne a lâché.

J'ai repoussé la vase à pleines poignées pour me ménager de l'espace et j'ai repositionné mes doigts de façon à avoir une meilleure prise. Ensuite, j'ai tiré par à-coups vers moi. Le crâne s'est élevé lentement et a émergé du magma avec un bruit de succion mou. Le cœur battant, je l'ai tenu dans mes deux mains. Une épaisse couche marron de matière lisse et poisseuse remplissait les orbites et empêchait de distinguer les reliefs.

Mais j'en avais vu assez.

Sans un mot, je l'ai remis à Mario qui l'a posé sur le sac mortuaire, avant de m'offrir sa main pour m'aider à m'extirper de la fosse. Ensuite, il m'a rincée à fond, d'abord avec le pulvérisateur d'eau javellisée, puis à l'eau claire.

— M. Propre a appelé pour vous proposer un boulot, a lancé Galiano.

J'ai baissé mon masque.

— Quel joli teint ! Un vert bilieux admirable.

D'un pas mal assuré, je me suis traînée jusqu'à la caisse contenant les équipements pour changer de combinaison.

Ensuite, nous avons fait comme Galiano l'avait proposé. Un puissant Kärcher a transformé la boue visqueuse en une gadoue liquide que le camion de pompage a aspirée. Puis le système a été inversé et les 12 000 litres de liquide se sont déversés à nouveau dans la cuve, à travers un tamis dont les mailles faisaient un demi-centimètre de diamètre. Mario s'est chargé d'écraser les grumeaux et d'en extraire les cancrelats, pendant que j'examinais tous les fragments et particules restés dans le filet.

À un moment, j'ai relevé les yeux. Plus de lunettes roses à l'horizon. Díaz s'était tiré sans que je le remarque.

Quand le tamis a eu filtré la dernière giclée de liquide, le jour tournait au crépuscule. Le chemisier, les chaussures, les chaussettes, les sous-vêtements et un nœud en plastique avaient été mis en sac et rassemblés près de la caisse de matériel. Un squelette presque complet, avec crâne et mâchoire, s'étalait sur le drap blanc. Manquaient seulement l'hyoïde, un tibia, quelques os des mains et des pieds, deux vertèbres, quatre côtes et les huit dents de devant.

J'avais identifié les os et les avais disposés chacun à leur place. J'avais établi qu'ils appartenaient tous à un seul et même individu, et j'avais répertorié ceux qui manquaient. J'étais trop mal en point pour pousser plus loin l'analyse. Je me posais déjà certaines questions à propos de ce crâne, mais j'avais préféré n'en rien dire à Galiano avant d'y voir plus clair.

J'étais en train d'inventorier une côte quand Díaz est réapparu, accompagné d'un blond en costume beige, maigre comme un coucou, le teint maladif et les cheveux gras. Ils ont considéré les lieux, échangé quelques mots et se sont dirigés sur Galiano.

— Je suis ici en lieu et place du juge, a déclaré le nouveau venu.

On aurait dit un gosse habillé en adulte.

— Et vous êtes ? a demandé Galiano en retirant ses lunettes et en les pliant.

— Dr Héctor Lucas. Je suis là pour prendre possession des restes récupérés sur ce site.

— Il n'en est pas question ! a répondu Galiano.

Lucas a regardé sa montre, puis Díaz. Celui-ci a sorti un papier d'une pochette à fermeture Éclair.

— Ce document l'y autorise. Emballez tout pour que ce soit transporté à la morgue centrale.

Díaz a élevé le papier à hauteur des yeux du policier.

Pas une synapse de Galiano n'a ordonné le plus petit mouvement à ses muscles.

Díaz a remonté ses verres teintés sur son nez. Le reste de l'assistance est demeuré figé. Sauf un mouvement dans mon dos. La pompe s'était arrêtée.

— Maintenant, détective !

Dans le silence qui s'était abattu, l'ordre de Díaz est tombé comme un couperet.

Une seconde s'est écoulée. Dix autres. Une minute entière.

Galiano continuait de fixer Díaz quand son portable a retenti. Il a laissé passer quatre sonneries avant de prendre la communication, les yeux rivés sur le substitut. Il a écouté, les mâchoires crispées. Puis il a lâché :

— *¡ Eso es una mierda !*

Ayant fourré le téléphone dans sa poche, il a laissé échapper un soupir venu de bien plus loin que son diaphragme, puis a lancé à Díaz d'une voix haut perchée :

— Faites attention, señor. Faites bien attention. *¡ No me jodáis !* N'essayez pas de m'embrouiller.

D'un petit geste de la main, il m'a fait signe de m'écarter. Je me suis remise sur mes pieds et j'ai reculé de quelques pas. Mais, très vite, je suis revenue m'agenouiller près du squelette et j'ai entrepris d'examiner le crâne. Díaz a fait un demi-pas en avant en bredouillant une phrase qu'il n'a pas finie. Il a attendu que je me relève.

Le Dr Lucas s'est approché du sac mortuaire. Satisfait de son inspection, il a sorti des gants de sa poche, replié le drap et remonté la fermeture à glissière. Il s'est ensuite immobilisé, une expression d'incertitude sur le visage.

Díaz a quitté la cour, pour y revenir accompagné de deux types en combinaison grise portant un brancard au piètement rabattu. *Morgue del Organismo Judicial*, pouvait-on lire dans leur dos.

Sous les directives de Lucas, ils ont attrapé le sac par les coins et l'ont posé sur la civière. Puis ils sont repartis par où ils étaient arrivés.

Díaz a tenté une nouvelle fois de montrer le document à Galiano, qui a gardé les bras croisés sur sa poitrine. Il s'est alors avancé vers moi en évitant soigneusement de regarder la fosse et m'a tendu le papier.

J'allais le prendre quand mon regard a croisé celui du policier. Ses paupières inférieures se sont plissées et son menton s'est levé d'un quart de millimètre. J'ai compris.

Sans un mot de plus, Díaz et Lucas ont quitté les lieux.

Galiano a regardé son coéquipier. Hernández ramassait déjà les sacs contenant les combinaisons.

— Il en reste combien là-dedans ? a demandé Galiano avec un mouvement du menton vers le camion-citerne.

L'opérateur a levé les épaules en agitant une main.

— Trente litres, soixante peut-être.

— Terminez le filtrage.

Le tamis n'a rien livré d'autre. J'écrasais entre mes doigts la dernière poignée de boue quand Galiano m'a rejointe.

— Sale journée pour des gens bien !

— Le substitut n'est pas un type bien ?

— Ce connard de petit rongeur n'a même pas pensé aux combinaisons.

Je me sentais trop mal en point pour répondre.

— Il correspond au profil ?

J'ai levé des sourcils interrogateurs.

— Le squelette. Il correspond à la description d'une des filles disparues ?

J'ai hésité, furieuse de n'avoir pas fait un examen plus approfondi des os, et furieuse que Galiano les ait laissés partir.

— Oui et non.

— Vous le saurez quand vous aurez examinés les os.

— Je le ferai aussi ?

— De toute façon, c'est moi qui l'emporterai au final, a déclaré Galiano, les yeux rivés sur la fosse vide.

Je me suis demandé sur qui.

5.

Ce soir-là, je suis restée presque une heure dans un bain moussant parfumé à la vanille de Tahiti. Après, je me suis réchauffé des parts de pizza au micro-ondes et j'ai bu un soda à l'orange pioché dans le minibar de ma chambre. Comme dessert, une barre au chocolat et une pomme. Repas de gourmet dans une chambre d'hôtel, tout en regardant la brise légère aspirer les rideaux dehors au son de la chaînette cliquetant contre le montant de la fenêtre. Le ventilateur vrombissait au-dessus de ma tête et, dans mon cerveau, les événements de la journée défilaient comme les images d'une vidéo amateur, tantôt nettes et tantôt floues.

La table débarrassée – j'ai jeté à la poubelle mon assiette en carton et la fourchette en plastique –, j'ai téléphoné à Mateo.

Molly était toujours dans le coma. La nouvelle a chamboulé l'équilibre fragile dans lequel je me maintenais jusque-là. D'un coup, je ne me suis plus sentie simplement épuisée, j'ai eu envie de me jeter sur mon lit et de pleurer des heures, tant j'étais accablée de tristesse et d'inquiétude. Pour ne pas céder à mon désespoir, j'ai informé Mateo des agissements de Díaz. Cela l'a rendu furieux et il a insisté pour que je continue à suivre cette affaire. J'ai accepté et promis d'aller samedi au labo pour travailler sur les victimes de Chupan Ya.

J'ai consacré les vingt minutes suivantes à coucher sur le papier la chronologie détaillée des événements survenus à la Pensión Paraíso.

Puis j'ai allumé CNN. D'une voix lugubre, un présentateur a commenté des résultats de football, un tremblement de terre et le marché mondial. Quelque part, un autobus était tombé dans un ravin. Dix-sept morts, une vingtaine de blessés.

L'intermède télé ne servait à rien. Mon esprit tournait toujours en boucle de la fosse septique à l'hôpital, d'une Molly hérissée de tuyaux à un crâne poisseux. Pourquoi ne l'avais-je pas examiné plus en détail ? Pourquoi avais-je laissé des gens m'intimider et m'empêcher de faire mon travail ? Molly sortirait-elle du coma ?

Au moment où je mettais mon téléphone portable à recharger, mes émotions l'ont emporté définitivement. À Charlotte, Birdie devait dormir, la tête entre les pattes. À Charlottesville, Katy devait réviser ses examens ou rigoler avec des copains. Ou se laver les cheveux.

À l'idée que ma fille soit à des milliers de kilomètres, sans que je sache ce qu'elle était en train de faire, je n'ai pu retenir un sanglot.

Tu ne vas pas te mettre à chialer ! Ce n'est pas la première fois que tu te retrouves toute seule.

J'ai éteint les lumières, coupé la télé et me suis glissée sous les draps.

Mon esprit continuait à tourner en rond.

À Montréal, il n'était pas loin de minuit. Ryan devait être en train de...

De quoi ?

Andrew Ryan, lieutenant détective à la section des crimes contre la personne à la Sûreté du Québec. Un grand type au visage taillé à coups de serpe, mais tous aux bons endroits. Des yeux plus bleus qu'un lagon des Bahamas.

Petit élancement bien connu à la hauteur du ventre. Et ce n'était pas de la nausée.

Depuis dix ans, nos chemins se croisaient quand nous travaillions tous les deux sur les mêmes homicides. Rapports éloignés, strictement professionnels. Puis, il y a deux ans, mon mariage avait explosé, et Ryan avait pointé sur moi son charme légendaire. Dire que notre histoire connaissait des hauts et des bas reviendrait à dire que l'Atlantide a connu des problèmes d'inondation.

Redevenue célibataire après un contretemps de vingt ans, je n'avais guère d'expérience en matière de jeu amoureux, seulement une loi : pas d'amour au bureau ! Ryan avait sorti la grosse artillerie pour m'inciter à l'enfreindre.

Oh, ce n'était pas l'envie qui m'en manquait même si, jusqu'à ce jour, j'avais réussi à tenir bon. Moins parce que nous travaillions ensemble qu'à cause de la réputation de ce monsieur. De son passé, je savais qu'il était devenu flic après une enfance agitée ; de son présent, qu'il était le chef de file des dragueurs de son département. Et ça, très peu pour moi !

Ryan ne s'était pas laissé rebuter. L'année dernière, j'avais finalement accepté un dîner dans un resto chinois. Avant même cette sortie, Ryan avait disparu, envoyé en mission secrète, et n'avait refait surface qu'au bout de plusieurs mois.

L'automne dernier, à la suite d'un événement en

rapport avec mon ex-mari, j'avais décidé de reconsidérer l'éventualité Ryan. Tout en restant sur mes gardes, je l'avais trouvé attentionné et drôle. Mais aussi d'un exaspérant achevé !

Et d'un sexy, oh là là.

Nouvel élancement dans le ventre.

Quoi qu'il en soit, si ce coureur avait encore les pieds dans le starting-block, le pistolet était déjà levé : le coup de départ ne tarderait pas à être tiré.

Coup d'œil vers mon téléphone. Il ne tenait qu'à moi de lui parler dans les secondes qui suivraient.

« Mauvaise idée », m'a fait savoir un coin de mon cerveau.

Pourquoi ça ?

Réponse : « Tu aurais l'air d'une mollasse. »

Pas le moins du monde ! De quelqu'un qui n'est pas indifférent à autrui.

« Tu serais comme une héroïne de série B en quête d'épaule pour épancher ses larmes. »

Non, je serais quelqu'un qui s'ennuie de lui.

« Comme tu voudras. »

— Et puis, merde ! ai-je lâché à haute voix.

Écartant mes couvertures, j'ai attrapé mon téléphone portable et enfoncé le 5. Appel automatique, miracle des télécommunications modernes.

À cent mille kilomètres au nord du quarante-neuvième parallèle, un téléphone a sonné. Sonné. Sonné.

J'allais raccrocher quand un répondeur s'est enclenché. La voix de Ryan m'a invitée à laisser un message, en français puis en anglais.

« Contente de toi ? » m'a signifié la voix dans mon cerveau.

Mon pouce s'est posé sur le bouton de fin d'appel. A hésité.

Oh, puis zut !

— Salut. C'est Tempe...

— Bonsoir, madame la docteu-re, m'a interrompue Ryan.

— Je te réveille ?

— Je filtre les appels.

— C'est nouveau, ça.

— J'attends un coup de fil de Nicole Kidman. Elle vient de se séparer de Tom Cruise.

— T'aimerais bien, non ?

— Comment va la vie sur tes rivages ensoleillés ?

— J'étais dans les montagnes.

— Étais ?

— Les fouilles sont terminées. Tout a été rapporté au labo, à Guatemala.

— Il y en avait combien ?

— Vingt-trois. À première vue, en majorité des femmes et des enfants.

— Dur-dur.

— Surtout que ça se complique.

— Je t'écoute.

Je lui ai raconté l'agression de Carlos et de Molly.

— Merde, Brennan. Fais gaffe à tes fesses.

— Et tu ne sais pas tout.

J'ai entendu le grattement d'une allumette puis une longue inspiration.

— La police croit qu'un tueur en série sévit à Guatemala. On m'a demandé de récupérer les corps.

— Ils n'ont pas de spécialistes ?

— C'était dans une fosse septique.

— *La spécialité du chef**.

* L'italique suivi d'un astérisque désigne les expressions en français dans le texte original. *(N.d.T.)*

— À t'entendre, on croirait que je ne fais que ça.

— Et comment se fait-il que cette réputation ait vogué jusqu'en Amérique centrale ?

— Je ne suis pas une inconnue sur la scène mondiale, Ryan.

— Tu as ton CV sur le net ?

Devais-je lui parler de la fille de l'ambassadeur qui avait disparu ? Non. J'avais promis le secret à Galiano.

— Un détective a lu un de mes articles dans *JFS*. Ça peut te surprendre, mais certains flics lisent autre chose que des magazines avec photo en double page au milieu.

Une longue expiration. Je me suis représenté Ryan en dragon chinois de magasin de farces et attrapes, un jet de fumée lui sortant des naseaux.

— Et puis il n'est pas exclu que cette affaire ait des liens avec le Canada.

Comme chaque fois que je parle à Ryan, j'avais l'impression d'être en train de me justifier. Et comme chaque fois, ça m'énervait.

— Et alors ?

— On a effectivement découvert un squelette dans la fosse.

— Et après ?

— Je ne sais pas très bien.

Il a dû percevoir une hésitation dans ma voix car il a enchaîné :

— Allez, dis-moi ce qui te tracasse.

— Je ne sais pas très bien.

— La victime correspond au profil ?

— Je n'en suis pas sûre.

— Tu n'as pas fait d'examen préliminaire sur place ?

Comment lui expliquer les choses ? Lui avouer que j'avais l'estomac à l'envers ?

— Non. (Nouvel accès de culpabilité.) Et selon toute vraisemblance, je n'en ferai pas.

— Comment ça ?

— Le substitut a confisqué les ossements.

— Attends, que je comprenne bien. Ces crétins te demandent de plonger dans la merde pour récupérer la marchandise, et le substitut se pointe et la confisque ?

— Les flics n'ont pas eu le choix.

— Ils n'avaient pas l'autorisation d'exhumer ?

— Ce n'est pas comme chez nous. Je n'ai pas approfondi la question.

Ce n'étaient pas des mots, mais des glaçons, qui avaient jailli de mes lèvres. Ryan ne s'est pas laissé démonter :

— C'est probablement un truc mineur. Le coroner t'appellera demain à la première heure.

— J'en doute.

— Pourquoi ?

J'ai cherché une façon délicate d'expliquer l'attitude de Díaz.

— Disons que certaines personnes éprouvent des réticences à l'idée qu'un étranger participe à l'enquête.

— Et c'est quoi, le lien avec le Canada ?

L'image du crâne a surgi devant mes yeux.

— Quelque chose qui me laisse pensive. Mais je ne suis pas certaine.

— Jésus, Brennan...

— Ah non ! Tu ne vas me dire que... !

Il l'a dit, quand même.

— Comment tu te démerdes pour te laisser toujours embringuer dans des histoires pas croyables ?

— On m'a demandé de récupérer des os dans une fosse septique, j'ai obéi !

Je devenais agressive.

— Quel est le crétin qui t'a demandé ça ?
— Qu'est-ce que ça peut faire ?
— Je veux lui décerner le titre de connard de l'année.
— Le sergent-détective Bartolomé Galiano.
— De la SICA ?
— Exactement.
— Putain de merde !
— Pardon ?
— Un visage de bouledogue et de bons yeux de chien ?
— Des yeux marron.
— Bat !
C'était presque un cri.
— Bat ?
— Des années que je n'ai pas pensé à lui.
— Tu peux être plus clair, Ryan ?
— Bat Galiano... La chauve-souris !
— Tu le connais ? ai-je demandé, me rappelant que le Guatémaltèque m'avait dit avoir passé une partie de sa jeunesse au Canada.
— Tu parles, on était à la fac ensemble.
— Galiano est allé à Saint-Xavier ?
Comprendre : l'université Saint-François-Xavier à Antigonish, petite ville de Nouvelle-Écosse qui avait été le théâtre de scènes parmi les plus hautes en couleur dans la vie de Ryan. Jusqu'à ce qu'un motard complètement schnouffé lui ouvre la carotide avec un magnum de Budweiser. Une ribambelle de points de suture et une sérieuse introspection avaient fini par décider Ryan à changer d'allégeance. De pilier de bar, il était devenu serviteur de la patrie, et il n'était jamais retombé.
— En dernière année, Bat avait la chambre juste en face de la mienne. J'ai passé mon diplôme et je suis

entré à la SQ. Lui, il a terminé un semestre après moi et il est entré dans la police de son pays. On ne s'est pas parlé depuis une éternité.

— Ça lui vient d'où, ce surnom ?

— Ce n'est pas intéressant. Mais tu peux faire le vide dans ton agenda : dans moins d'une semaine, tu seras en train d'analyser tes os.

— J'aurais dû refuser de les remettre.

— Une *gringa* interférant dans le bon fonctionnement d'un système connu pour ordonner des massacres ? Excellente idée.

— J'aurais dû les examiner tout de suite.

— Ils n'étaient pas pleins de merde ?

— J'aurais pu les nettoyer.

— Et les détériorer plus qu'autre chose. À ta place, je ne perdrais pas le sommeil pour ça. Surtout que ce n'est pas la raison première de ton voyage là-bas.

J'en ai quand même perdu le sommeil. Je me tournais et me retournais dans mon lit, prisonnière d'images que je ne pouvais chasser.

Le raffut dans la rue devenait bourdonnement, puis il n'a plus été qu'un bruit de moteur intermittent. Dans la chambre d'à côté, la télé est passée des ovations assourdies du public d'un stade à un talk-show, puis au silence total. Je m'engueulais pour n'avoir pas procédé à un véritable examen des os. Ma première impression à la vue de ce crâne était-elle exacte ? Les photos de Xicay permettraient-elles d'établir le profil biologique de la victime ? Reverrais-je un jour ces os ? Que cachait donc l'hostilité de Díaz ?

D'autres facteurs s'ajoutaient à mon malaise : l'éloignement de chez moi, géographique, mais aussi culturel ; mon ignorance des rivalités entre les différentes institutions et entre les personnes, même si j'avais une petite idée du système judiciaire local. En gros, si je connaissais la scène, je ne savais rien des acteurs.

Mon angoisse allait au-delà des seules complications liées au travail de la police. J'étais une étrangère, je n'avais qu'une approche superficielle de l'âme guatémaltèque. Je savais peu de choses sur les gens d'ici, sur leurs goûts en matière de voitures, de boulots, de quartiers, de dentifrice, sur leurs conceptions de la loi et de l'autorité. Leurs amours, leurs haines, leurs confiances, leurs convoitises, tout cela m'était inconnu. Tout comme leurs raisons de tuer.

C'est en m'interrogeant sur le surnom de Bartolomé Galiano que je me suis enfin endormie. Bat ? Bat Galiano ? Bat Guano ?

Le samedi a débuté comme une redite de la veille. Galiano est passé me prendre avec ses lunettes et un café pour moi, et nous avons roulé en silence jusqu'au commissariat central. Là, il m'a conduite dans un bureau au second étage. Plus grand que la salle de conférences de jeudi, mais décoré dans le même esprit : murs gris muqueux, plancher vert bilieux, éclairage au néon, bureaux en bois gravés d'inscriptions, tuyaux emmitouflés dans des manchons, tables pliantes institutionnelles.

Au fond de la salle, Hernández était en train d'empiler des cartons sur un diable. À gauche, deux policiers agrafaient des infos sur les panneaux d'affichage. Le premier était frêle avec des cheveux noirs ondulés étincelants de brillantine, l'autre faisait bien un mètre quatre-vingt-quinze et avait une carrure plus large que l'État de Belize. À notre entrée, ils se sont retournés d'un même mouvement.

Galiano m'a présentée.

Les deux visages m'ont inspectée comme s'ils étaient actionnés par un unique montreur de marionnettes. Apparemment, ce qu'ils ont vu ne les a pas fait sauter de joie, ni l'un, ni l'autre.

Que voyaient-ils, d'ailleurs ? Un flic américain ? Un flic qui était en plus une femme ?

Qu'ils aillent se faire foutre ! Je n'allais pas me mettre en quatre pour me gagner leur sympathie. Je me suis contentée de hocher la tête.

Ils ont hoché la tête.

— Les photos sont là ? a demandé Galiano.

— Xicay a dit qu'elles seraient prêtes à dix heures, a répondu Hernández en donnant un petit coup de pied dans son chariot pour le faire démarrer. Je descends ça au sous-sol, a-t-il ajouté en soufflant et en redressant la charge de sa main droite. Je te remonte les sacs ?

— Ouais.

Hernández est passé devant nous, le visage rouge framboise et la chemise mouillée, comme hier près de la fosse septique.

— On stockait tout ça dans le coin, m'a expliqué Galiano. Je dégage de l'espace.

— Vous attendez des recrues ?

— Pas exactement. (Il m'a désigné un bureau.) De quoi avez-vous besoin ?

— Du squelette, ai-je répondu en laissant tomber mon sac sur la table.

— Évidemment.

Les policiers en avaient fini avec le premier tableau d'affichage et passaient au suivant. Galiano m'a entraînée vers un plan de Guatemala et a posé le doigt dans le quart de cercle sud-est.

— La disparue n° 1, Claudia de la Alda, habitait ici.

Il a pris une punaise à tête rouge dans une boîte sur

le bureau et l'a plantée dans la carte. Puis il en a ajouté une à tête jaune juste à côté.

— Dix-huit ans et aucun démêlé avec la justice. Elle ne se shootait pas et vivait chez ses parents. Pas le genre à fuguer, trop occupée à offrir son temps aux enfants handicapés et aux activités de sa paroisse. Le 14 juillet dernier, elle est partie de chez elle pour aller travailler et n'a pas été revue depuis.

— Un petit ami ? ai-je demandé.

— Il a un alibi. On n'a aucun suspect.

Punaise bleue dans la carte.

— Claudia travaillait au Museo Ixchel.

J'avais visité cette collection privée consacrée à la culture maya. Dans mon souvenir, l'endroit ressemblait vaguement à un temple maya.

— La n° 2, Lucy Gerardi. Dix-sept ans, étudiante à l'université San Carlos.

Une seconde goupille bleue est allée rejoindre la première.

— Elle non plus n'a jamais été arrêtée, et elle vivait aussi chez ses parents. Élève sérieuse, semblable à tous les jeunes de son âge. En dehors de ça, une vie sociale plutôt merdique.

— Pourquoi merdique ? Elle n'avait pas d'amis ?

— Son père lui serrait la vis.

Le doigt de Galiano est remonté jusqu'à une petite rue entre le musée Ixchel et l'ambassade américaine.

— C'est là qu'elle habitait. (Il a ajouté une punaise rouge à côté de l'autre.) Lucy a été vue pour la dernière fois au jardin botanique... le 5 janvier.

L'espace coloré en vert au coin de la Ruta 6 et de l'Avenida de la Reforma s'est orné d'une punaise jaune.

Galiano est passé à la Calle 10, à hauteur du croisement avec l'Avenida de la Reforma 3.

— Vous connaissez Zona Viva ?

J'ai ressenti un pincement au cœur. La veille de notre départ pour Chupan Ya, Molly et moi avions déjeuné dans un bistrot de ce quartier.

Concentre-toi, Brennan !

— C'est un endroit bourré d'hôtels chics, de restaurants et de cabarets élégants ?

— C'est ça. La disparue n° 3 habitait tout près de là. Patricia Eduardo. Dix-neuf ans.

Troisième punaise rouge.

— La nuit du 29 octobre, elle a laissé ses amis au café San Felipe et n'est jamais rentrée chez elle.

Une punaise jaune.

— Elle travaillait à l'hôpital Centro Médico.

Une punaise bleue s'est plantée au coin de l'Avenida 6 et de la Calle 9, à quelques pâtés de maisons du musée Ixchel.

— Même histoire. Une vie sans problèmes et un copain digne de se voir canoniser. Elle passait la plus grande partie de son temps libre avec ses chevaux. Une véritable amazone.

Galiano a désigné un point à égale distance de chez Lucy Gerardi et de chez Patricia Eduardo.

— Quatrième disparue : Chantal Specter. Elle habitait ici.

Une punaise rouge sur l'endroit.

— Chantal allait dans une école privée pour filles.

Punaise bleue.

— Elle revenait tout juste d'un long séjour au Canada.

— Où elle avait fait quoi ?

Il a hésité un moment.

— Disons qu'elle y avait suivi une sorte de cours

un peu spécial. Chantal a été vue pour la dernière fois chez elle.

— Par qui ?

— Sa mère.

— Ses parents la surveillent de près ?

Galiano a pris une longue inspiration par le nez et a soufflé l'air lentement.

— Les enquêtes chez les diplomates étrangers, c'est toujours coton.

— Vous avez des raisons de les soupçonner ?

— Rien pour le moment. Bon. Nous savons donc où vivait chacune de ces jeunes filles.

Galiano a tapoté les punaises rouges.

— Nous savons où chacune d'elles travaillait ou faisait ses études.

Punaises bleues.

— Nous savons où chacune d'elles a été vue pour la dernière fois.

Punaises jaunes.

J'ai regardé la carte. Elle m'a donné la réponse à une question au moins : Claudia de la Alda, Lucy Gerardi, Patricia Eduardo et Chantal Specter venaient toutes les quatre des quartiers riches de la ville. Leur univers de rues paisibles et de pelouses tondues n'était pas celui de la drogue et de la prostitution. Leurs familles n'étaient pas démunies. Contrairement aux miséreux et aux sans-logis, contrairement aux victimes de Chupan Ya et aux enfants drogués de Parque Concordia, leurs parents pouvaient parler et se faire entendre. Et l'impossible était mis en œuvre pour les retrouver.

Mais alors pourquoi un tel intérêt pour des restes humains découverts dans un hôtel minable ?

— Que vient faire le Paraíso dans tout ça ?

De nouveau, j'ai noté comme une hésitation chez Galiano.

— Il faut étudier toutes les pistes.

Tournant le dos à la carte, je l'ai fixé droit dans les yeux, attendant la suite. Rien n'est venu et son visage était vide d'expression.

— Vous avez l'intention de me traiter normalement ou faut-il que nous esquissions d'abord ronds de jambes et pas de deux ?

— Qu'est-ce que vous voulez dire ?

— Comme vous voudrez, Bat.

Sur ce, j'ai fait demi-tour pour partir. Il m'a regardée intensément sans ajouter un mot. Puis sa main s'est refermée sur mon bras.

— Très bien. Mais rien ne doit sortir de cette pièce.

— D'habitude, j'aime bien discourir des cas sur lesquels je travaille dans un amphithéâtre et ensuite obtenir l'opinion de chacun.

Il a relâché sa prise et s'est passé la main dans les cheveux. Alors, seulement, ses yeux de chien se sont plantés dans les miens.

— Il y a dix-huit mois, Chantal Specter a été arrêtée en possession de cocaïne.

— Usage personnel ?

— Difficile à dire. La famille a lâché trois sous et elle a été libérée sans subir les tests. Ses copains, eux, étaient tous positifs.

— Vente, alors ?

— Probablement pas. L'été dernier, nouvelle arrestation et même scénario. La police a fait une descente dans un hôtel plutôt borgne au beau milieu d'une soirée intéressante. Chantal était du nombre, elle a été coffrée. Peu de temps après, son père l'a expédiée prendre l'air au loin. Traduire : au Canada. Elle a réapparu à Noël et a repris ses cours. Une semaine après, l'oiseau s'était envolé. L'ambassadeur a commencé par faire des recherches de son côté avant de se résoudre à signaler sa disparition.

Le doigt de Galiano s'est déplacé jusqu'au labyrinthe de rues qui composent la vieille ville.

— Les deux fois, Chantal a été arrêtée dans la zone 1.

— Ça arrive, les phases de rébellion, chez les mômes. Elle a probablement eu des mots avec son père et s'est tirée.

— Quatre mois sans donner de nouvelles ?

— C'est sans doute une coïncidence. Chantal ne correspond pas au profil.

— Lucy Gerardi a disparu le 5 janvier. Dix jours plus tard, c'était au tour de Chantal Specter. (Galiano s'est tourné vers moi.) D'après certains témoignages, elles étaient très amies.

6.

L'avantage des photos de scènes de crime, c'est qu'elles vous plongent dans les secrets des gens. À l'inverse de l'art de la photographie où la lumière et les sujets sont choisis et placés de façon à magnifier un moment, les images de scènes de crime ont pour seul but de restituer la réalité pure et dure, dans tous ses détails et sans aucun embellissement. Les visionner est une tâche pénible qui secoue et abat quiconque s'y attelle.

Fenêtre brisée ; cuisine éclaboussée de sang ; femme gisant sur un lit, les jambes écartées et le visage caché sous un slip déchiré ; cadavre boursouflé d'un enfant dans un coffre de voiture.

L'horreur de ce genre d'images revient vous visiter, des instants, des heures, des jours plus tard. Quand ce ne sont pas des mois.

À dix heures moins le quart, Xicay a livré les clichés pris au Paraíso. En l'absence d'os à étudier, ils représentaient mon seul espoir d'établir un profil de victime ; peut-être même le seul moyen de parvenir à trouver un rapport entre le squelette de la fosse septique et l'une de ces jeunes disparues.

J'ai ouvert la première enveloppe, à la fois effrayée et impatiente de revoir les parties anatomiques sauvées.

La ruelle.

Le Paraíso.

La charmante oasis à l'arrière de l'hôtel.

Plusieurs photos de la fosse avant et après l'ouverture, avant et après la vidange. Sur la dernière, où les compartiments étaient vides, les ombres portées faisaient comme de longs doigts osseux.

Ayant examiné la première série de photos, je l'ai remise dans son enveloppe et suis passée à la seconde.

Photo n° 1 : mon cul levé vers le ciel, tout au bord de la fosse. Photo n° 2 : un os de l'avant-bras posé sur le drap blanc. Même avec la binoculaire, impossible de discerner les détails. Autant continuer à l'œil nu.

Sept autres photos avant de tomber sur un gros plan. Le cubitus. Faisant descendre tout doucement le verre grossissant le long de son axe, j'ai entrepris d'en examiner les moindres creux et bosses. J'étais sur le point d'abandonner quand j'ai repéré une ligne pas plus grosse qu'un cheveu sur l'extrémité, côté poignet.

— Regardez ça.

Galiano s'est installé à la loupe. Du bout de mon stylo, je lui ai montré l'endroit.

— Cette petite ligne à la base de l'épiphyse.

— *Ay, Dios*. (Il avait parlé sans bouger les yeux.) Et ça signifie ?

— Que le cartilage de croissance n'a pas encore terminé sa fusion avec la partie axiale de l'os.

— Ce qui implique ?

— Que l'individu est jeune.

— C'est-à-dire ?

— Dernières années de l'adolescence, probablement.

Il s'est redressé.

— *Muy bueno*, Dr Brennan.

Les photos du crâne commençaient vers le milieu de la troisième série. En les examinant, j'ai senti mon ventre se crisper encore plus fort que ce jour-là, dans la fosse septique. Xicay avait pris les photos à plus de deux mètres de distance. Sous la boue, dans l'ombre et d'aussi loin, on ne distinguait aucun détail. Même à la loupe.

Découragée, j'ai terminé l'inspection de l'enveloppe et suis passée à la suivante. Des parties du corps sur le drap, de plus en plus nombreuses au fil des images. Sur d'autres os longs, l'état de fusion des capsules de croissance confirmait l'âge suggéré par le cubitus.

Il y avait aussi une demi-douzaine de photos du bassin. Des tissus mous maintenaient encore les trois parties ensemble, de sorte qu'on distinguait très bien l'entrée en forme de cœur. Les os du pubis étaient longs et se rejoignaient au-dessus d'un angle subpubien obtus.

Je suis passée aux clichés latéraux.

L'encoche sciatique était large et peu profonde.

— Une femme ! ai-je dit sans m'adresser à personne en particulier.

— Montrez-moi.

Galiano est revenu près de ma table. J'ai étalé les clichés et lui ai fait part de mes observations. Il m'a écoutée sans rien dire.

Je rassemblais les photos quand j'ai remarqué des taches irrégulières sur l'aile droite de l'os iliaque, côté ventre. J'ai rapproché le cliché et réglé la puissance de la lentille sous le regard attentif de Galiano.

Des fragments de dent ? Des algues ? Du gravier ?

Ces minuscules particules me rappelaient quelque chose, mais impossible de les identifier.

— Qu'est-ce que c'est ? a demandé Galiano.

— Je ne peux pas dire. Peut-être seulement des débris.

J'ai rangé les clichés dans leur enveloppe et j'ai commencé l'inspection d'une nouvelle série. Os de pied. Os de main. Côtes.

Appelé sur son bip, Galiano est parti dans son bureau. Les deux détectives avaient toujours le nez sur les tableaux d'affichage.

Sternum. Vertèbres.

Galiano est revenu.

— Où est passé Hernández ?

Pas de réponse. J'ai imaginé les deux gars derrière moi qui haussaient les épaules. Mon dos me faisait mal. J'ai levé les bras et je me suis étirée. D'abord en arrière, puis de chaque côté. Retour au visionnage.

Et là, miracle !

Xicay avait profité de ce que je surveillais la vidange pour revenir au crâne. Cette dernière série de clichés, prise à environ trente centimètres de distance, comportait des vues de dessus, de dessous, des profils et des faces. Malgré la saleté, on voyait très bien.

— Enfin des photos qui veulent dire quelque chose !

Dans l'instant, Galiano s'est matérialisé à côté de mon coude. Je lui ai montré les détails sur le cliché de face.

— Des orbites rondes et des pommettes larges.

Sur un autre, pris d'en dessous, j'ai montré les zygomatiques.

— Vous voyez comme les pommettes sont évasées ?

Galiano a incliné la tête.

— Et le crâne est étroit, vu de profil, alors qu'il est large, vu de face.

— Comme un globe.

— Exactement. (J'ai tapé avec mon stylo à l'endroit du palais.) La partie supérieure est en parabole. Dommage qu'il manque les dents de devant.

— Pourquoi ?

— Des incisives en pelle peuvent être des signes de race.

— En pelle ?

— À cause de la forme. L'émail est en creux près de la langue et se relève sur les côtés.

Remplacement de la vue de dessous par une vue latérale. L'os du nez descendait bas et le profil était droit.

— Et c'est quoi, la race, à votre avis ?

— Mongoloïde.

J'ai repensé à ce qui m'avait frappée sur le site. Ces photos corroboraient-elles mon impression d'alors ? Galiano, lui, avait l'air perdu. J'ai précisé :

— Asiatique.

— Chinoise, Japonaise, Vietnamienne ?

— Oui. Ou quelqu'un dont les ancêtres sont venus d'Asie. Comme les indigènes d'Amérique...

— Vous parlez de vieux ossements indiens ?

— Absolument pas. C'est récent, ce truc-là.

Il a réfléchi un moment, puis marmonné :

— Où est-ce que ces dents de devant ont bien pu aller ?

J'ai compris à quoi il pensait : au fait que les dents sont souvent détruites pour empêcher l'identification. J'ai secoué la tête, ce n'était pas le cas ici.

— Elles sont très probablement tombées toutes seules. Les incisives n'ont qu'une seule racine. Quand la gencive se décompose, elles ne sont plus tenues par rien.

— Et où sont-elles ?

— Dans le collecteur, vraisemblablement, ou coincées quelque part dans la cuve.

— Vous en auriez besoin ?

— Et comment ! Les détails qu'on a là ne font que suggérer des hypothèses.

— Alors, qui est l'inconnue de la fosse septique ?

— Une femme d'ascendance sans doute mongoloïde et âgée d'un peu moins de vingt ans.

Derrière le regard de bon chien de Galiano, je pouvais voir ses neurones se démener.

— La plupart des Guatémaltèques auraient donc des traits mongoloïdes ?

— Beaucoup, en tout cas, ai-je répondu.

— Et très peu de Canadiens.

— Sauf les indigènes et les immigrés originaires d'Asie, ainsi que leur descendance.

Galiano n'a plus rien dit pendant un long moment. Puis :

— Il y a donc des chances pour que ce ne soit pas Chantal Specter.

Je m'apprêtais à répondre quand Hernández est rentré dans la pièce avec son chariot. Les grands cartons avaient cédé la place à deux sacs à ordures et une caisse en moleskine noire.

— Où est-ce que tu étais passé, de Dieu ? s'est écrié Galiano.

— Ces abrutis refusaient de me prêter leur précieuse lumière. À croire que c'étaient les bijoux de la couronne. (La voix d'Hernández avait un bruit de vide-ordures bouché.) Où tu veux ça ?

Galiano a montré deux tables pliantes contre le mur

à droite. Hernández y a déchargé sa cargaison, puis est allé remiser son chariot près du tas de cartons à déménager.

— La prochaine fois qu'on remue ces trucs, faudra pas me demander. (Il s'est épongé le visage avec un bout de tissu jaune.) Ça pèse des tonnes, c'te connerie.

Sur ce, il a fourré son mouchoir dans sa poche arrière et je n'ai plus vu qu'une tornade jaune fuyant dans le couloir, et un coin de mouchoir qui flottait derrière lui.

— Allons regarder les photos là-bas, m'a dit Galiano. La plupart proviennent des familles. Une seule de l'ambassade.

Je l'ai suivi à contrecœur jusqu'aux panneaux d'affichage. J'ai travaillé sur assez de meurtres en série pour pouvoir me passer de ce genre d'exposition. J'en ai vu des mille et des cents, de ces gens, hommes ou femmes, saisis dans un moment où ils ignoraient tout de la calamité qui allait les frapper – jeunes ou vieux, beaux ou moches, élégants ou mal fagotés, avec des visages fâchés, heureux, gênés ou endormis.

Au début, l'impression d'ensemble faisait penser à Ted Bundy. Mêmes goûts dans le choix des victimes : quatre jeunes filles avec des cheveux longs, raides, coiffés avec une raie au milieu. Mais là s'arrêtait la ressemblance.

Claudia de la Alda n'avait pas reçu la beauté en partage. Des traits anguleux, un nez épaté et des yeux pas plus gros que des olives. Sur les trois photos, elle portait une jupe noire et une blouse pastel boutonnée jusqu'au menton. Un crucifix en argent reposait sur son ample poitrine.

Lucy Gerardi avait des cheveux noirs brillants, des yeux bleus, un nez et un menton délicats. Sur sa photo de classe, elle portait un blazer bleu roi et un chemisier blanc empesé. Sur une autre, prise chez elle, une robe bain de soleil jaune. Un schnauzer sur les genoux et une croix en or au creux de la gorge.

Patricia Eduardo, pourtant la plus âgée des quatre, paraissait quinze ans à peine. Un clic-clac merci Kodak l'avait immortalisée, fièrement dressée sur sa monture – un cheval des Appalaches –, une main tenant les rênes, l'autre posée sur son genou, le regard brillant d'excitation sous sa bombe. Sur les autres clichés, elle fixait l'objectif d'un air solennel, debout à côté de l'animal. Des yeux noirs et une croix, elle aussi. Pas de maquillage non plus.

Si ces trois premières disparues semblaient vouées à Notre-Dame de la Chasteté, la fille de l'ambassadeur affichait, quant à elle, une préférence marquée pour le culte de l'Obscène : boléro découvrant son nombril et jean hypermoulant, cheveux blonds avec des mèches teintes et maquillage noir de vampire.

Rien à voir avec le portrait soumis par l'ambassade où une Chantal en escarpins, bas crème et robe blanche, posait entre Papa et Maman sur un canapé Queen Ann. Oubliés, ses mèches multicolores, ses paupières noircies façon Bela Lugosi et son numéro « Si vous voulez me parler, adressez-vous au guichet ».

Je passais d'une jeune fille à l'autre avec un sentiment de vide au cœur. Se pouvait-il qu'elles soient toutes les quatre mortes, aujourd'hui ? Que nous ayons extrait l'une d'elles de la fossc septique ? Un psychopathe errait-il dans les rues de Guatemala en projetant déjà sa prochaine mise à mort ?

— Elle n'a pas l'air d'une fille qui vend son cul pour de la drogue, a émis Galiano en s'arrêtant devant Chantal Specter.

— Les autres non plus.

— L'une d'entre elles correspond au profil, selon vous ?

— Elles y correspondent toutes. Pour la race, Chantal Specter est plus problématique, mais c'est un point toujours litigieux. Je saurais mieux répondre si je pouvais prendre des mesures et les comparer avec une banque de données. Mais même alors, ce n'est pas toujours facile de déterminer la race.

Derrière moi, le grand détective transférait des cartons sur le chariot.

— Pour les dates, ça donne quoi ? ai-je demandé.

— Claudia de la Alda a été vue pour la dernière fois en juillet, et la fosse a été vérifiée en août.

— Le jour de la disparition n'est pas forcément celui de la mort.

— Bien entendu, a reconnu Galiano.

— Si toutefois elle est morte.

— Patricia Eduardo a disparu en octobre, Lucy Gerardi et Chantal Specter en janvier.

— Aucune d'elles ne portait de jean et de chemisier à fleurs, le jour de leur disparition ?

— Pas d'après les témoins. Les dossiers sont là, a-t-il ajouté en désignant une pile de chemises.

— Je voudrais d'abord jeter un coup d'œil aux vêtements.

Galiano m'a suivie jusqu'à la table et m'a regardée déposer par terre les sacs contenant les pièces à conviction, puis étendre sur la table un drap plastifié que j'avais apporté.

— Je vais avoir besoin d'eau, ai-je dit en prenant le premier sac.

Galiano m'a lancé un regard interrogateur.

— Pour nettoyer les étiquettes.

Il a transmis ma requête à l'un des deux détectives.

Ayant enfilé des gants de caoutchouc, j'ai défait le cordon qui fermait le sac et entrepris d'en sortir les vêtements. Dégoûtants. Une puanteur s'est répandue dans la salle pendant que je démêlais chaque pièce pour l'étaler devant moi.

Le détective à cheveux brillantinés a apporté de l'eau.

— Putain, ça sent sacrément les égouts.

— Comme c'est étrange, n'est-ce pas ? ai-je rétorqué en allant refermer la porte derrière lui.

Jean. Chemise. Soutien-gorge vert amande. Slip vert amande avec de minuscules roses rouges. Chaussettes bleu marine. Chaussures à barrettes.

Une main de glace m'a étreint le cœur. Nous avions reçu les mêmes, ma sœur et moi, pour notre entrée en sixième.

Lentement, un épouvantail a pris forme sur la table, sans tête, sans bras, plat et humide. Les sacs vidés, j'ai commencé l'inspection des articles.

Un jean bleu marine sans logo, déchiré en plusieurs morceaux bien que le tissu soit en bon état.

J'ai fouillé les poches. Vides, comme je m'y attendais. J'ai fait tremper l'étiquette et l'ai frottée délicatement. Les lettres avaient déteint, impossible de lire la marque. Les jambes avaient été roulées, mais la taille du vêtement était plus ou moins la mienne. Du 6 ou 8 américain [1]. Galiano inscrivait tout dans son calepin à spirale.

1. Équivaut au 38-40 français. *(N.d.T.)*

Pas d'étiquette non plus sur le chemisier. Je l'ai laissé boutonné pour l'instant.

— Un coup de couteau ? a demandé Galiano en me voyant inspecter un défaut dans le tissu.

— Des déchirures, simplement. Les trous sont de forme irrégulière avec des bords effilochés.

Le soutien-gorge était un 34-B [1], le slip, un *small*. Pas d'étiquette sur aucun des deux.

— Bizarre que le jean soit parti en morceaux alors que tout le reste est presque en parfait état, a fait remarquer Galiano.

— La fibre naturelle, ça va, ça vient.

Il a attendu que je poursuive.

— Le jean était probablement cousu avec un fil en coton. Mais la dame avait un penchant certain pour le synthétique.

— Princesse Polyester.

— Les polyesters et les acryliques ne sont peut-être pas sur la liste des tissus les plus élégants, mais c'est sûr qu'ils se décomposent moins vite.

— Ils sont traités exprès pour durer.

De la boue a dégouliné sur le plastique pendant que je désentortillais la jambe droite du jean. Rien de spécial, sinon des cafards morts. J'ai déroulé la gauche.

— Je peux avoir la Luma Lite ?

Cet objet, prêté à Hernández de si mauvais gré, est une lampe à courant alternatif qui fait apparaître en fluorescence les empreintes digitales, poils, fibres, sperme et autres taches, comme celles laissées par de la drogue.

Galiano est allé la prendre dans la caisse en moleskine,

1. Équivaut au 85 français. *(N.d.T.)*

ainsi que deux paires de lunettes teintées. J'ai chaussé les miennes tandis qu'il cherchait une prise et coupait la lumière au plafond. J'ai allumé la Luma Lite et l'ai promenée au-dessus du pantalon. Au début, rien n'est apparu dans le faisceau lumineux. Sur le revers de la jambe gauche, en revanche, une quantité de filaments étincelants. Un vrai feu d'artifice du 4 Juillet.

— Qu'est-ce que c'est que ce truc !

Je pouvais sentir la respiration de Galiano sur mon bras.

Gardant le faisceau bien en place, je me suis reculée pour qu'il voie mieux.

— *Puchica !* Ça alors !

Il est resté une bonne minute le nez sur le jean.

— Des poils ?

— Probablement.

— D'homme ou d'animal ?

— Ça, c'est à vos analystes de le dire. Personnellement, je pencherais pour un animal de compagnie.

— Putain !

J'ai sorti une poignée de petites fioles en plastique de mon sac. J'en ai étiqueté une et j'y ai enfermé des filaments prélevés à l'aide d'une pince à épiler. Ensuite, j'ai réexaminé le vêtement tout entier. Aucun autre feu d'artifice nulle part.

— Lumière.

Galiano a retiré ses lunettes et est allé allumer le plafonnier.

Ayant inscrit la date, l'heure et le lieu sur le reste des fioles, j'ai déposé un peu de boue dans chacune d'elles et les ai scellées avec du ruban adhésif avant d'apposer mes initiales sur le bouchon. Chaussette droite, extérieur. Chaussette droite, intérieur. Chaussette gauche.

Revers de pantalon, jambe droite. Revers de pantalon, jambe gauche. Chaussure droite, intérieur. Chaussure droite, semelle.

Dix minutes plus tard, j'étais prête à passer au chemisier.

— Obscurité, s'il vous plaît.

Galiano est allé éteindre.

Des boutons standard, en plastique. L'un après l'autre, je les ai regardés à la Luma Lite. Pas d'empreintes.

— OK.

La lumière s'est rallumée dans la pièce pendant que je défaisais les boutons du chemisier. J'ai écarté le tissu et découvert l'intérieur de la blouse.

La chose était si petite qu'elle m'a presque échappé, coincée comme elle l'était dans la couture de la manche droite, sous le bras. J'ai pris ma loupe.

Non !

M'étant assurée d'un bon appui pour mes avant-bras, j'ai retourné délicatement la manche à l'envers.

Même petite chose, douze centimètres plus loin dans la manche.

Une autre encore, deux centimètres et demi plus bas.

— Putain !

— Quoi donc ? a demandé Galiano, les yeux rivés sur moi.

Je suis allée chercher les photos de la récupération et j'ai fait défiler les enveloppes jusqu'à celle contenant le gros plan du bassin. Vite, les petits points qui m'avaient intriguée.

Seigneur Dieu !

Haletante, j'ai procédé à un examen minutieux du gros plan de l'os pelvien. Puis des autres clichés. J'ai dénombré sept de ces petites choses.

Je sentais la colère se propager dans toutes les fibres de mon corps. Le chagrin aussi. Et toutes les émotions qui m'avaient bouleversée à Chupan Ya.

— Je ne sais pas qui c'est, ai-je enfin déclaré. Mais je sais peut-être pourquoi on l'a tuée.

7.

— Enceinte ? s'est écrié Galiano.

Je lui ai passé la première photo du pelvis.

— Ce petit point est un fragment de crâne de fœtus.

J'ai montré d'autres clichés.

— Pareil, ici. Et il y a d'autres os appartenant à un fœtus dans le chemisier.

— Montrez-moi.

Retournant à la table, je lui ai indiqué les trois petits morceaux pas plus gros qu'un ongle.

— *¡ Hijo de puta !*

Désarçonnée par sa véhémence, je n'ai pas réagi.

— Enceinte de combien ?

— Je ne peux pas le dire. Il faudrait que je les étudie au microscope et que je regarde dans une liste de références.

— Putain de sa race !

— Ouais.

Des voix d'hommes nous sont parvenues par la porte fermée. Un rire. Cette rigolade dans la salle de garde m'a produit l'effet d'une effraction.

— Qui peut-elle bien être ?

La voix de Galiano avait un ton plus bas que la normale.

— Une ado avec un secret terrifiant.

— Et un papa qui ne devait pas avoir envie de fonder une famille.

— Peut-être qu'il en avait déjà une.

— La grossesse est peut-être aussi une coïncidence.

— Peut-être. Si c'est un tueur en série, les victimes sont aléatoires.

Les voix se sont éloignées, le silence est retombé dans le couloir.

— Il est temps d'aller faire coucou à l'aubergiste, a dit Galiano.

— Ça ne ferait pas de mal non plus de vérifier les cliniques pour femmes et les centres de planning familial du voisinage. Elle a peut-être voulu avorter.

— On est au Guatemala.

— S'informer sur l'hygiène prénatale.

— Exact.

— Vous feriez bien de prendre des photos avant que je range tout ça, ai-je conclu en désignant le chemisier.

Dans les minutes suivantes, Xicay a débarqué. Je lui ai remis mon témoin millimétré en lui indiquant les os.

Galiano a continué sur sa lancée.

— Que diriez-vous pour la taille ?

— La taille ?

— Elle mesurait combien ?

— D'après les vêtements, elle était de taille moyenne, et menue. Les attaches des muscles sont fines. On dit gracile dans notre jargon.

J'ai feuilleté les photos pour retrouver celles des os de la jambe.

— Avec une règle à calcul, je pourrais vous donner une estimation à partir du fémur. Mais ce ne serait qu'une fourchette. Vous avez la taille des quatre filles disparues ?

— Ça doit se trouver dans leurs dossiers. Sinon, je me renseignerai.

— Fini ! a déclaré Xicay.

J'ai pris deux autres fioles dans mon sac. J'en ai marqué une « Restes de fœtus » et j'y ai enfermé les fragments d'os coincés dans la couture du chemisier, à l'aisselle et dans la manche, en les prélevant délicatement à l'aide d'une pince à épiler. J'ai scellé les fioles avant de parafer les étiquettes.

— Des clichés standard pour les habits ? a demandé Xicay.

J'ai hoché la tête. Tout en le regardant se déplacer autour de la table, une pensée m'est brusquement venue à l'esprit. J'ai demandé à Galiano :

— Où sont les os de tibia et de pied qui étaient dans le jean ?

— Emportés par Díaz. Ils tombaient aussi sous le coup du séquestre.

— Et pas le jean ?

— Ce type ne saurait pas voir un indice même s'il lui pissait dessus.

— Et Lucas, il vous fait quelle impression ?

— Le bon docteur n'avait pas l'air emballé par sa tâche.

— C'est aussi mon avis. Vous pensez que Díaz lui met la pression ?

— J'ai l'honneur d'être reçu par M. le substitut cet après-midi, a répondu Galiano en remettant ses lunettes sur son nez. J'en profiterai pour lui souligner l'importance de la franchise dans notre profession.

Une heure plus tard, je franchissais le portail de la FAFG. Adossé à un poteau de la véranda, Ollie Nordstern mâchonnait du chewing-gum.

J'ai failli faire demi-tour. Hélas, le journaliste avait déjà fondu sur moi comme un requin sur une traînée de sang.

— Dr Brennan, la première de ma liste !

J'ai sorti mon sac de l'arrière de la voiture de location.

— Laissez-moi vous aider.

— Une affaire inattendue, monsieur Nordstern, ai-je répliqué en passant la courroie sur mon épaule. Je n'aurai pas de temps aujourd'hui pour reprendre l'interview.

J'ai claqué la portière et me suis dirigée vers la maison. Il m'y précédait déjà.

— Je pourrais peut-être vous convaincre de m'accorder quelques minutes.

Et vous pourriez peut-être aussi vous noyer dans votre crachat !

Tout haut, j'ai réitéré :

— Pas aujourd'hui.

Un foulard noué sur la nuque, Elena Norvillo était assise devant l'un des ordinateurs regroupés dans ce qui était autrefois le salon de la famille Mena.

— *Buenos días*, Elena.

— *Buenos días*, a-t-elle répondu sans détourner la tête de son écran.

— *¿ Dónde está Mateo ?* Où est Mateo ?

— Dehors, à l'arrière, a répondu Nordstern dans mon dos.

J'ai longé un couloir sur lequel donnaient des bureaux et une cuisine, et suis sortie dans une cour intérieure entourée d'une galerie couverte. Nordstern jouait les toutous derrière moi.

Une piscine occupait l'avant gauche de la cour. Aussi déplacée qu'un Jacuzzi dans un foyer pour SDF. L'eau miroitait sous les rayons de soleil et colorait tout d'une inquiétante lueur bleue.

Dans le fond du patio, sous l'avant-toit, des postes de travail. Sous chaque ordinateur, une caisse vide attendait de recevoir les feuilles pliées qui sortaient de l'imprimante. Des cartons encore fermés s'entassaient le long des murs en pierre, et l'on apercevait entre les piles les plantes tropicales qui avaient fait la fierté de l'élégant jardin des Mena.

Tout au bout de la première rangée d'ordinateurs, Rosa O'Reilly enregistrait des données que lui dictait Luis Posadas après avoir mesuré des restes à l'aide d'un compas d'épaisseur. Planté devant un squelette suspendu à l'avant-toit et coiffé d'un feutre rond, Juan Corrales vérifiait d'un air dubitatif l'appartenance d'ossements qu'il tenait à la main.

J'ai passé la porte du labo. Mateo a levé les yeux de l'unique microscope dont disposait la FAFG. Il portait une salopette en jean et un T-shirt gris aux manches coupées. De la sueur perlait sur sa lèvre supérieure.

— Heureux de vous voir, Tempe.

— Comment va Molly ? ai-je demandé en m'avançant vers lui.

— Pas de changement.

— Qui est Molly ?

Les yeux de Mateo m'ont quittée pour se poser sur Nordstern. Revenus sur moi, ils se sont plissés en un signal identique à celui que m'avait adressé Galiano au

Paraíso. Avertissement superflu. Mon intention était bien d'ignorer ce crétin.

— Je vois que vous avez réussi à établir le contact, a déclaré Mateo.

— J'ai dit à M. Nordstern qu'il m'était impossible de le recevoir aujourd'hui.

— J'espérais que vous pourriez la persuader du contraire, a émis le journaliste d'un ton cajoleur.

— Vous voudrez bien nous excuser ? a répondu Mateo avec un sourire et, me prenant par le bras, il m'a entraînée à l'intérieur de la maison jusqu'à son bureau à l'étage.

— Renvoyez-le, Mateo.

— Un article dans un journal américain, je ne peux pas cracher dessus.

Il m'a désigné une chaise et il a fermé la porte.

— Le monde a besoin de savoir, et nous, on a besoin d'argent.

Il a attendu que je parle. Voyant que je ne desserrais pas les dents, il a repris :

— Information rime parfois avec donation. Et avec protection.

— Dans ce cas, c'est vous qui lui parlez.

— Je l'ai déjà fait.

— Alors, Elena.

— Elle a passé toute la journée d'hier avec lui. C'est vous qu'il veut, maintenant.

— Non.

— Donnez-lui un os à ronger et il partira.

— Pourquoi moi ?

— Il vous trouve sympa.

Je lui ai lancé un regard qui aurait transformé en banquise la Vallée de la Mort en plein midi.

— Votre boulot sur les motards l'a impressionné.

J'ai levé les yeux au ciel.

— Allez, une petite demi-heure...

Maintenant, c'était au tour de Mateo de me faire des mamours.

— Qu'est-ce qu'il veut, exactement ?

— Des phrases hautes en couleur.

— Il est au courant, pour Molly et Carlos ?

— Nous avons préféré omettre cette information.

— Le sensationnel, je vois. (J'ai chassé une petite miette de mon pantalon.) Les ossements de la fosse septique ?

— Non.

— Bien. Une demi-heure.

— Si ça se trouve, il vous plaira.

Autant qu'un ulcère à l'estomac, me suis-je dit tout bas. Mais, déjà, Mateo enchaînait :

— Et si vous me racontiez où vous en êtes, pour la fosse septique ?

— Et le journaliste, en bas ?

— Il peut attendre.

Je lui ai raconté par le menu mes découvertes du matin, sans toutefois mentionner Chantal Specter.

— Vous oubliez la fille de l'ambassadeur du Canada. Ça fait lourd dans la balance.

— Vous êtes au courant ?

— Galiano m'en a touché un mot. C'est pour ça que je l'ai laissé vous prendre dans ses filets l'autre jour, au retour de Chupan Ya.

Je ne lui en ai pas voulu de s'être allié contre moi. Je me suis même sentie soulagée qu'il sache ce qui risquait de m'occuper dans les jours à venir. J'ai retiré la fiole de mon sac et je l'ai posée sur son bureau. Il a lu l'étiquette et a jeté un œil au contenu.

— Un fœtus ? a-t-il dit, ses yeux plantés dans les miens.

J'ai fait signe que oui.

— Son âge ?

— Il faut que je regarde dans le Fazekas et Kósa.

Je me référais à la *Forensic Fetal Osteology*, la bible des médecins légistes en matière de développement squelettique prénatal. Parue en Hongrie en 1978 et épuisée depuis des lustres. Les chanceux qui en possèdent un exemplaire ne le prêtent à personne.

— Nous en avons un ici.

— Vous avez fini, avec le microscope ?

— Presque. (Il s'est levé.) Je devrais avoir terminé lorsque vous aurez fini avec Nordstern.

Mes yeux se sont révulsés si loin que j'ai eu peur qu'ils n'aillent heurter mon lobe frontal.

— Je vous ai regrettée, hier.

— Ouais.

— Le señor Reyes m'a dit que vous seriez très occupée, d'ici samedi.

— Nous avons une demi-heure, monsieur. Qu'est-ce que je peux faire pour vous ?

Nous étions dans le bureau de Mateo, et Nordstern était assis dans le fauteuil que j'occupais l'instant précédent.

— C'est juste. (Il a extirpé un minuscule magnétophone de sa poche.) Ça ne vous dérange pas ?

J'ai regardé ma montre. Il s'est mis à jouer avec les boutons.

— OK, a-t-il dit en se penchant en arrière. Dites-moi ce que vous êtes venue faire dans ce pays.

Sa question m'a désarçonnée.

— Vous n'avez pas déjà vu ça avec Elena ?

— J'aime bien obtenir des avis différents.

— Étudier des faits historiques.

Il a haussé ses sourcils, ses épaules et ses mains d'un même mouvement.

— Jusqu'à quand voulez-vous que je remonte ?

Il a refait la même mimique énervante.

Très bien, crétin. Tu vas l'avoir ton petit cours sur la violation des droits de l'homme.

— Entre les années 1960 et 1990, de nombreux pays d'Amérique latine ont connu des périodes de violence et de répression, au cours desquelles les droits de l'homme ont été bafoués. Le plus souvent, les atrocités étaient commises par les militaires au pouvoir. Dans les années 1980, un tournant vers la démocratie s'est opéré et, avec lui, s'est fait jour le besoin d'étudier les événements récents. Dans certains pays, les enquêtes ont confirmé les soupçons. Dans d'autres, des amnisties diverses ont permis aux coupables d'échapper à la justice. Il est donc apparu essentiel, pour que toute la lumière soit faite, que des étrangers participent aux enquêtes.

Nordstern avait la tête de l'étudiant qui se fiche complètement de ce que raconte le prof. Je suis passée à des exemples concrets.

— Prenez l'Argentine. En 1983, après le retour de la démocratie, la CONADEP, la Commission nationale sur la disparition des personnes, a pu établir que près de neuf mille personnes avaient été « disparues » par les bons soins du régime militaire, pour la plupart enlevées par des groupes illégaux, enfermées dans des centres de détention, torturées et tuées. Leurs corps ont été jetés à la mer du haut d'avions ou enterrés dans des charniers. Les juges ont donc ordonné des exhumations, mais les médecins nommés à la tête des équipes d'identification avaient peu d'expérience en la matière et pas la moindre formation en archéologie. On employait des bulldozers et les ossements étaient cassés, perdus, mélangés et finalement abandonnés. Inutile de dire que le résultat n'a pas été probant.

Récit des faits hypercondensé.

— En outre, plusieurs de ces médecins avaient eux-mêmes été complices des massacres, soit qu'ils y aient directement participé, soit qu'ils aient fermé les yeux.

L'image de Díaz s'est mise à clignoter dans mon esprit. Suivie d'une autre : Díaz et le Dr Lucas au Paraíso.

— Pour toutes ces raisons, il a été jugé nécessaire d'établir un protocole scientifique plus rigoureux et de faire appel à des experts qu'on ne puisse pas soupçonner d'avoir eu partie liée avec les assassins.

— Et c'est alors que Clyde Snow est intervenu.

— Oui. En 1984, l'AAAS, l'Association américaine pour l'avancement de la science, a dépêché une délégation d'experts en Argentine. Clyde Snow était du nombre. La même année, l'équipe argentine d'anthropologie légale a été fondée. Elle est toujours active aujourd'hui.

— Et elle n'œuvre pas seulement en Argentine.

— Loin de là. L'EAAF a collaboré avec des organisations humanitaires en Bosnie, au Timor oriental, au Salvador, ici, au Paraguay, en Afrique du Sud, au Zimbabw...

— Qui paye la facture ?

— Les membres de l'équipe sont payés sur le budget général de la EAAF. Mais dans la plupart des pays, les institutions humanitaires ont des ressources très limitées.

J'ai enfoncé le clou, soucieuse de faire passer le message de Mateo :

— Le financement est un problème chronique. En plus des salaires, il faut encore payer le voyage et les frais de séjour des employés. Les fonds alloués à une mission peuvent provenir entièrement de l'EAAF, de la FAFG au Guatemala, ou d'une organisation locale ou internationale.

— Parlons du Guatemala.

À la trappe, mon laïus sur les besoins financiers.

— Pendant la guerre civile, qui a duré ici de 1962 à 1996, entre cent et deux cent mille personnes ont été tuées ou « disparues », comme on dit. On estime également qu'un autre million de personnes a été déplacé.

— Des civils, pour la plupart ?

— Oui. La commission de l'ONU pour la clarification historique au Guatemala a conclu que quatre-vingt-dix pour cent des violations des droits de l'homme avaient été commises par l'armée guatémaltèque et des groupes paramilitaires.

— Ouais, les Mayas ont pris une sacrée culotte !

Ce type était révoltant.

— Les victimes ont été surtout des paysans mayas qui, pour la plupart, n'avaient rien à voir avec le conflit. Les militaires sillonnaient la campagne et massacraient quiconque leur paraissait soutenir la guérilla. Dans les provinces d'El Quiché et de Huehuetenango, les montagnes renferment des centaines de charniers.

— La terre y est rouge, au sens propre.

— Oui.

— Et après, ils ont joué les innocents.

— Pendant des années, les gouvernements qui se sont succédé au Guatemala ont nié ces massacres. Le gouvernement actuel a cessé cette comédie, mais il est peu probable que quiconque se retrouve un jour derrière les barreaux. Officiellement, le conflit est achevé depuis 1996, depuis l'accord de paix signé entre le gouvernement et une coalition réunissant les chefs des principales factions de la guérilla. Cette même année, l'immunité a été accordée à tous ceux qui étaient accusés d'avoir violé les droits de l'homme.

— Dans ce cas, pourquoi ce bureau ? a demandé Nordstern en désignant la pièce d'un geste circulaire.

— Des survivants et des familles commencent à s'exprimer, ils exigent une enquête. Même s'ils ne peuvent espérer de poursuites judiciaires, ils veulent que la lumière soit faite sur tous ces événements.

Ce visage de la petite fille de Chupan Ya est passé devant mes yeux. J'ai eu l'impression de faire l'apologie des criminels, tellement je parlais de façon stérile et détachée. Ces victimes méritaient un récit plus passionné.

— Dès le début des années 1990, des associations guatémaltèques représentant les familles des victimes ont demandé à des organisations étrangères, argentines notamment, d'effectuer des exhumations. Les Argentins, aidés de scientifiques américains, ont formé les Guatémaltèques. Le résultat est sous vos yeux. Au cours des dix dernières années, Mateo et son équipe ont mené quantité d'enquêtes judiciaires et ont su acquérir une certaine indépendance vis-à-vis des institutions gouvernementales.

— Parlez-moi des recherches à Chupan Ya.

— En août 1982, l'armée et des patrouilles civiles sont entrées dans le village...

— Sous le commandement d'Alejandro Bastos, m'a interrompue Nordstern.

— Ça, je ne suis pas au courant.

— Continuez.

— Vous semblez en savoir davantage que moi sur le sujet.

Nouvelle mimique du journaliste. Diable. J'en avais ma claque de ce type. Pour lui, les massacres étaient juste un bon sujet d'article. Pour moi, ils étaient plus que cela. Bien plus. Je me suis levée.

— Il se fait tard, monsieur Nordstern. Mon travail m'attend.

— Chupan Ya ou la fosse septique ?

J'ai quitté la pièce sans répondre.

8.

La fabrication d'un bébé est une opération complexe qui se déroule avec une précision militaire. Il y a les chromosomes – qui sont les chefs suprêmes – et puis il y a les gènes, parmi lesquels des bataillons de gènes troufions sont aux ordres de gènes sous-offs qui obéissent eux-mêmes à d'autres gènes plus gradés, et ainsi de suite tout au long de la chaîne de commandement.

Au tout début l'embryon n'est qu'une masse indifférenciée. Puis un ordre est lancé :

« Vertébré, en avant ! »

Les os segmentés se forment alors autour du cordon médullaire, puis c'est au tour des membres articulés, pourvus de cinq doigts chacun. Viennent ensuite le crâne et la mâchoire.

À ce stade, l'embryon est une perche, une grenouille des bois, un gecko.

Mais voilà que les doubles hélices entrent en action. Les enchères montent :

« Un mammifère ! »

Homéotherme, vivipare, hétérodonte.

L'embryon est un ornithorynque. Un kangourou. Un léopard des neiges. Elvis.

Les généraux continuent leur poussée.

« Un primate ! »

Un doigt séparé des autres et vision en 3-D.

La poussée s'accentue.

« Un Homo sapiens ! »

Matière grise et bipédie.

Chez l'homme, le squelette commence à s'ossifier vers la septième semaine. Entre la neuvième et la douzième, de petits bourgeons de dent apparaissent.

Sur les photos prises au Paraíso, j'avais identifié quatre éléments appartenant au crâne d'un fœtus, dont un os en forme de papillon qui relie les orbites et la base du crâne : le sphénoïde.

Les grandes ailes se forment chez le fœtus pendant la huitième semaine, la petite paire apparaît une semaine plus tard. À l'aide d'un microscope et d'une grille de calibration, j'ai réussi à les mesurer, longueur et largeur. Après quoi, j'en ai calculé la taille réelle en utilisant une règle à calcul. Grande aile : quinze millimètres sur sept. Petite aile : six sur cinq.

Le deuxième élément retrouvé, l'os temporal, exige lui aussi un certain assemblage. La partie plate formant la tempe et le côté de la pommette apparaît pendant la huitième semaine de gestation. Dans le cas présent, il mesurait dix millimètres sur dix-huit.

Venait ensuite le tympan, lequel débute sa vie vers la neuvième semaine pour se transformer, dans les vingt et un jours qui suivent, en trois rubans osseux qui se rejoignent aux alentours de la seizième semaine et forment un anneau. Cet anneau fusionne avec le conduit auditif juste avant que le bébé ne quitte son abri utérin.

Le premier élément à m'avoir troublée était justement le minuscule anneau que j'avais repéré sur la photo du pelvis. Bien que les lignes de jonction soient encore visibles, les trois segments étaient reliés solidement. Mon témoin millimétré m'a appris que j'étais tombée pile sur l'anneau tympanique. J'en ai mesuré le diamètre, apporté les corrections nécessaires et ajouté ce chiffre aux autres déjà obtenus. Huit millimètres.

Il y avait encore la demi-mâchoire miniature que j'avais prélevée et mise dans une fiole. Elle présentait des cavités qui ne contiendraient jamais de dents. Vingt-cinq millimètres.

Enfin, une clavicule. Vingt et un millimètres.

Toutes les mesures prises, je les ai comparées une par une avec celles indiquées dans les tableaux du livre d'ostéologie fœtale. Sphénoïde, grande aile. Sphénoïde, petite aile. Temporal squameux. Anneau tympanique. Mâchoire inférieure. Clavicule.

À en croire le Fazekas et Kósa, la fille dans la fosse septique était enceinte de cinq mois. J'ai fermé les yeux. Le bébé devait mesurer entre quinze et vingt-deux centimètres et peser dans les deux cent vingt-cinq grammes quand sa mère avait été tuée. Il pouvait cligner des yeux, saisir avec ses mains et faire des mouvements de succion. Il avait des cils et des stries au bout de ses petits doigts, il entendait et reconnaissait la voix de sa maman. Si c'était une fille, elle avait six millions d'ovules dans ses minuscules ovaires. J'étais inondée de chagrin.

— Téléphone pour vous ! m'a lancé Elena de la porte.

Je n'avais envie de parler à personne.

— Un M. Galiano. Vous pouvez le prendre dans le bureau de Mateo.

J'ai placé l'échantillon dans sa fiole et scellé le tout, avant de remonter pour la deuxième fois à l'étage.

— Cinq mois, ai-je indiqué en sautant les préliminaires.

Le détective a réagi au quart de tour :

— À ce moment-là, elle avait eu le temps de discuter avec papa.

— Le sien ou le donneur de sperme ?

— Ou non-donneur.

— Un petit ami jaloux, alors ?

— Un souteneur mécontent ?

— Votre psychopathe inconnu ? Les possibilités sont infinies. Et on se demande pourquoi le monde a besoin de détectives !...

— Pour ce qui est de jouer au détective, j'ai fait du boulot, ce matin.

J'ai attendu la suite.

— Les Eduardo sont les orgueilleux propriétaires de deux boxers et d'un chat. La famille de Lucy Gerardi a un chat et un schnauzer. Les de la Alda ne sont pas fanas des animaux. Tout comme l'ambassadeur et son clan.

— Le petit ami de Patricia Eduardo ?

— Un furet du nom de Julio.

— Celui de Claudia de la Alda ?

— Ses propres allergies.

— Quand est-ce que vos limiers auront fini d'examiner les échantillons ?

— Lundi.

— Qu'est-ce que le substitut avait à vous confier ?

Long soupir de Galiano exhalé par les narines.

— Le parquet ne rendra pas le squelette.

— Avons-nous accès à la morgue ?

— Non.

— Pourquoi ?

— Le type se voulait vraiment mon meilleur ami, il était dévasté de ne pouvoir en discuter avec moi.

— C'est fréquent ?

— Je ne m'étais encore jamais fait blackbouler par un substitut, mais je n'avais pas non plus croisé le chemin de celui-là.

J'ai réfléchi un moment à ce que sa phrase impliquait.

— Qu'est-ce qui se passe, à votre avis ?

— Ou bien il bande pour le protocole, ou bien quelqu'un lui serre la vis.

— Qui ça ?

Galiano n'a pas répondu.

— L'ambassade ? ai-je insisté.

— Qu'est-ce que vous faites ?

Son ton méfiant ne m'a pas échappé.

— Maintenant ?

— Non, pour le bal de fin d'année.

Une repartie qu'aurait pu sortir Ryan. Pas étonnant que ces deux-là se soient entendus comme larrons en foire dans le temps.

J'ai regardé ma montre. Six heures moins vingt. Un calme de samedi soir était tombé sur le labo.

— Je vais rentrer à l'hôtel. Il est trop tard pour commencer quoi que ce soit.

— Je passerai vous prendre dans une heure.

— Pour aller où ?

— Manger un *caldo*.

J'ai voulu objecter, puis je me suis représentée le tête-à-tête avec moi-même qui m'attendait dans ma chambre.

Après tout... !

— J'aurai une robe bleue.

— OK.

Ton embarrassé.

— Et pour les bouquets, j'aime bien les fleurs au poignet.

— Offert par un citoyen qui se pique d'horticulture, a proféré Galiano en me tendant deux pensées agrafées à un élastique bleu.

— Offert ?

— Le ruban est vendu séparément.

— Ce sont des brocolis ?

— Des asperges.

— Elles sont superbes.

Laissant les voitures lutter dans la rue à grands coups de Klaxon, nous sommes partis à pied pour le café Gucumatz. Une averse était tombée plus tôt dans la soirée et l'air sentait le ciment humide, le diesel, la terre et les fleurs. Çà et là, des odeurs de maïs, *tamal* ou *chuchito*, montaient des charrettes des vendeurs ambulants.

Nous partagions le trottoir avec la foule de l'heure de pointe. Couples allant dîner ou prendre un verre. Employés rentrant chez eux. Gens qui faisaient des courses. Promeneurs du samedi soir. La brise faisait voler les cravates des hommes par-dessus leurs épaules et plaquait les jupes des femmes contre leurs jambes. Les palmes au-dessus de nos têtes se soulevaient et retombaient avec un bruit mou.

Le Gucumatz était de style techno-maya : poutres en bois sombre, végétation en plastique et petit étang artificiel avec un pont en arche. Les peintures murales représentaient presque toutes ce roi quinché du XVe siècle de qui l'endroit tirait son nom. Je me suis demandé ce que devait penser le Serpent à plumes de se retrouver lui aussi dans un tel décor, mais j'ai gardé mes réflexions pour moi.

Torches et bougies pour tout éclairage. On avait l'impression d'entrer dans un tombeau maya.

Pendant que mes pupilles se dilataient, un perroquet a lancé en espagnol et en anglais des salutations stridentes, reprises aussitôt par un homme en chemise blanche, pantalon noir et tablier.

— *¡ Hola !,* détective Galiano ! *¿ Cómo está ?*

— *Muy bíen*, señor Velásquez.

— Un bon bout de temps qu'on ne vous avait pas vu.

Avec ses énormes bacchantes en forme de poignée qui plongeaient au sud sur les côtés pour remonter au nord jusqu'à lui titiller les narines, Velásquez avait tout de l'empereur des tamarins [1].

— Du boulot par-dessus la tête, señor.

— Le crime est partout de nos jours, a renchéri Velásquez à grands renforts de hochements de tête. Partout, c'est affreux. Les habitants de la ville ont bien de la chance de pouvoir confier leur tranquillité à un homme de votre calibre.

Sur un dernier hochement de tête attristé, il s'est emparé de ma main et l'a serrée contre ses lèvres. Ses poils m'ont raclé les doigts comme un tampon en laine d'acier.

— *¡ Bienvenida, señorita !* Une amie du détective est toujours une amie de Velásquez.

Libérant ma main, il a fait monter et descendre ses deux sourcils l'un après l'autre et cligné de l'œil d'un air théâtral en direction de Galiano.

1. Petit singe d'Amérique du Sud à longs poils soyeux. *(N.d.T.)*

— *Por favor*. Ma meilleure table. Venez. Venez.

Et de nous entraîner, rayonnant, vers la partie chic de l'établissement, côté étang. Mais d'un mouvement du menton, Galiano a indiqué l'intérieur du restaurant.

— *Sí, señor*. Naturellement.

Velásquez s'est hâté vers une alcôve aménagée dans le fond et a interrogé Galiano du regard. Assentiment de celui-ci. Nous avons pénétré dans une salle caverneuse et nous nous sommes assis. Notre hôte s'est retiré sur une nouvelle imitation de Groucho Marx.

— Aussi subtil qu'un cul de babouin, votre copain !

— Toutes mes excuses pour le machisme de mes frères.

Dans la seconde qui a suivi, une serveuse est apparue avec les menus.

— Libation ? a demandé Galiano.

Ah, si seulement je pouvais !

— Impossible !

— Ah bon ?

— Le quota a été largement dépassé.

Galiano n'a pas insisté. Il a commandé un Martini Grey Goose nature ; moi, un Perrier rondelle.

Les boissons servies, nous avons ouvert nos menus. Dans les enfers où nous avions été délocalisés, l'éclairage tamisé était devenu inexistant. Je me suis demandé ce qui avait incité Galiano à déménager, mais je ne lui ai pas posé la question.

— Si vous n'avez jamais pris de *caldo*, je vous le recommande.

— Qu'est-ce que c'est ?

— Un ragoût traditionnel maya. Ce soir, il est au canard, au bœuf ou au poulet.

— Poulet.

J'ai refermé le menu. De toute façon, il était impossible de le lire.

Galiano a choisi le bœuf.

La serveuse a apporté des *tortillas*. Galiano a pris une galette et m'a tendu le panier.

— *Gracias*.

— Quand ? a-t-il demandé, et il s'est calé dans son fauteuil.

Quelque part, j'avais dû rater l'embranchement.

— Quand quoi ?

— Quand avez-vous dépassé le quota ?

Ah, pigé. Cela dit, je n'avais aucune envie de discuter de mes amours tumultueuses pour l'alcool avec le policier.

— Cela fait plusieurs années.

— Vous copinez avec Bill Wilson ?

— Je ne suis pas membre.

— Pas mal de gens seraient foutus sans les Alcooliques Anonymes.

— Oui, c'est une association formidable.

J'ai pris mon verre. Les glaçons s'entrechoquaient joyeusement et les bulles avaient de petits pétillements très doux à mes oreilles. J'ai enchaîné :

— Vous vouliez me dire quelque chose à propos de l'affaire ?

— Oui.

Il a souri et pris une gorgée de Martini.

— Vous avez une fille, c'est cela ?

— Oui.

Une pause.

— Moi, un fils. De dix-sept ans.

Je n'ai pas réagi.

— Alejandro, mais il préfère qu'on l'appelle Al.

Galiano a continué, insensible à mon mutisme.

— C'est un gamin intelligent. Il va entrer à l'université l'année prochaine. Je l'enverrai probablement au Canada.

— À Saint-François-Xavier ? ai-je laissé tomber dans l'espoir de perforer son inébranlable confiance en soi.

Galiano a fait la grimace.

— Je comprends maintenant où vous avez pêché mon surnom.

Ainsi, ma petite phrase au commissariat central n'était pas tombée dans l'oreille d'un sourd.

— De qui tenez-vous l'info ? a-t-il enchaîné.

— D'Andrew Ryan.

— *Ay, Dios*. (Il a éclaté de rire, la tête rejetée en arrière.) Qu'est-ce qu'il devient, celui-là ?

— Il est détective à la police provinciale.

— Et c'est là qu'il utilise son espagnol ?

— Parce que Ryan parle espagnol ?

Galiano a hoché la tête.

— C'est dans cette langue qu'on débattait des charmes du beau sexe devant ses représentants. Personne ne comprenait.

— Vous commentiez leur intelligence, sans doute.

— Leurs talents pour la couture.

Je lui ai lancé un regard assassin.

— Les temps étaient différents.

La serveuse est revenue avec les plats, et nous avons entrepris d'assaisonner le ragoût. Plusieurs bouchées en silence. Galiano balayait la salle des yeux. Si quelqu'un nous regardait, il devait nous prendre pour un vieux couple usé par l'ennui.

— Que savez-vous de notre système judiciaire ?

— Ce qu'en sait un étranger.

— Vous savez que vous n'êtes pas au Kansas, ici.

Putain, ce type était aussi emmerdant que Ryan.

— Je suis au courant des tortures et des assassinats, détective, c'est même pour ça que je suis là.

Galiano a pris une bouchée de ragoût et a pointé sa fourchette vers la mienne.

— C'est meilleur chaud.

J'ai recommencé à manger, attendant qu'il poursuive. En vain. À l'autre bout de la catacombe, une vieille femme préparait des tortillas sur un *comal.* Je l'ai regardée faire tournoyer sa pâte en l'air, l'étendre dans un plat de terre et poser celui-ci sur le feu. Ses mains reproduisaient les mêmes gestes des dizaines de fois sans que son visage exprime la moindre émotion. À croire qu'il était taillé dans du bois.

— Expliquez-moi donc comment votre système fonctionne.

La phrase est sortie avec plus de sécheresse que je ne l'aurais voulu, mais Galiano commençait à m'énerver avec son côté évasif.

— Les procès ne se déroulent pas en présence d'un jury, chez nous. Les affaires criminelles sont examinées par des juges de première instance, parfois par des magistrats désignés par la Cour suprême. Ces juges, un peu comme vos procureurs, sont censés rechercher les preuves d'innocence comme celles de culpabilité.

— Vous voulez dire qu'ils agissent à la fois en tant que représentants de la défense et de l'accusation ?

— Exactement. Quand le juge d'enquête considère que le prévenu a effectivement enfreint la loi, il transmet l'affaire à un juge de condamnation.

— Qui a pouvoir de commander une autopsie ?

— Non. Ça, c'est le juge de première instance. L'autopsie est obligatoire dans les cas de mort violente ou douteuse. Mais si un examen externe suffit à déterminer la cause de la mort, personne n'effectuera d'incision en Y[1].

— Qui a la charge des morgues ?

— Elles sont placées sous l'autorité directe du président de la Cour suprême.

— Donc, les médecins légistes travaillent en fait pour les parquets.

— Ou pour l'IGSS, l'*Instituto Guatemalteco de Seguridad Social.* Mais c'est vrai que les médecins légistes sont sous l'autorité de l'ordre judiciaire. Ce n'est pas comme au Brésil, par exemple, où les instituts médico-légaux d'État travaillent pour la police. Ici, les médecins légistes ont très peu de rapports avec la police.

— Combien sont-ils ?

— Une trentaine. Sept ou huit travaillent à la morgue, ici, à Guatemala, les autres sont répartis dans le pays.

— Ils sont bien formés ?

Il s'est mis à compter sur ses doigts les obligations requises. Trois doigts levés seulement.

— Vous devez être citoyen guatémaltèque de naissance, docteur en médecine et membre de l'association médico-légale.

— C'est tout ?

— C'est tout. Et l'USAC n'a même pas d'internat spécialisé en médecine légale.

Il faisait référence à l'université San Carlos, la seule université publique du Guatemala.

— Franchement, je ne sais même pas pourquoi les gens choisissent cette discipline. Le statut est nul et le

1. Expression spécifique pour désigner une autopsie. *(N.d.T.)*

salaire zéro. Vous êtes allée à la morgue de Guatemala ?

J'ai secoué la tête.

— On se croirait revenu au Moyen Âge.

Il a déchiré un morceau de tortilla pour saucer, puis a repoussé son assiette.

— Les médecins légistes sont employés à temps complet ?

— Parfois. Certains travaillent pour le parquet uniquement pour arrondir leurs fins de mois. Surtout dans les campagnes.

Ses yeux ont suivi la serveuse qui débarrassait. Elle s'est retirée après avoir pris la commande des desserts.

— Quelle est la procédure quand un corps est retrouvé ?

— Vous allez adorer. Jusqu'à il y a environ dix ans, c'étaient les pompiers qui récupéraient les macchabées. Ils arrivaient sur les lieux, examinaient le corps et prenaient des photos. Leur service central informait la police et, nous, on informait le juge. Des policiers enquêteurs allaient recueillir les indices et les témoignages et, plus tard, le juge débarquait, signait l'autorisation de lever le corps, et les pompiers conduisaient le macchabée à la morgue. De nos jours, le transport est effectué par la police.

— Pourquoi ?

— Parce que les gentils soldats du feu, dans leur gros camion à échelle, avaient tendance à se servir en fric et en bijoux.

— Donc, les médecins légistes ne se rendent pas sur les lieux du crime, d'habitude ?

— Non.

— Alors, pourquoi Lucas est-il venu au Paraíso ?

— Díaz n'a pas dû lui laisser le choix.

Le café est arrivé. Nous l'avons bu en silence. J'ai recommencé à regarder la vieille Maya. Les yeux de Galiano ont suivi les miens.

— Encore une chose qui va vous faire dresser les cheveux sur la tête. Au Guatemala, les médecins légistes sont uniquement tenus de déterminer la cause du décès. Pas les circonstances.

Galiano se référait à la classification des décès : homicide, suicide, accident et mort naturelle. Un corps est trouvé dans un lac et l'autopsie détermine que la quantité d'eau dans les poumons est suffisante pour avoir stoppé la respiration. La cause de la mort est la noyade. Mais comment le défunt s'est-il retrouvé dans le lac ? A-t-il été poussé, est-il tombé tout seul ? Ça, ce sont des questions d'ordre circonstanciel.

— Qui est chargé de déterminer les circonstances ?

— Le juge, c'est-à-dire le procureur chez vous.

Galiano a observé un couple assis à l'autre bout de la salle et a légèrement décalé sa chaise pour me chuchoter, penché vers moi :

— Bien des militaires impliqués dans les atrocités sont toujours aux commandes, vous savez.

Le ton de sa voix m'a filé la chair de poule.

— Et bien des personnes chargées aujourd'hui de mener les enquêtes ont participé, ou participent encore, à des exécutions qui n'ont rien à voir avec une décision de justice.

— Vous voulez dire qu'ils continuent ?

Ses yeux ont soutenu mon regard sans faiblir.

— La police ?

Pas un battement de cils.

— Comment est-ce possible ?

— La police d'ici a beau dépendre officiellement du ministère de l'Intérieur, en fait elle demeure sous le contrôle de l'armée. La crainte imprègne le système judiciaire à tous les échelons.

— Qui a peur ?

Nouveau regard de Galiano sur la salle. Pas un mouvement n'échappait à ses yeux. Quand il s'est retourné vers moi, ses traits avaient une dureté que je ne lui avais encore jamais vue.

— Tout le monde. Les parents refusent de porter plainte par crainte de représailles, et les témoins refusent de témoigner. Si, par malheur, la preuve est faite que l'armée est impliquée, le procureur peut s'inquiéter pour son avenir et pour celui des siens.

— N'y a-t-il pas des associations qui veillent au respect des droits de l'homme ?

Ma voix était à peine un chuchotement. Galiano avait réussi à me flanquer les jetons.

— C'est à Guatemala qu'on a le plus tué ou fait disparaître les membres de ces associations. Plus que n'importe où ailleurs sur la planète. Ce sont les statistiques officielles.

Je l'avais lu en effet dans un récent numéro de *Human Rights Watch*.

— Et je ne parle pas du passé. Tous ces gens, sauf quatre, ont été assassinés depuis l'arrivée des civils au pouvoir, en 1986.

J'ai ressenti les picotements de la peau au creux de l'estomac.

— Où voulez-vous en venir ?

— Enquêter sur les crimes, ce n'est pas de tout repos.

Regard sombre où se lisait l'amertume.

— Une preuve apportée par la police ou un rapport d'autopsie impliquant les gens qu'il ne faut pas, et vous pouvez vous retrouver dans des complications inextricables. Ça peut être dangereux de faire état de vos résultats si par hasard l'homme auquel s'adresse votre rapport est en cheville avec les gens qu'il est censé poursuivre.

— Ce qui signifie ?

Il a ouvert la bouche pour répondre, puis ses yeux ont dévié de moi.

Les picotements se sont transformés en un nœud dur et glacé.

9.

Visiblement, c'était mon jour pour les fleurs, car au retour du dîner un bouquet de la taille d'une Coccinelle Volkswagen m'attendait dans ma chambre. La carte était typique de Ryan.

Des fosses remplies de mercis nullement sceptiques pour tous (n)os souvenirs.

J'ai ri pour la première fois depuis plus d'une semaine.

Après avoir pris une douche, je me suis étudiée dans le miroir de la salle de bains avec la même sévérité que si j'avais regardé une inconnue dans la rue. J'ai vu une femme d'âge moyen avec un nez délicat et de jolies pommettes, des rides en étoiles au coin des yeux et un menton qui tenait encore la rampe. Une marque de varicelle au-dessus du sourcil gauche, des fossettes asymétriques.

Écartant ma frange, j'ai tiré la peau de mon front vers les oreilles. Mes cheveux fins étaient d'un blond qui avait viré au châtain et galopait maintenant vers le gris. Rien à voir avec les épais cheveux dorés de ma sœur Harry. Les sprays et gels censés donner du volume étaient bien la dernière de ses préoccupations alors que, moi, je dépensais des mille et des cents rien qu'en mousse.

Pendant un moment, je me suis regardée droit dans les yeux. Des iris verts, des cernes violets et un regard las. Oh, un sillon tout neuf sous mon sourcil gauche ! Serait-ce l'éclairage ? Un pas à droite, un demi-pas en arrière. La ligne était bel et bien là. Génial ! Une semaine au Guatemala et j'avais dix ans de plus. Était-ce l'inquiétude née de ma conversation avec Galiano ?

J'ai pressé du dentifrice sur ma brosse à dents et j'ai attaqué les molaires supérieures. Quel était son but en me tenant ce discours au Gucumatz ? M'inciter à la prudence ?

En revenant à pied, nous avions parlé presque tout le temps de l'affaire de la fosse septique. Galiano n'avait pas grand-chose de nouveau à m'apprendre. Sa visite à la clinique de l'APROFAM dans la zone 1, le planning familial local, n'avait rien donné. Idem pour la clinique privée Mujeres por Mujeres. À contrecœur, la doctoresse Maria Zuckerman avait fini par accepter de vérifier son fichier de patientes. Elle avait trouvé deux dames Eduardo, Margarita et Clara, toutes deux âgées de plus de trente ans. Pas de Lucy Gerardi, de Claudia de la Alda ou de Chantal Specter. Si l'une d'elles était venue à la consultation, c'était sous un faux nom.

Pas de quoi s'étonner.

De plus, les rendez-vous non suivis de visite étaient chose courante. Ou alors les femmes venaient une ou deux fois et on ne les revoyait plus. Un grand nombre était dans la même tranche d'âge que la jeune fille de la fosse, et beaucoup étaient enceintes. En l'absence de photo ou de description, le Dr Zuckerman s'était opposée à ce que son personnel subisse la « tracasserie » d'un interrogatoire.

Galiano avait demandé une liste de toutes les patientes qui avaient téléphoné ou avaient été examinées au cours de l'année. Comme de juste, le médecin avait refusé, invoquant le secret médical. Le policier avait l'intention de demander une commission rogatoire dès qu'il aurait réuni davantage d'éléments.

Tout en me rinçant la bouche, j'ai senti la culpabilité monter en moi. Si j'avais fait un prélim' plus approfondi au Paraíso, nous aurions au moins une description précise de la victime.

J'avais aussi interrogé Galiano sur l'agression de Carlos et de Molly. Il en avait vaguement entendu parler, car c'étaient les autorités de Sololá qui étaient chargées de l'enquête. Il m'a promis de se renseigner.

J'ai étalé de la crème sur mon visage.

Nous avions également parlé d'Andrew Ryan. J'avais expliqué son travail à la Sécurité du Québec, et Galiano m'avait raconté certains souvenirs de leurs jeunes années.

En partant, il m'avait indiqué que son coéquipier irait voir les Eduardo et les de la Alda le lendemain matin, et que lui-même s'occuperait des Gerardi et des Specter. La découverte au Paraíso justifiait ces visites dominicales.

J'avais insisté pour l'accompagner, arguant que cela n'entrait pas dans le cadre des activités dangereuses et qu'un œil extérieur pouvait se révéler utile. Il n'avait pas paru convaincu, mais il avait accepté.

J'ai éteint la lumière, ouvert mes fenêtres le plus grand possible, réglé mon réveil à l'heure fixée et je me suis couchée.

J'ai dû rester des heures à écouter les bruits de la circulation et de l'hôtel en regardant les rideaux se gonfler sous le vent, avant de m'endormir, la tête sous l'oreiller. J'ai rêvé de Ryan et de Galiano faisant la fête dans les Provinces maritimes.

Galiano est passé me prendre à huit heures. Mêmes bonjours, mêmes lunettes noires.

Au cours d'un petit déjeuner rapide, il m'a expliqué qu'il comptait mettre la pression sur Mario Gerardi, le frère aîné de Lucy. J'ai voulu savoir pourquoi.

— Mauvaises vibs.

— C'est courant.

Ce qui ne l'était pas – ou plus –, c'était cette expression. Je n'avais pas dû l'entendre depuis que les Beach Boys avaient quitté le box-office.

— Il y a quelque chose en lui qui me chiffonne.

— Ses chaussettes ?

— Parfois, il faut suivre son instinct.

Ça, je ne pouvais le nier.

— Il fait quoi, ce Mario ?

— Il glande.

— Des études ?

— Il a déjà un diplôme de physique de Princeton.

Galiano a saucé ce qui restait de ses œufs et de ses haricots avec sa tortilla.

— Ce n'est donc pas un imbécile. Que fait-il, maintenant ?

— Il essaie de résoudre la constante de Planck, j'imagine.

— Le détective Galiano s'y connaît en physique quantique. Je suis impressionnée.

— Mario est riche et beau garçon. C'est le tombeur de ces dames.

— Le détective Galiano a également des connaissances en littérature. Passons au point suivant. Pourquoi Bat n'aime-t-il pas le jeune Mario ?

— Ce sont ses chaussettes, vous l'avez dit vous-même.

— Bizarre, non, que Lucy et Chantal aient disparu pratiquement en même temps.

— Curieux, même.

Ignorant mes protestations, Galiano s'est emparé de la note et l'a réglée. Départ pour la zone 10.

Avenida de la Reforma, on avançait à la vitesse d'un escargot. Nous sommes restés bloqués dix bonnes minutes près du jardin botanique de l'université San Carlos. Je me suis imaginé Lucy Gerardi marchant sur le trottoir, ses longs cheveux bruns encadrant son visage. Que s'était-il donc passé ce jour-là ? Pourquoi était-elle allée au jardin botanique ? Pour y retrouver quelqu'un ? Pour réviser ? Pour rêver à des rêves de jeune fille qu'à présent elle ne réaliserait plus ? Le cadavre confisqué par Díaz était-il le sien ?

En proie à un nouvel accès de culpabilité, je me suis tournée vers la fenêtre.

— Pourquoi commence-t-on par les Gerardi ?

— Mme l'ambassadrice ne se lève pas avec les poules.

J'ai dû avoir l'air surpris, car il a enchaîné :

— Je suis d'avis qu'il faut être ferme sur les questions importantes et savoir glisser sur le reste. Si Sa Seigneurie aime dormir, qu'elle dorme ! En outre, je veux être sûr que papa Gerardi sera là quand nous arriverons.

Tout de suite après l'ambassade américaine, Galiano a tourné dans une étroite rue ombragée et s'est arrêté.

La demeure des Gerardi se dressait au centre d'une

pelouse parfaitement tondue et entourée de haies taillées au cordeau. Un chemin dallé, bordé de part et d'autre de fleurs multicolores, menait du trottoir à la maison.

Une allée longeait la propriété sur la droite. La Mercedes 500 S et la Jeep Grand Cherokee de rigueur y étaient garées. À gauche, un petit enclos avec un schnauzer de la taille d'une marmotte d'Amérique, qui courait d'un bout à l'autre de sa chaîne en aboyant comme un fou.

— Je suppose que ça peut passer pour un chien, a admis Galiano en appuyant sur la sonnette.

La porte s'est ouverte sur un homme grand et maigre aux cheveux argentés, portant lunettes à monture noire, costume sombre, chemise d'un blanc éclatant et cravate en soie jaune. Tenue bien formelle pour un dimanche matin.

— *Buenos días, señor Gerardi*, a lancé Galiano.

Le menton du maître des lieux s'est relevé légèrement. Son regard a glissé vers moi.

— Le Dr Brennan est l'anthropologue qui collabore à l'affaire concernant votre fille.

Gerardi s'est reculé et nous a invités à entrer. Puis il nous a précédés le long d'un couloir carrelé de tomettes rutilantes jusqu'à un bureau lambrissé.

Tapis de Beshir. Table en noyer. Objets de valeur disposés avec goût sur des étagères en acajou. Quelle que soit sa profession, ce monsieur avait un salaire confortable.

À peine avions-nous pénétré dans la pièce qu'une femme s'est encadrée dans la porte. Obèse et les cheveux couleur feuilles mortes.

— *Buenos días, señora Gerardi*, l'a saluée Galiano.

La señora l'a considéré avec le regard craintif et

dégoûté qu'elle aurait eu en découvrant un scorpion dans son lavabo.

Gerardi s'est adressé à son épouse dans un espagnol si rapide que je n'ai pas compris un traître mot. Il ne l'a pas laissée répondre.

— *¡ Por favor, Edwina !*

La señora Gerardi s'est tordu les poignets. Sous sa peau rose et boursouflée, les articulations faisaient de petits ronds blancs. L'indécision se lisait dans ses yeux. J'ai cru un moment qu'elle allait se rebiffer. Mais non. Elle s'est seulement mordu la lèvre inférieure et s'est retirée.

Le señor Gerardi a désigné les fauteuils en cuir devant son bureau.

— S'il vous plaît.

Je me suis assise. Le cuir sentait la Jaguar neuve. Du moins à ce qu'il me semblait, n'ayant jamais eu l'heur de monter dans ce carrosse.

Galiano est resté debout. Gerardi aussi. Les deux bras le long du corps, raides comme des piquets.

— À moins que vous n'ayez des nouvelles à me transmettre, cette réunion n'a pas lieu d'être.

— Un cadavre vous paraît-il un motif suffisant ?

Galiano n'était pas à prendre avec des pincettes.

Notre hôte n'a pas réagi.

— Lucy aurait-elle eu des raisons de se trouver dans la zone 1 ? a demandé Galiano.

— J'ai clairement explicité dans mes déclarations que ma fille ne fréquentait pas les lieux publics. Elle allait... (Ses lèvres se sont pincées et il a repris :) Elle va à l'école, à l'église et à notre club.

— Vous rappelez-vous des noms d'amis qu'elle aurait pu mentionner ? Des camarades d'université ?

— J'ai déjà répondu à cette question. Ma fille n'est pas frivole.

— Lucy était-elle proche de Chantal Specter ?

— Elles se voyaient de temps en temps.

— Que faisaient-elles quand elles étaient ensemble ?

— Tout cela est dans mes déclarations.

— C'est bien, mettez-moi de mauvaise humeur !

— Elles révisaient leurs cours, allaient au cinéma, à la piscine, au tennis. L'ambassadeur et moi appartenons au même club.

— Où est votre fils, señor Gerardi ?

— À une leçon de golf.

— Hmm. Est-ce que Chantal Specter passait du temps chez vous ?

— Laissez-moi mettre les choses au clair. Malgré la position de son père, je n'encourage pas ma fille à fréquenter la demoiselle Specter.

— Pourquoi ?

Gerardi a marqué une hésitation.

— Chantal Specter est une personne perturbée.

— Perturbée ?

— Je ne trouve pas qu'elle ait une bonne influence sur ma fille.

— Et les garçons ?

— Je ne permets pas à ma fille de sortir.

— J'imagine qu'elle en est ravie.

— Ma fille ne remet pas en question mes décisions.

Lucy, sale merdeux froid et prétentieux ! Ta fille s'appelle Lucy !

— Vous êtes-vous rappelé quelque chose depuis notre dernier entretien ? a demandé Galiano.

— Je ne sais rien que vous ne sachiez déjà. Je vous l'ai dit clairement au téléphone.

— Et moi, je vous ai dit clairement que je voulais parler à Mario aujourd'hui.

— Ces leçons de golf sont prévues des semaines à l'avance.

— Je m'en voudrais de compromettre les progrès de votre fils.

Gerardi a réprimé un mouvement de colère avec difficulté.

— Franchement, détective, je comptais sur une avancée. L'affaire traîne depuis bientôt quatre mois. La pression est insupportable pour ma femme et mon fils. Quant à l'agression perpétrée à l'encontre de nos animaux domestiques, elle était tout simplement monstrueuse.

Allusion à la collecte de poils effectuée par la police, ai-je supposé tandis que Galiano rétorquait :

— Je ne manquerai pas de présenter mes excuses à votre schnauzer.

— Ne prenez pas cet air fanfaron avec moi, détective, a jeté Gerardi en se penchant par-dessus la table, son visage à quelques centimètres de celui de Galiano.

— Et vous, señor, ne me sous-estimez pas !

Ayant reculé de quelques pas, Galiano a ajouté, en regardant le maître de maison droit dans les yeux :

— Je retrouverai Lucy. Avec ou sans votre aide.

— J'ai pleinement coopéré, détective. Je n'apprécie pas vos sous-entendus. Personne n'est plus inquiet que moi pour ma fille.

Une horloge a égrené l'heure quelque part dans la maison. Pendant les dix coups, personne n'a dit un mot. C'est Galiano qui a rompu le silence :

— Une pensée me taraude depuis mon arrivée.

Gerardi a conservé un visage fermé comme une porte.

— Je vous ai dit qu'un cadavre avait refait surface, et vous n'avez pas manifesté plus d'intérêt que si je vous annonçais la météo.

— Je suppose que si ce squelette avait eu un quelconque rapport avec ma fille, vous me l'auriez dit.

— Il semble que vous ayez supposé bien des choses à propos de votre fille.

— Cette personne que vous avez retrouvée est-elle effectivement ma fille ? a articulé Gerardi, la lèvre supérieure blanche de rage.

Galiano n'a pas répondu.

— Visiblement, vous ne le savez pas.

Non, nous ne le savions pas. Et cela, parce que je m'étais laissé intimider par une paire de lunettes roses !

Gerardi a réussi à aligner ses vertèbres selon un axe encore plus rectiligne.

— Il est temps que vous quittiez mon toit.

— *Buenos días, señor Gerardi. Regresaré.* Je reviendrai.

Galiano m'a fait un signe et s'est dirigé vers la porte. Je me suis levée et je l'ai suivi.

— *¡ Hijo de la gran puta !*

Galiano a vainement tenté de régler la radio sur une station audible. J'ai demandé :

— Qu'est-ce que vous pensez de lui, au fond ?

— C'est un connard pompeux, dominateur, et qui a toujours raison.

— Rien que ça !

— Quel père faut-il être pour considérer que l'amitié à l'adolescence est synonyme de frivolité ?

La voix de Galiano distillait le mépris.

— Tout à fait mon avis. Que fait donc ce papa pour s'offrir une Mercedes et des Beshir ?

— C'est le plus grand concessionnaire automobile du pays.

Nous roulions vers la résidence de l'ambassadeur et je devais me retenir au tableau de bord dans les virages.

— Et pourtant, ce salaud a raison. (Du revers de la main, j'ai essuyé la trace laissée par mon index.) Nous ne savons rien de rien sur ce cadavre.

— Pour l'instant.

Nouvelle trace sur le tableau de bord.

— Vous pensez que Lucy était aussi obéissante que son père le croit ?

— Allez savoir ? a répondu Galiano en haussant les épaules et les sourcils, une main tournée en l'air – geste très français pour un flic du Guatemala. L'expérience nous enseigne que les enfants ne le sont presque jamais.

Deux autres marques de doigts.

Derrière la vitre de la portière, les arbres défilaient. Après plusieurs virages, nous avons tourné dans une rue bordée de vastes jardins entretenus dans les règles de l'art. Des grandes demeures, on n'apercevait que les tuiles des toits.

— Quoi qu'il en soit, Gerardi a probablement raison sur un point, a déclaré Galiano.

— Lequel ?

— Chantal Specter.

L'ambassadeur et sa famille vivaient cachés non seulement derrière des haies identiques à celles qui entouraient la propriété des Gerardi, mais également derrière une enceinte électrifiée et un monumental portail roulant en fer forgé, protégé par un bataillon de gardes en uniforme.

Galiano a tenu son badge en évidence contre la fenêtre. Un garde s'est penché pour l'examiner. Puis il est rentré dans le poste de contrôle, et le portail s'est ouvert.

Un large détour en demi-cercle nous a conduits à l'entrée de la demeure. Là, un second garde a vérifié une nouvelle fois l'identité de Galiano. Satisfait, il a sonné à la porte et nous a confiés à un domestique. Lequel a déclaré, en nous regardant sans nous voir :

— Veuillez me suivre. Mme Specter vous attend.

Décor identique à celui que nous venions de quitter. Bureau lambrissé, carrelage de prix, mobilier et objets d'art de valeur, tapis persan Bakhtiar.

L'entretien, en revanche, s'est déroulé de façon diamétralement opposée.

Mme Specter s'est avancée pour nous saluer. Nuage à la Issey Miyake, cheveux cuivrés, lèvres et ongles rouge de Chine, sandales jaune tournesol et tailleur-pantalon en soie assortie. Le tissu d'une légèreté arachnéenne ondulait le long de son corps.

— Détective Galiano, c'est toujours un plaisir de vous voir, bien que j'eusse préféré vous rencontrer en d'autres circonstances, naturellement.

Accent français.

— Comment allez-vous, madame Specter ?

Dans la main brune de Galiano, les doigts de l'ambassadrice avaient quelque chose de fantomatique.

— Bien, je vous remercie. (Elle a tourné son sourire vers moi, un sourire de commande.) Est-ce la dame dont vous avez parlé ?

— Tempe Brennan, me suis-je présentée.

Les ongles rouge de Chine se sont tendus vers moi.

— Je vous remercie infiniment de prêter votre concours aux autorités de ce pays. Cela signifie tant pour mon mari et pour moi-même.

— J'espère ne pas vous décevoir.

— Mais je suis d'une grossièreté achevée, pardonnez-moi ! (Une main sur le cœur, l'ambassadrice a désigné des sièges à l'autre bout de la pièce.) Je vous en prie, asseyons-nous.

Toutes les persiennes étaient tirées et leurs lamelles en bois d'au moins neuf centimètres de large ne laissaient pas filtrer le soleil du matin.

— Prendrez-vous du thé ou du café ?

Nous avons tous les deux décliné.

— Alors, détective. Dites-moi que vous m'apportez de bonnes nouvelles.

— Je crains fort que non, madame, a répondu le policier d'une voix douce.

L'ambassadrice a pâli. Son sourire a vacillé, mais s'est maintenu.

— Rassurez-vous, s'est-il empressé d'ajouter. Je n'en ai pas de mauvaises pour autant. Je passais juste voir comment vous alliez, vérifier certains détails et savoir si quelque chose vous était revenu en mémoire depuis notre dernière conversation.

Elle a laissé retomber sa main sur l'accoudoir et s'est autorisée à toucher du dos le dossier.

— J'ai essayé, vraiment, mais rien ne m'est revenu en tête en dehors de ce que je vous ai déjà dit.

Malgré tous ses efforts, son sourire s'est effacé. Elle s'est mise à tirer sur des fils dans la tapisserie du siège, près de son genou.

— Je passe des nuits entières à tenter de me remémorer les événements de cette dernière année. Je... C'est difficile de l'admettre mais, à l'évidence, bien des choses se sont passées sous mes yeux sans que je les remarque.

— Chantal traversait une passe difficile. (Le ton de Galiano était à une galaxie de celui qu'il avait employé avec Gerardi.) Comme vous me l'avez dit, elle se montrait moins ouverte qu'auparavant avec vous et votre mari.

— J'aurais dû être plus à l'écoute.

Le halo roux de ses cheveux faisait ressortir sa pâleur. Son ongle laqué tiraillait la tapisserie du siège comme s'il était actionné par un moteur indépendant de sa volonté.

Je souffrais pour elle, j'ai voulu la soulager.

— Ne vous blâmez pas, madame Specter. Qui peut se vanter de contrôler pleinement ses enfants ?

Ses yeux se sont posés sur moi. Des yeux d'un vert brillant malgré la pénombre, probablement dû à des lentilles de contact de couleur.

— Avez-vous des enfants, Dr Brennan ?

— Une fille, étudiante à l'université. Je sais combien les adolescents peuvent être difficiles.

— Oui.

— Pouvons-nous revoir certains détails, madame Specter ? a demandé Galiano.

— Si cela peut vous aider.

Il a sorti son calepin et commencé à vérifier des noms et des dates. Pendant tout cet échange, Mme Specter n'a cessé de triturer les fils du siège, l'un après l'autre, tordant, lissant, grattant jusqu'à ce qu'ils rebiquent tous en l'air.

— La première arrestation de Chantal a eu lieu il y a un peu plus d'un an, en novembre.

— Oui.

Voix dénuée d'expression.

— À l'hôtel Santa Lucía, dans la zone 1.

— Oui.

— La seconde, en juillet dernier.

— Oui.

— À l'hôtel Bella Vista.
— Oui.
— Du mois d'août au mois de décembre de l'année dernière, Chantal a suivi un traitement de désintoxication au Canada.
— Oui.
— Où cela, exactement ?
— Dans un centre spécialisé près de Chibougamau.
À ces mots, j'ai sursauté nerveusement et cessé de fixer les fils qui retombaient un à un pour jeter un coup d'œil à Galiano. Il n'a pas réagi.
— C'est au Québec ?
— Oui, à plusieurs centaines de kilomètres au nord de Montréal. C'est plutôt une sorte de camp de sport.
Je connaissais la région pour m'y être rendue une fois à l'occasion d'une exhumation. Vue d'avion, la forêt était si dense qu'on aurait dit un immense brocoli.
— On y enseigne aux jeunes à voir ce qui relève de leur propre responsabilité dans leur problème de dépendance. C'est difficile, parfois. Mais mon mari et moi avons pensé que la méthode du « qui aime bien châtie bien » était celle qui convenait en la circonstance. (Version blême du sourire diplomatique.) L'endroit étant loin de tout, on est certain que les participants suivent la thérapie jusqu'au bout.
L'interrogatoire de Galiano s'est prolongé encore plusieurs minutes. Je me concentrais sur les ongles carmin. Finalement, il a demandé :
— Avez-vous des questions à me poser, madame Specter ?
— Savez-vous le nom de la victime découverte hier ?
Galiano est resté de marbre. Que l'épouse d'un

ambassadeur soit bien informée n'était pas pour l'étonner.

— Je m'apprêtais justement à évoquer ce point. Toutefois, il y a peu à en tirer tant que le Dr Brennan n'aura pas achevé ses analyses.

Elle s'est tournée vers moi :

— Y a-t-il quelque chose que vous puissiez me dire ? s'est-elle écriée.

J'ai hésité. Comment faire des commentaires à partir de photos et d'une inspection superficielle de la fosse ?

— Juste un petit quelque chose.

Son ton était suppliant. Mon cœur de mère luttait avec mon cerveau de scientifique. Et si c'était ma Katy qui avait disparu ?

— Je doute que ce corps soit celui de votre fille.

— Pourquoi cela ?

Si la voix demeurait calme, le mouvement des doigts allait bientôt franchir le mur du son.

— Je ne crois pas que cette personne soit d'origine caucasienne.

Ses yeux vert électrique étaient plantés dans les miens. Je voyais ses pensées danser la sarabande dans sa tête.

— Guatémaltèque alors ?

— Probablement. Mais tant que je n'ai pas fini mon examen, ce n'est guère plus qu'une impression.

— Quand l'aurez-vous fini ?

J'ai regardé Galiano.

— Nous avons rencontré un petit incident d'ordre administratif, a-t-il déclaré.

— À savoir ?

Et Galiano de rapporter l'intervention de Díaz.

— Pourquoi a-t-il agi de la sorte ?

— Ce n'est pas clair.

— J'en parlerai à mon mari.

Elle s'est de nouveau tournée vers moi.

— Vous avez du cœur, Dr Brennan, je peux le dire simplement à votre visage.

— Merci.

Elle a souri encore, très « madame l'ambassadrice ».

— Vous êtes sûre que je ne peux rien vous offrir à boire ? Une citronnade, peut-être ?

Galiano a décliné à nouveau. Je me suis laissé convaincre.

— Juste un verre d'eau si cela ne vous dérange pas.

— Mais pas le moins du monde.

Profitant de son absence, j'ai foncé jusqu'au bureau pour y découper un bout de scotch. Revenue à toute vitesse vers le fauteuil qu'occupait Mme Specter, j'ai appliqué puis décollé l'adhésif du siège. Galiano m'a regardée faire sans piper.

L'ambassadrice est revenue avec un verre de cristal rempli d'eau glacée, une tranche de citron à cheval sur le bord.

— Je suis désolée de n'avoir rien de plus à vous apprendre, détective, a-t-elle déclaré à Galiano pendant que je buvais. Je fais de mon mieux, vraiment, je vous assure.

Dans l'entrée, elle m'a demandé :

— Avez-vous une carte, Dr Brennan ?

J'en ai sorti une de mon sac.

— Merci. (De la main, elle a renvoyé un domestique qui se ruait vers nous.) Avez-vous un numéro où l'on puisse vous joindre ?

Étonnée, j'ai inscrit celui du portable que j'avais loué.

— S'il vous plaît, détective, retrouvez mon enfant, je vous en supplie !

La lourde porte de chêne s'est refermée sur nous.

Galiano n'a pas dit un mot jusqu'à ce que nous ayons réintégré la voiture.

— C'était quoi, votre petit numéro avec le scotch ?

— Vous avez vu le tissu ?

Il a pris le temps d'attacher sa ceinture et de démarrer.

— Une tapisserie d'Aubusson. Ça vaut un œil.

J'ai levé en l'air l'adhésif.

— Cet Aubusson a un manteau de fourrure.

La main encore sur la clef, il s'est tourné vers moi :

— Les Specter ont déclaré ne pas avoir d'animal de compagnie.

10.

J'ai passé le reste de mon dimanche à examiner les squelettes de Chupan Ya en compagnie d'Elena et de Mateo. Ce qu'ils avaient à m'apprendre sur l'enquête à Sololá n'a pas pris cinq minutes.

Le corps de Carlos avait été remis à son frère venu exprès d'Argentine pour le ramener à Buenos Aires où il serait enterré. Un service commémoratif serait organisé sous peu à Guatemala.

Elena s'était rendue à l'hôpital vendredi. Molly était toujours dans le coma et la police n'avait toujours aucun indice.

C'est tout.

En revanche, les nouvelles de Chupan Ya étaient bonnes. Jeudi soir, un quatrième petit-fils était né au fils de la señora Ch'i'p, septième arrière-petit-enfant pour la vieille Maya. J'ai souhaité de tout mon cœur que cette nouvelle vie apporte de la joie dans la sienne.

Le laboratoire avait la quiétude des week-ends. Pas de bavardages entre employés, pas de radios branchées, pas de ronrons ni de bips en provenance du micro-ondes.

Et pas non plus d'Ollie Nordstern pour me poursuivre avec ses questions.

Pourtant, j'avais du mal à me concentrer. J'étais en proie à toutes sortes de sentiments qui tournaient dans ma tête comme s'ils étaient emboîtés les uns dans les autres à l'intérieur d'une roue. Sentiment d'être abandonnée loin de tout : de chez moi, de Katy, de Ryan ; tristesse pour tous ces morts autour de moi ; inquiétude pour Molly ; culpabilité pour ma servilité au Paraíso.

La culpabilité l'emportait de loin sur mes autres émotions. Me jurant de donner plus de moi-même aux victimes de Chupan Ya que je ne l'avais fait pour la fille de la fosse septique, je suis restée travailler longtemps après qu'Elena et Mateo étaient venus me dire de rentrer chez moi.

Le corps n° 14 était celui d'une jeune fille encore adolescente. Fractures multiples à la mâchoire et au bras droit, estafilades de machette sur l'arrière du crâne. Les salopards qui lui avaient fait ça aimaient le boulot bien fait.

Ce squelette aux os délicats me ramenait à la victime du Paraíso : deux jeunes femmes tuées à des dizaines d'années d'intervalle. Les choses ne changeraient-elles donc jamais ? Ma tristesse était telle que j'aurais pu la toucher du doigt.

Le corps n° 15 était celui d'un enfant de cinq ans. Et certains prétendent qu'il faut tendre l'autre joue ?

Vers la fin de l'après-midi, Galiano m'a téléphoné pour m'informer des résultats de la visite d'Hernández aux Eduardo et aux de la Alda. La señora Eduardo s'était rappelé que Patricia s'était disputée avec quelqu'un à l'hôpital peu avant sa disparition, un supérieur que sa fille n'aimait pas. Mais elle ne se rappelait ni le nom, ni le sexe, ni le poste de cette personne à l'hôpital.

Le señor de la Alda, quant à lui, trouvait que sa

Claudia avait commencé à maigrir quelque temps avant sa disparition. Son épouse n'était pas de cet avis. Quoi qu'il en soit, le musée les avait appelés pour les prévenir qu'ils ne pouvaient pas garder plus longtemps le poste de Claudia vacant et qu'ils s'apprêtaient à engager quelqu'un.

Le lendemain, lundi, je suis passée au corps n° 16 : abattu et décapité à la machette. Une fille pubère d'environ un mètre quinze, et dont les dents de sagesse commençaient seulement à sortir.

À midi, je suis allée retrouver Galiano au commissariat central. Il m'a emmenée au laboratoire légal. Quand nous sommes entrés au département d'analyses, un petit homme chauve était penché sur une binoculaire. En entendant la voix de mon compagnon, il a pivoté sur son siège. Un chimpanzé avec des lunettes à monture dorée.

Fredi Minos s'est présenté comme l'un des deux spécialistes en poils et fibres du pays. C'est à lui qu'avaient été remis tous les échantillons de poils – ceux retrouvés sur le jean de la fosse septique, ceux prélevés chez les Gerardi et les Eduardo et mon bout de scotch rapporté de chez l'ambassadrice.

— C'est Wookie, n'est-ce pas ? a dit Galiano.

Minos n'a pas eu l'air de comprendre.

— Chewbacca, alors ?

Pas davantage de réaction.

— *La Guerre des étoiles...*

— Ah oui, le film américain.

À la défense de Minos, je reconnais qu'en espagnol la plaisanterie n'était pas drôle.

— Laissez tomber. Vous avez trouvé quelque chose ?

— Votre échantillon inconnu, ce sont des poils de chat.

— Vous en êtes sûr ?

— Des poils ou du chat ? a demandé Minos.

— Du chat, me suis-je empressée d'intervenir en voyant l'air ahuri de Galiano.

Sans lever les fesses de son siège à roulettes, le savant s'est déplacé jusqu'à une boîte tout au bout d'une paillasse. Revenu à sa place de la même façon, il a introduit une diapo sous l'oculaire, a fait le point et s'est levé.

— Jetez donc un coup d'œil.

J'ai regardé Galiano. Il m'a fait signe de m'asseoir.

— Vous préférez que je vous explique en anglais ? a demandé Minos.

— Si cela ne vous gêne pas.

J'avais le sentiment d'être un cancre devant le professeur, mais mon espagnol n'était pas assez bon, et je ne voulais rien perdre des explications.

— Que voyez-vous ?

— Quelque chose qui ressemble à un fil avec un bout pointu.

— Vous avez là un poil non coupé. C'est l'un des vingt-sept contenus dans l'échantillon marqué « Paraíso ».

En anglais, Minos avait une étrange voix de récitant, avec des modulations marquées.

— Vous noterez qu'il n'a pas de forme distinctive.

— Distinctive ?

— Chez certaines espèces, la forme est un excellent indicateur. Les poils de cheval sont rudes et présentent un coude à la racine alors que les poils de cerf sont froncés, avec une racine très étroite. Très distinctif. Les poils du Paraíso ne sont pas du tout comme ça. (Il a rajusté ses lunettes.) Regardez maintenant la répartition des couleurs. Vous voyez quelque chose de distinctif ?

Décidément, il avait un faible pour ce mot.

— Ça me paraît assez homogène.

— Ça l'est. Puis-je ?

Retirant la diapo, il est allé la placer sous une loupe monoculaire et a fait le point. J'ai roulé sur ma chaise jusqu'à l'autre bout de la paillasse et j'ai mis l'œil à l'œilleton. Le poil ressemblait maintenant à un épais tuyau avec un creux étroit au centre.

— Décrivez la moelle, a ordonné Minos.

Je me suis concentrée sur le creux. Il était analogue à la cavité renfermant la moelle dans un long os.

— On dirait une échelle.

— Excellent. La moelle présente des formes extrêmement variées. Chez certaines espèces, elle est bipartite ou même multipartite. La famille des lamas en est un bon exemple. Très distinctif. Les lamas tendent aussi à avoir de grands agrégats de pigment. Quand je rencontre une combinaison de ce type, je pense aussitôt à un lama.

Un lama, dans le cas présent ?

— Vos échantillons présentent une moelle unique en forme d'échelle.

— C'est cela qui signifie qu'il s'agit d'un chat ?

— Pas nécessairement. Le bétail, les chèvres, les chinchillas, les visons, les rats musqués, les blaireaux, les renards, les castors, les chiens et bien d'autres espèces peuvent avoir dans les poils fins une moelle en forme d'échelle unique. Comme le rat musqué présente des écailles en chevron, j'ai su tout de suite que je pouvais l'éliminer.

— Des écailles comme chez les poissons ? est intervenu Galiano.

— Oui. Je vais y arriver dans un instant. Chez le bétail, la répartition des pigments donne fréquemment des rayures et les agrégats sont souvent de grande taille. Donc, ce n'était pas ça. Ces écailles-là ne correspondaient pas non plus à celles de la chèvre.

Minos semblait s'adresser moins à nous qu'à lui-même tandis qu'il répétait tout haut le cheminement des réflexions qui l'avait conduit à ses conclusions.

— Pour cette même raison de répartition des pigments, j'ai exclu le blaireau, et aussi...

— Qu'est-ce que vous n'avez pas éliminé, señor Minos ? l'a interrompu Galiano.

— Le chien, a laissé tomber Minos sur un ton plutôt sec, vexé du manque d'intérêt du policier pour les poils de mammifères.

— *¡ Ay, Dios !* a soupiré Galiano en soufflant longuement l'air par la bouche. C'est vrai qu'on ne retrouve pas souvent des poils de chien sur des vêtements...

— Oh, si, c'est extrêmement fréquent, a répondu Minos, apparemment imperméable à l'ironie de mon compagnon. C'est pourquoi j'ai voulu vérifier par d'autres moyens.

Il est allé prendre une chemise en carton dans un casier au-dessus d'un bureau.

— Après avoir éliminé toutes les hypothèses, sauf le chat et le chien, j'ai pris des mesures et fait ce que j'appelle une analyse du pourcentage de la moelle.

Il a sorti du dossier une liste imprimée et l'a posée sur la paillasse à côté de moi.

— Comme on retrouve très fréquemment des poils de chat et de chien sur les scènes de crime et que j'ai eu l'occasion d'en mesurer des centaines, j'ai mené des recherches en vue de répertorier leurs caractères discriminants. C'est ainsi que j'ai pu me constituer une sorte de base de données.

Il a tourné une page et m'a montré un tableau coupé en deux par une diagonale. Au-dessus de la ligne, des dizaines de triangles, en dessous des dizaines de cercles. De très rares symboles traversaient ce Rubicon.

— Pour calculer le pourcentage de moelle contenu dans un poil, je divise la largeur de la moelle par la largeur du poil. Sur ce tableau, vous avez le rapport. Ce graphique vous montre le résultat, exprimé en pourcentage, par rapport à la largeur du poil, exprimée, elle, en microns. Comme vous pouvez le voir, à quelques rares exceptions près, les valeurs correspondant au chat dépassent un certain seuil, tandis que celles correspondant au chien leur sont généralement inférieures.

— Ce qui veut dire que la largeur de la moelle est relativement plus élevée dans les poils de chat ?

— Oui.

Sourire à mon adresse. Bonheur du professeur qui tombe sur un élève intelligent.

Il a désigné un groupe d'astérisques dans l'essaim de triangles au-dessus de la ligne.

— Ces valeurs-ci correspondent à des poils choisis de façon aléatoire parmi ceux de votre échantillon marqué « Paraíso ». Tous, sans exception, entrent dans la catégorie des chats.

Minos a sorti de la chemise plusieurs photos en couleurs.

— Mais vous m'aviez posé une question sur les écailles, détective. Pour me faire une bonne idée de leur architecture, j'ai étudié plusieurs poils de votre échantillon au microscope à balayage électronique.

Minos m'a remis un cliché sur papier glacé. Galiano s'est penché pour mieux voir, pesant sur mon épaule.

— Ceci est l'extrémité, côté racine, d'un poil du Paraíso grossi quatre cents fois. Regardez la surface externe.

— On dirait un dallage de salle de bains, a déclaré Galiano.

Minos a produit une autre photo.

— Le même poil, plus loin sur la tige.

— On dirait des pétales de fleur.

— Bien, détective.

Cette fois, c'est Galiano qui a eu droit au sourire rayonnant.

— Ce que vous avez si bien décrit est ce que nous appelons une progression en écaille. Dans le cas présent, le dessin formé par les écailles va de ce que nous appelons la mosaïque irrégulière à ce que nous appelons un pétale.

Et Minos était ce que nous appelons un maître en matière de jargon. Et en matière de poils aussi.

Photo nº 3. Les écailles semblaient maintenant plus alvéolées, avec des bords plus découpés.

— Ça, c'est la pointe du poil. Le dessin présente ce que nous appelons une mosaïque régulière. Les bords sont ici plus déchiquetés.

— Quel intérêt en ce qui concerne les chats et les chiens ? a demandé Galiano.

— Chez les chiens, le dessin des écailles est d'une grande variété. Toutefois, celui-là me paraît appartenir aux chats, si vous voulez mon avis.

— Ainsi, les poils retrouvés sur le jean proviendraient d'un chat ! s'est exclamé Galiano en se redressant.

— Oui.

— Viennent-ils tous du même chat ? ai-je demandé.

— Je n'ai rien vu qui m'incite à ne pas le croire.

— Diriez-vous qu'il s'agit de l'échantillon intitulé « Specter » ?

— À savoir de l'échantillon n° 4 ? a demandé Minos.

Et de feuilleter son dossier.

— C'est bien un chat ! a-t-il conclu, tout sourire.

— Tout semble donc nous ramener à un chat... L'échantillon « Paraíso » correspond-il à l'un des trois autres ? ai-je demandé après un instant de réflexion.

— C'est là que les choses deviennent intéressantes.

Minos a sorti une nouvelle page.

— Dans l'échantillon n° 2, les poils ont une longueur moyenne supérieure à ceux des autres échantillons. (Il a parcouru sa feuille.) Ils font plus de cinq centimètres de long, ce qui est vraiment beaucoup. (Nouveau coup d'œil au texte.) En outre, ces poils appartiennent plus uniformément à la variété dite fine. (Il a relevé les yeux.) Par opposition à celle dite brute. (Retour au rapport.) L'architecture externe de chaque poil présente un mélange de mosaïque régulière à bords arrondis et d'écailles coronales à bords arrondis.

Minos a refermé son dossier sans nous offrir la moindre explication.

— Ce qui signifie, señor Minos ?

— Que l'échantillon n° 2 ne provient pas du même chat que les autres échantillons. Mon hypothèse, mais ce n'est qu'une hypothèse et je n'en ferai pas état dans mon rapport, c'est que ce chat n° 2 est un chat persan.

— Et ceux des autres échantillons ne le sont pas ?

— Ce sont des poils courts tout à fait standard.

— Et l'échantillon de Paraíso est analogue aux deux autres échantillons ?

— Analogue, oui.

— D'où provenait l'échantillon n° 2 ?

Minos a rouvert sa chemise.

— Eduardo.

— Dans ce cas, il ne s'agit pas de Renoncule, a conclu Galiano.

— Les Eduardo ont un chat persan ? me suis-je écriée.

Galiano a hoché la tête.

— Alors, les poils retrouvés au Paraíso ne sont pas les siens, ai-je déclaré.

— Plus exactement : ne sont pas ceux d'un chat persan, m'a corrigée Minos.

— Ce qui innocente Renoncule. Que diriez-vous des chats Gerardi ou Specter ?

— Des candidats, sans aucun doute.

Brusquement, j'ai ressenti une poussée d'optimisme.

— Comme les millions de chats de gouttière qui vivent à Guatemala, a enchaîné le savant.

Mon optimisme a plongé en chute libre.

— Pouvez-vous déterminer si l'un des trois autres échantillons correspond aux poils retrouvés sur le jean ? a demandé Galiano.

— Ils présentent tous des caractéristiques similaires. Il n'est pas possible de faire une individualisation en se basant uniquement sur la morphologie des poils.

— Et en se basant sur l'ADN ? ai-je demandé.

— Ça doit pouvoir se faire.

Minos a lancé son dossier sur la paillasse et entrepris de nettoyer ses lunettes avec le bas de sa blouse.

— Mais pas chez nous.

— Pourquoi ?

— Nous avons déjà un retard de six mois pour les tissus humains. Vous fêterez votre anniversaire avant d'obtenir des résultats pour vos poils de chat.

Je méditais sur sa déclaration quand le portable de Galiano a retenti.

Son visage s'est tendu tandis qu'il écoutait.

— *¡ Ay, Dios mío ! ¿ Dónde ?*

Il a gardé le silence une longue minute, puis ses yeux ont croisé les miens. Quand il a recommencé à parler, c'était en anglais.

— Pourquoi ne m'a-t-on pas prévenu plus tôt ?

Longue pause.

— Xicay est sur place ?

Seconde pause.

— On arrive.

11.

À trois heures de l'après-midi, les embouteillages battaient déjà leur plein. Sirène hurlante et gyrophare tournoyant, Galiano zigzaguait entre les voitures. Le pied collé à l'accélérateur, il ralentissait à peine aux croisements.

La radio mitraillait des ordres en espagnol que je ne comprenais pas. Qu'importe. Je pensais à Claudia de la Alda dans sa jupe noire toute simple et son chemisier clair. J'essayais de me rappeler son expression sur les photos. Impossible de m'en souvenir.

D'autres images du passé me revenaient en mémoire. Des tombes à fleur de terre. Des corps en décomposition roulés dans des tapis. Des squelettes recouverts de feuilles mortes. Des vêtements putréfiés dispersés par des animaux. Un crâne rempli de boue.

J'avais l'estomac noué.

Des parents éperdus : leur enfant est mort. Dans un instant, c'est moi qui vais le leur annoncer. Visages déconcertés, éberlués, incrédules, furieux aussi peut-être. Apporter une telle nouvelle est une tâche épouvantable.

Et voilà que ça me retombait dessus.

Mon cœur valdinguait sous mes côtes.

Merde ! Merde ! Merde !

À l'heure où je roulais vers le laboratoire criminel de la police pour en savoir davantage sur les poils de chat, la señora de la Alda avait reçu un coup de téléphone d'un homme lui annonçant la mort de Claudia et indiquant où se trouvait son cadavre. En pleine hystérie, elle avait appelé Hernández. Lequel avait prévenu Xicay. Et l'équipe de récupération avait effectivement localisé le cadavre dans un ravin de la banlieue ouest.

— Qu'est-ce que votre coéquipier vous a dit d'autre ?

— Que l'appel émanait d'un téléphone public.

— Où ça ?

— Près de la gare routière Cobán, dans la zone 1.

— Qu'est-ce que l'homme a dit exactement ?

— Que le corps était dans la zone 7. Il a expliqué comment le retrouver et il a raccroché.

— Près du site archéologique ?

— Sur les marches, à l'arrière.

Tentacule de la ville, la zone 7 s'enroule autour des ruines de Kaminaljuyu. Ce centre maya comptait au temps de sa grandeur plus de trois cents tertres, treize courts pour le jeu à la balle[1] et cinquante mille résidants. Hélas, à la différence des architectes des basses terres, les bâtisseurs de Kaminaljuyu avaient préféré le torchis à la pierre, choix malheureux sous ce climat tropical. L'érosion et l'éloignement du site ont transformé cette métropole antique en une série de bulbes

1. Jeu maya symbolisant, semble-t-il, le mouvement du soleil et consistant à expédier une balle en caoutchouc dans un anneau placé en hauteur en utilisant toutes les parties de son corps, excepté les mains et les pieds. Le perdant était sacrifié aux dieux. *(N.d.T.)*

recouverts de terre. Le parc est fréquenté de nos jours par les amoureux et les amateurs de frisbee.

— Claudia travaillait au musée Ixchel. Vous pensez qu'il y a un lien ?

— J'enquêterai dans cette direction, évidemment.

Une puanteur a rempli la voiture. Nous longions une décharge.

— La señora de la Alda a reconnu la voix ?

— Non.

À mesure que nous nous éloignions du centre, les quartiers devenaient de plus en plus vétustes et décrépits. Arrivé à un croisement avec des *comedores* et des bazars aux quatre coins, Galiano a tourné dans une rue étroite bordée de maisons en bois avec des vérandas affaissées où pendait du linge. Quatre pâtés de maisons plus loin, la rue débouchait en T dans une autre ruelle fermée aux deux bouts.

Nous avons pris à gauche et aperçu une scène hélas trop familière : des voitures de police stationnées sur un côté, gyrophares et radios en marche ; en face, un fourgon de la morgue sur un terre-plein protégé tout du long par une rambarde en métal. Derrière, la pente abrupte d'un ravin.

Vingt mètres plus loin, une chaîne barrait la chaussée là où l'asphalte se terminait. Une bande de plastique jaune s'étirait sur quatre mètres, tournait à gauche et longeait la rambarde avant de plonger dans la *barranca*.

Des flics en uniforme s'affairaient à l'intérieur du périmètre. Une poignée de gens les regardaient, massés derrière le cordon, les uns filmant la scène, les autres écrivant dans des calepins. Plus loin, des véhicules et un camion de la télévision où somnolaient des journalistes. D'autres grillaient une cigarette dehors, en bavardant,

Au bruit de nos portières, les objectifs se sont braqués sur nous. Les journalistes ont convergé.

— *Señor, está...*

— Détective Galiano...

— *Una pregunta, por favor.*

Ignorant la meute, nous nous sommes glissés sous le cordon et avons longé le ravin. Caméras et objectifs s'en donnaient à cœur joie. Les questions fusaient.

Hernández se trouvait cinq mètres plus bas. Galiano a commencé à descendre en cherchant des appuis solides. J'ai suivi en mettant mes pas dans les siens.

La pente, raide, était envahie d'herbes et de buissons ; le sol était rocailleux. Il fallait progresser en escalier, en se raccrochant à la végétation. Les branchages se cassaient entre mes doigts. Les cailloux se délogeaient sous mes chaussures et dégringolaient le long du versant avec des bruits aigus et des craquements. À tous les coups, j'allais me tordre une cheville ou glisser jusqu'en bas sur les fesses. L'adrénaline se déversait dans mon corps de tous les endroits qui la sécrètent et l'emmagasinent entre deux crises.

Non, ce ne peut pas être elle ! me répétais-je.

À chacun de mes pas, l'odeur douce et fétide devenait de plus en plus perceptible. À environ cinq mètres en contrebas de la chaussée, le terrain se stabilisait avant le plongeon final. En posant le pied sur cette étroite corniche, je me suis dit : c'est une fausse information. C'est parce que la presse a parlé de la disparition de Claudia de la Alda.

Mario Colom était en train de balayer le terrain à l'aide d'un détecteur de métaux. Juan-Carlos Xicay photographiait quelque chose aux pieds d'Hernández. Comme l'autre jour au Paraíso, ils étaient tous deux en combinaison et chapeau.

Galiano est allé rejoindre Hernández. Je l'ai suivi.

Le corps, recouvert de feuilles et de boue, gisait dans une sorte de caniveau rempli d'eau de pluie à la jonction de la pente et de la corniche, étendu sur un morceau de plastique noir déchiré. Il était presque entièrement réduit à l'état de squelette. Par endroits, des restes de muscles et de ligaments maintenaient encore les os ensemble.

Bref regard, en retenant mon souffle.

Les os des bras saillaient comme des branchages secs d'un chemisier bleu clair. Les os des jambes émergeaient d'une jupe noire putréfiée pour disparaître dans des chaussettes et des chaussures crottées de boue.

Merde ! Merde ! Merde !

— Le crâne est plus loin dans le caniveau.

Hernández avait le front crispé et l'air vidé. Sa chemise lui collait au torse.

Je me suis accroupie. Au-dessus de moi, un essaim de mouches vertes scintillaient dans la lumière du soleil en bourdonnant. Les tissus, raides comme du cuir, présentaient de petits trous ronds, et les os d'étroits sillons. Il manquait une main.

— Décapitée ? a demandé Hernández.

— Non, des petits rongeurs. Peut-être des ragondins.

Galiano s'est accroupi près de moi. L'odeur de la chair en décomposition ne semblait pas le gêner. À l'aide de son stylo, il a réussi à dégager un bijou de l'enchevêtrement des vertèbres cervicales. Une croix d'argent au bout d'une chaîne a brillé dans le soleil pendant qu'il soulevait le stylo pour mieux voir. L'ayant remise en place, il s'est levé et a considéré les lieux. Sa mâchoire s'est affaissée.

— Je doute qu'on retrouve beaucoup d'indices.

— Ouais, a renchéri Hernández, après dix mois à la pluie et au vent...

— Qu'on passe quand même tout le secteur au peigne fin. Ne laissez rien filer.

— D'accord.

— Quelque chose du côté des voisins ?

— On va faire du porte à porte. Ça m'étonnerait qu'ils sachent grand-chose. Le corps a dû être balancé pendant la nuit. (Hernández a désigné un type âgé, près du cordon de sécurité.) Ce vieux vit juste après le croisement. Il se rappelle une voiture rôdant dans les parages, l'été dernier. Il s'en souvient parce que la rue est une impasse et que peu de gens l'empruntent. Il dit qu'elle est venue deux ou trois fois, toujours de nuit, et que le chauffeur était toujours seul. Sur le coup, il s'est dit que c'était peut-être un pervers qui cherchait un endroit pour se branler. C'est pour ça qu'il ne s'en est pas mêlé.

— Il a l'air digne de foi ?

Hernández a haussé les épaules.

— Probable qu'il se branle aussi. Sinon, pourquoi il aurait eu cette idée ? Il se rappelle aussi que la voiture était vieille, du genre Honda ou Toyota, mais il n'en est pas sûr. Il l'a vue de sa véranda, ce n'est pas le meilleur endroit. Il n'a pas pu lire la plaque.

— On a trouvé des effets personnels ?

Hernández a secoué sa tête.

— Non. Comme pour la petite de la fosse septique. Juste ce qu'elle a sur elle, rien d'autre. Le meurtrier a probablement jeté le corps de la route. Il a peut-être balancé autre chose dans la *barranca*. Xicay et Colom descendront plus bas quand on en aura fini ici.

Galiano a sondé du regard la petite foule en haut, au bord du ravin.

— Rien à la presse. Je dis bien : pas un mot avant que j'aie parlé à la famille !

Il s'est tourné vers moi.

— Qu'est-ce que vous voulez faire ici ?

Ce que je *voulais* ? En premier lieu, ne pas répéter ma gaffe de l'autre jour au Paraíso. Mais cela, je ne l'ai pas dit.

— Je vais avoir besoin d'un sac mortuaire et de quelques heures ici.

— Prenez votre temps.

— Mais pas trop quand même..., ai-je terminé pour lui.

Ma fureur contre moi-même m'avait fait parler d'une voix involontairement coupante.

— Prenez tout le temps qu'il vous faudra, a rétorqué Galiano.

À son ton, j'ai senti que Díaz ne viendrait pas me déranger.

J'ai enfilé les gants de chirurgien que j'avais dans mon sac et je suis allée tout au bout de la corniche. Là, j'ai entrepris de longer le caniveau à quatre pattes afin d'en retirer tout ce qui l'encombrait. Lesté de son Nikon, Xicay me suivait à la trace, comme l'autre jour au Paraíso.

Le crâne se trouvait à trois mètres du cadavre. Sectionné du cou par des prédateurs qui avaient rongé tout ce qui présentait à leur avis un tant soit peu d'intérêt. À côté, la masse des cheveux et, soixante centimètres plus loin, des phalanges dispersées menant à un tas d'os : la main.

Quand Xicay a eu pris les photos et répertorié les emplacements, j'ai réuni près du cadavre les parties de corps qui avaient été déplacées. L'inspection du caniveau terminée, j'ai parcouru méthodiquement la corniche. Dans le sens de la longueur d'abord, puis dans le sens de la largeur, en suivant des parallèles.

Rien.

Revenue près du squelette, j'ai pris une lampe électrique dans mon sac. Hernández avait raison : après dix mois ici, il y avait peu de chance de découvrir un indice. Mais enfin. On pouvait toujours se dire que le plastique avait protégé le corps un moment, avant d'être déchiré par les animaux.

Que dalle !

Je n'avais guère d'espoir de retrouver quoi que ce soit. N'empêche, je faisais quand même attention à le toucher le moins possible, car il serait rapporté au labo. Là-bas, peut-être que des fragments, des poils ou des fibres seraient retrouvés.

J'ai posé ma lampe par terre pour retourner le squelette sur le dos. L'odeur s'est intensifiée. Des coléoptères et des mille-pattes se sont enfuis dans toutes les directions. L'appareil photo de Xicay a cliqueté au-dessus de moi.

Dans un climat comme celui des hautes terres du Guatemala, un corps peut prendre des mois, voire des semaines, pour se transformer en squelette, selon que les insectes et les prédateurs y ont accès ou pas. Quand le cadavre est bien enveloppé, la décomposition peut être sensiblement ralentie, les muscles et les ligaments peuvent même se momifier. C'était le cas ici. Les os restaient assez bien attachés les uns aux autres.

J'ai étudié ce corps ratatiné en essayant de me rappeler les photos de Claudia de la Alda : une jeune fille de dix-huit ans. J'en ai grincé des dents.

Non, Díaz. Cette fois, tu ne m'empêcheras pas de faire mon boulot !

J'ai commencé par ce qui avait été la tête et progressé en direction des pieds, changeant constamment de position pour être plus à l'aise. J'étais totalement absorbée par ma tâche. Le temps passait. Des gens venaient et repartaient. Mon dos et mes genoux me tiraient et m'élançaient. Mes yeux et mon visage me démangeaient, à cause du pollen, de la poussière et des nuées d'insectes.

À un moment, je me suis rendu compte que Galiano était parti. J'étais toute seule sur la corniche, Xicay et Colom poussaient les recherches plus bas dans la gorge. De temps à autre, j'entendais leurs voix au loin, ou bien un chant d'oiseau, ou encore une question criée au-dessus de ma tête.

Deux heures plus tard, tout était enfermé dans un sac mortuaire, les différentes parties du squelette, le plastique noir, les cheveux et les vêtements. Le crucifix était rangé à part, dans un sachet étanche Ziploc. D'après la feuille d'inventaire, il ne manquait que cinq phalanges et deux dents.

Cette fois, je ne m'étais pas contentée d'une rapide identification des os pour séparer ceux de droite et ceux de gauche : j'avais examiné attentivement chaque élément du squelette.

Ces restes étaient ceux d'une femme d'une vingtaine d'années au plus, dont le crâne et la face présentaient des caractéristiques suggérant l'ascendance mongoloïde. Fracture du radius droit bien ressoudée et plombages à quatre molaires.

Ce que je ne pouvais dire, en revanche, c'était ce qui lui était arrivé. L'examen préliminaire ne faisait apparaître ni blessure par balle, ni fracture récente, ni coup assené par un instrument pointu ou contondant.

— C'est Claudia de la Alda ?

Galiano était de retour.

— Le profil correspond.

— Qu'est-ce qui lui est arrivé ?

— Il n'y a pas trace de coup, de coup de couteau, de balle ou de strangulation. Si vous avez une hypothèse...

— L'hyoïde ?

Galiano se référait à l'os en forme de fer à cheval inclus dans les tissus mous à l'avant de la gorge et qui, chez les victimes d'un certain âge, peut se briser au cours d'un étranglement.

— Intact. Mais ça ne veut rien dire sur quelqu'un d'aussi jeune.

Jeune... Comme la gamine de la fosse septique. Un éclair dans le regard de Galiano m'a fait comprendre qu'il pensait à la même chose que moi.

J'ai voulu me relever. Mes genoux se sont rebellés et j'ai trébuché en avant. Galiano m'a rattrapée juste au moment où je m'écroulais sur lui. Le temps d'un battement de cœur, aucun de nous n'a bougé. Au contact de la poitrine du policier, j'ai senti une douce chaleur se répandre sur ma joue.

Troublée par ma réaction, j'ai reculé et je me suis concentrée sur mes gants de caoutchouc, toujours difficiles à retirer. Les bons yeux de chien fouillaient mon visage. Sans relever les yeux, j'ai demandé :

— Hernández a appris quelque chose ?

— Personne n'a rien vu, ni rien entendu.

— Vous avez les dossiers dentaires de la petite Claudia ?

— Oui.

— Il nous faut une véritable identification dentaire.

J'ai levé les yeux sur Galiano pour les rabaisser aussitôt sur mes gants. Avait-il vraiment continué à me tenir dans ses bras alors que j'avais déjà récupéré mon équilibre, ou bien était-ce mon imagination qui me jouait des tours ?

— Vous avez fini ici ? m'a-t-il demandé.

— Il ne reste plus qu'à creuser et tamiser la terre.

Il a regardé sa montre. Avec une promptitude digne du chien de Pavlov, j'ai consulté la mienne. Cinq heures dix.

— Et vous allez commencer ça maintenant ?

— Je vais *finir* ça maintenant. S'il y a un salopard en ville en quête d'une nouvelle victime, il pourrait être en train de la sélectionner au moment où je vous parle.

— Juste.

— Et plus il y aura de gens à piétiner l'endroit, plus il sera difficile d'y retrouver un indice.

Le nom de Díaz n'avait pas besoin d'être mentionné.

— Vous avez vu la foule, là-haut ? Cette histoire va éclater comme un orage tropical.

J'ai fourré mes gants dans le sac mortuaire.

— L'équipe de transport peut venir prendre le corps. Assurez-vous qu'ils l'attachent bien.

— Oui, m'dame.

Ce salaud souriait-il ou mon imagination était-elle encore en train de faire des siennes ?

Colom, Xicay et moi-même avons passé l'heure suivante à creuser sur quinze centimètres de profondeur la partie du caniveau qui avait contenu les restes, et à tamiser la terre retirée. Le tamis a restitué les deux dents qui manquaient, trois phalanges, des ongles de doigt et d'orteil et une boucle d'oreille en or.

Quand Galiano est revenu, je lui ai montré le butin.

— Qu'est-ce que c'est ?

— C'est ce que nous appelons un indice, ai-je dit en imitant Fredi Minos.

— Ça appartient à la petite de la Alda ?

— C'est une question qu'il faut poser à sa famille.

— Elle ne porte de bijou sur aucune photo.

— C'est vrai.

Galiano a empoché le sachet.

La nuit est tombée pendant que nous escaladions la pente pour rejoindre la route. Le camion technique de la télé était parti : les journalistes avaient immortalisé le sac mortuaire en gros plan sur vidéo. D'autres s'étaient attardés, espérant une déclaration officielle.

— Combien y a-t-il de corps, Galiano ?

— Qui est-ce ?

— Une femme ? Violée ?

— Pas de commentaire.

Au moment où je montais en voiture, une journaliste m'a prise en photo avec l'un des trois appareils qui pendaient à son cou.

J'ai baissé le loquet et je me suis enfoncée dans mon siège en fermant les yeux. Galiano est monté à son tour et a mis le contact. Toc-toc à ma fenêtre. J'ai ignoré.

Galiano a enclenché la marche arrière et passé un bras autour de mon appui-tête, tout en regardant derrière lui. Ses doigts ont effleuré mon cou pendant qu'il se retournait pour démarrer.

Un frisson m'a parcourue.

Mes yeux se sont ouverts d'un coup.

Bon Dieu, Brennan. Une jeune femme est morte,

une famille est dans la douleur, et tu travailles sur l'affaire. Pas le moment de penser au flirt.

À la dérobée, j'ai jeté un coup d'œil à Galiano. Éclairés par les phares des voitures qui venaient en face, ses traits ne cessaient de changer de forme et de taille. Est-ce qu'il m'avait sentie tressaillir quand ma joue s'était posée sur sa poitrine ? Ce type qui m'avait offert des fleurs l'autre jour m'avait-il vraiment étreinte plus longtemps que nécessaire aujourd'hui ?

Le bouquet gros comme une Volkswagen dans ma chambre d'hôtel est venu se superposer à l'image du bracelet de pensées.

Seigneur !

— Ces salopards, ces requins ! (La voix de Galiano m'a tirée de mes réflexions.) Ils sont même pires que des requins. Ce sont des hyènes prêtes à fondre sur une carcasse.

Il a entrouvert sa fenêtre. Je me suis demandé si c'était à cause de moi. C'est vrai que j'empestais la boue et la chair en décomposition.

— Vous avez tout ce que vous vouliez ?

— Je n'ai fait qu'un prélim', il faut encore que je confirme.

— Le corps a été envoyé à la morgue.

— Autrement dit, je ne pourrai plus le revoir ?

— Si. Si j'arrive à fournir un indice quelconque.

— Il y a quatre plombages aux molaires, ça devrait permettre de l'identifier. Et aussi une ancienne fracture du bras, si ce n'était pas suffisant.

Nous avons roulé un moment en silence.

— Vous savez pourquoi Díaz n'a pas pointé le bout de son nez, aujourd'hui ?

— Peut-être que le lundi, il joue aux boules.

Vingt minutes plus tard, Galiano me déposait devant

mon hôtel. J'avais ouvert la portière avant même que les roues se soient immobilisées. Comme je me penchais pour prendre mon sac, sa main s'est refermée sur mon bras.

Oh là là !

— Vous avez fait un sacré boulot aujourd'hui.

— Merci.

— S'il y a un maboul dans les rues, nous le coincerons.

— Oui.

Il a libéré mon bras et, du bout des doigts, a écarté mes cheveux.

Au contact de sa main sur ma joue, j'ai frémi.

— Dormez bien.

— Ça oui !

Sur ce, j'ai bondi hors de la voiture.

Hélas, Dominique Specter avait d'autres projets pour moi. Elle m'attendait dans le hall de l'hôtel, à moitié cachée derrière un caoutchouc. Elle s'est levée à mon entrée. Un *Vogue* est tombé sur le carrelage.

— Dr Brennan ?

Avec son tailleur-pantalon de soie grise et son ras-de-cou en perles noires, elle était aussi déplacée en ces lieux qu'un travesti à une convention de baptistes.

J'étais trop ahurie pour répondre.

— Je sais bien que ma démarche est quelque peu irrégulière.

Elle a remarqué mes cheveux, mes ongles noirs de boue et ma tenue. Mon odeur aussi, peut-être.

— Est-ce que cela vous dérange ?

Sourire plaqué.

— Non, ai-je répondu prudemment. Le détective Galiano vient juste de me raccompagner. Je peux encore le rattraper.

J'ai plongé la main dans mon sac à la recherche de mon portable.

— Non !

J'ai levé les yeux. Son regard vert électrique débordait d'inquiétude.

— Je... je préfère vous parler...

— Le détective Gal...

— Seule à seule. *Comprenez-vous ?*

Non, je ne comprenais pas. J'ai fait semblant.

12.

Mme Specter est retournée à son *Vogue* et, moi, je suis montée dans ma chambre.

Je ne sais si sa patience venait de sa courtoisie ou de son dégoût. J'étais dégoûtante en tout cas. Ça me démangeait partout et j'étais crevée après six heures passées à récupérer un corps. J'avais besoin de prendre une douche.

Je me suis servie de tout ce que mon nécessaire de toilette avait à m'offrir. Shampooing et conditionneur à la camomille, gel de bain au citron, lait corporel au miel et à l'amande, mousse pour les cheveux au thé vert et au cyprès.

Je me suis habillée en jetant à mon lit des regards nostalgiques. Tout ce que je voulais, c'était dormir et pas le moins du monde mener une conversation longue et intense avec une mère dans le chagrin.

Mais si l'ambassadrice avait caché quelque chose et voulait maintenant tout déballer ? Et si ses révélations étaient susceptibles de jeter la lumière sur l'une ou plusieurs de ces disparitions ? Et si elle savait où Chantal se trouvait ?

Compte là-dessus et bois de l'eau claire, Brennan.

Parfumée de toute la gamme de cosmétiques Caswell-Massey, j'ai rejoint Mme Specter dans le hall. Elle a proposé le Parque de las Flores à deux pâtés de maisons de là. J'ai accepté.

C'était un petit square carré entouré de rosiers. Des arbres et des bancs en bois occupaient les quatre triangles délimités par deux allées en X recouvertes de gravier.

— C'est une belle soirée, a dit Mme Specter en retirant un journal abandonné sur le banc pour s'asseoir.

Si ce n'est qu'il était neuf heures du soir !

— Cela me rappelle les nuits d'été à Charlevoix. Je suis originaire de là-bas, le saviez-vous ?

— Non, madame, je l'ignorais.

— Avez-vous déjà visité cette partie du Québec ?

— C'est très spectaculaire.

— Mon mari et moi avons un pied-à-terre à Montréal, mais je m'efforce de rentrer à Charlevoix aussi souvent que possible.

Un couple est passé devant nous. La femme poussait un landau dont les roues crissaient doucement sur le gravier, son mari la tenait par l'épaule.

J'ai pensé à Galiano et j'ai senti ma joue s'enflammer là où ses doigts m'avaient effleurée. J'ai pensé à Ryan. Mes deux joues se sont mises à brûler.

— C'est l'anniversaire de Chantal, aujourd'hui.

Les paroles de Mme Specter m'ont ramenée sur terre.

— Elle a dix-sept ans.

Présent de l'indicatif ?

— Cela fait maintenant plus de quatre mois qu'elle est partie.

Il faisait trop sombre pour que je puisse voir ses traits.

— Chantal n'aurait jamais voulu que je souffre autant.

Où qu'elle soit, elle m'aurait appelée si elle en avait eu la possibilité.

Elle a titillé l'étiquette sur son sac. Je l'ai laissée continuer à son rythme, sans la presser.

— Cette dernière année a été si difficile. Comment le détective Galiano a-t-il dit l'autre jour ? Une mauvaise passe ? Oui, c'est cela. Avant, même quand elle faisait une fugue, elle me faisait toujours savoir qu'elle allait bien. Chantal pouvait refuser de rentrer à la maison, refuser de me dire où elle était, mais elle m'appelait. Toujours.

Elle a fait une pause et regardé une vieille femme fourrager dans une poubelle, un triangle plus loin.

— Il lui est arrivé quelque chose d'épouvantable, je le sais.

Elle s'est tue. L'espace d'un instant, des phares ont illuminé son visage. Peu après, elle a recommencé à parler.

— J'ai eu si peur que ce soit Chantal qu'on ait retrouvée dans cette fosse septique.

J'ai voulu dire quelque chose, elle m'a coupé la parole.

— Les choses ne sont pas toujours comme elles le paraissent, Dr Brennan.

— Que voulez-vous dire ?

— Mon mari est un être merveilleux. J'étais très jeune quand nous nous sommes mariés. Il a dix ans de plus que moi.

Les phrases sortaient de ses lèvres comme elles lui venaient à l'esprit.

— Les premières années, nous avons connu des périodes...

Elle a fait une pause, craignant d'en dire trop et

sachant pourtant qu'elle devait laisser libre cours à ce qui pesait sur son cœur.

— Je n'étais pas prête à me poser dans la vie. J'ai eu une aventure.

À ce moment, et pour la première fois, je me suis doutée de la raison pour laquelle nous nous trouvions ensemble sur ce banc.

— Quand cela ?

— En 1983. Mon mari était nommé à Mexico, mais il voyageait sans cesse. J'étais seule la plupart du temps, j'ai commencé à sortir le soir. Je ne cherchais pas quelqu'un ou quelque chose, je voulais juste faire passer le temps. (Elle a inspiré profondément et a laissé sortir l'air lentement.) J'ai rencontré un homme. Nous avons commencé à nous voir. Plus tard, j'ai songé à quitter André pour l'épouser.

Autre pause. Probablement pour faire le tri entre ce qu'elle pouvait dire et ce qu'il valait mieux taire.

— Je n'ai pas eu le temps de faire part de ma décision à Miguel, sa femme a tout découvert avant. Il a rompu.

— Et vous étiez enceinte ?

— Chantal est née au printemps suivant.

— Votre amant était mexicain ?

— Guatémaltèque.

Je me suis rappelé les photos de Chantal. Elle avait les yeux brun foncé, des pommettes hautes, la mâchoire large. Sa blondeur et des idées toutes faites m'avaient aveuglée.

Seigneur, combien de bourdes allais-je commettre encore dans cette affaire ?

— Y a-t-il autre chose ?

— Cela ne vous suffit pas ?

Elle s'est laissée aller. Sa tête s'est inclinée comme si son cou n'avait plus la force de la soutenir.

— Bien des couples se trompent.

J'en savais quelque chose.

— J'ai vécu presque vingt ans avec mon secret, c'était un enfer. (Sa voix était à la fois craintive et fâchée.) J'étais incapable d'admettre que ma fille ne soit pas celle de mon mari, Dr Brennan. Incapable de le lui dire à elle, de le dire à son vrai père ou à mon mari. À qui que ce soit. Cette déception a gâché ma vie dans tous les domaines. Elle a empoisonné mes pensées et les rêves que je n'ai pas eus.

Quelle drôle de façon d'exprimer les choses.

— Si jamais Chantal est morte, c'est de ma faute.

— Votre réaction est normale, madame Specter. Vous vous sentez seule et coupable, mais...

— En janvier dernier, j'ai dit la vérité à Chantal.

— À propos de son père ?

J'ai perçu, plus que je ne l'ai vu, son signe d'assentiment.

— Et c'est ce soir-là qu'elle a disparu ?

— Elle a refusé de le croire. Elle m'a traitée des pires noms. Nous avons eu une dispute terrible, et elle est partie en claquant la porte de la maison. Depuis, personne ne l'a revue.

Pendant un long moment, ni elle ni moi n'avons rien dit.

— L'ambassadeur est au courant ?

— Non.

Une vision du rapport que j'allais écrire sur le corps retrouvé dans la fosse septique est passée devant mes yeux.

— Si c'était votre fille au Paraíso, ce que vous m'avez dit risque d'être divulgué.

— Je sais.

Sa tête est revenue à la verticale, une de ses mains est montée à sa poitrine. Ses doigts étaient d'une pâleur incroyable à côté de ses ongles, noirs dans la nuit.

— Je sais également qu'un corps a été découvert aujourd'hui près de Kaminaljuyu, bien que je ne puisse, à mon grand regret, me rappeler le nom de cette malheureuse jeune fille.

Les Specter étaient décidément bien informés.

— Cette victime n'a pas encore été identifiée.

— Ce n'est pas Chantal. Cela réduit le champ à trois.

— Comment pouvez-vous en être aussi certaine ?

— Ma fille a des dents parfaites.

Excellentes, les sources des Specter !

— Chantal voyait-elle un dentiste ?

— Uniquement pour des nettoyages et des contrôles. La police a le dossier. Malheureusement, il ne contient pas de radio ; mon mari s'oppose à ce que l'on subisse inutilement des rayons X.

— Le squelette du Paraíso peut très bien ne pas être celui d'une des disparues que nous recherchons, ai-je précisé.

— Comme il peut aussi bien être celui de ma fille.

— Avez-vous un chat, madame Specter ?

J'ai senti sa tension plus que je ne l'ai vue.

— Quelle drôle de question !

Visiblement, l'ambassadrice n'était pas au courant des analyses effectuées par Minos. Les sources des Specter n'étaient donc pas infaillibles.

— Il y avait des poils de chat dans le jean récupéré dans la fosse. (Silence radio de ma part sur l'échantillon prélevé chez elle.) Et vous avez dit au détective Galiano que vous n'aviez pas d'animal de compagnie.

— Nous avons perdu notre chat à Noël.

— Perdu ?

— Guimauve s'est noyé. (Les ongles noirs ont dansé sur les perles noires.) Chantal a découvert son petit corps qui flottait dans la piscine. Elle était désespérée.

Elle s'est tue. Le silence s'est prolongé un moment.

— Il est tard, vous devez être très fatiguée.

Elle s'est levée, a lissé d'imaginaires faux plis sur son impeccable soie grise et a fait un pas dans l'allée. Je l'ai rejointe.

Elle m'a encore dit quelques mots, une fois sur le trottoir. Dans la lumière orangée d'un réverbère, j'ai pu constater qu'elle avait repris son maintien d'épouse de diplomate.

— Mon mari a passé quelques coups de téléphone. Le substitut vous contactera pour voir avec vous quels arrangements prendre à propos des restes récupérés au Paraíso.

— Vous voulez dire que je pourrai les analyser ? me suis-je écriée, ahurie.

— Oui.

J'ai voulu la remercier.

— Non, Dr Brennan. C'est moi qui devrais vous remercier... Excusez-moi, a-t-elle ajouté et elle a sorti un portable de son sac.

Elle n'a parlé qu'un bref instant. Nous sommes revenues vers l'hôtel en silence. De la musique sortait par les portes ouvertes des bars et des bistros. Une bicyclette a klaxonné dans notre dos. Nous avons croisé un ivrogne, puis une grand-mère avec un caddie. Bizarrement, je me suis demandé si c'était la vieille aperçue au square.

Comme nous approchions de l'hôtel, une Mercedes

noire s'est garée le long du trottoir. Un homme en costume sombre en est descendu et a ouvert la portière arrière.

— Je prierai pour vous.

L'ambassadrice a disparu derrière les vitres fumées.

Le lendemain, à dix heures du matin, je me penchais au-dessus du squelette de Kaminaljuyu sur un plateau en acier inoxydable à la Morgue del Organismo Judicial de la zone 3. Galiano était à mes côtés. À l'autre bout de la table se tenait le Dr Angelina Fereira, flanquée d'un technicien d'autopsie.

Sur ses instructions, les restes avaient été photographiés et radiographiés avant notre arrivée. Les vêtements étaient étalés sur la paillasse derrière moi. Le sac mortuaire et les cheveux avaient été soigneusement examinés.

Ce carrelage froid, cette table en acier, ces instruments étincelants, cette lumière au néon et cette assistance en masques et gants, je connais trop bien tout cela.

Tout comme la procédure sur le point de commencer : incision de la peau, entaille des chairs, mesure, pesage, prélèvement des tissus, découpe des os à la scie. Cette mise à nu implacable serait une ultime indignité infligée à la malheureuse : une agression *post mortem* pire encore que tout ce qu'elle avait subi dans ses derniers instants.

Quelque part au fond de moi, j'aurais voulu recouvrir son corps, emporter la jeune fille loin de ces inconnus stériles vers la douceur de ceux qui l'avaient aimée. Permettre à sa famille d'ensevelir dans un lieu de paix ce qui restait d'elle.

Mais l'être doué de raison en moi savait qu'il fallait

d'abord lui restituer son nom : alors seulement, les siens pourraient l'enterrer. Ses ossements méritaient qu'on leur donne la chance de parler, de crier en silence ce qui s'était déroulé au cours des dernières heures de sa vie. Alors seulement la police pourrait espérer reconstituer la tragédie.

Voilà pourquoi nous étions réunis dans cette salle, munis de nos listes, de nos scalpels, de nos balances, de nos étriers, de nos cahiers, de nos fioles à spécimen et de nos appareils photo.

Le Dr Fereira était d'accord avec mon estimation de l'âge, du sexe et de la race. Comme moi, elle n'avait trouvé aucune fracture récente ni d'autres signes d'agression violente.

Nous avons mesuré et calculé la taille de la victime. Puis nous avons prélevé du tissu osseux en vue d'une éventuelle analyse de l'ADN. Ce ne serait pas nécessaire.

Nous pratiquions l'autopsie depuis une heure et demie quand Hernández est arrivé avec le dossier dentaire de Claudia de la Alda. Un simple coup d'œil nous a confirmé l'identité de la personne étendue sous nos yeux.

Le policier venait juste de repartir avec Galiano pour aller annoncer la nouvelle à la famille quand la porte s'est rouverte sur un homme que j'ai reconnu pour l'avoir rencontré au Paraíso : le Dr Héctor Lucas. Sous la lumière crue, son visage était gris. Il a salué sa collègue et lui a demandé de quitter la salle.

Entre masque et chapeau, les yeux de Fereira ont papilloté d'ahurissement. À moins que ce ne soit de colère.

— Bien sûr, docteur.

Elle a expédié ses gants dans la poubelle à déchets

biologiques et a quitté la salle. Lucas a attendu que la porte se referme.

— Vous avez droit à deux heures d'examen sur le corps découvert au Paraíso.

— Ce n'est pas suffisant.

— Il faudra que ça le soit. Dix-sept personnes ont péri dans un accident d'autocar, il y a quatre jours. Trois autres sont mortes depuis. Le personnel est surchargé de travail et nous manquons de place.

Si j'éprouvais de la compassion pour les victimes de l'accident et leurs familles, le décès d'une jeune femme enceinte dont on s'était débarrassé du corps comme on le ferait d'ordures me touchait davantage.

— Je n'ai pas besoin d'une salle particulière. Je peux travailler n'importe où.

— Vous n'y êtes pas autorisée.

— Sur ordre de qui, cette limitation à deux heures ?

— Du procureur. Le señor Díaz reste d'avis que la présence d'un étranger est superflue.

— Étranger par rapport à quoi ? ai-je jeté avec colère.

— Qu'est-ce que vous sous-entendez ?

J'ai pris une profonde inspiration et j'ai expiré lentement.

— Je ne sous-entends rien du tout. Je ne fais que proposer mon aide, je ne comprends pas pourquoi le procureur s'acharne à faire barrage contre moi.

— Je suis désolé, Dr Brennan, cela n'est pas de mon ressort. (Il m'a remis une feuille de papier.) Les ossements seront apportés dans cette pièce à l'heure de votre choix. Appelez ce numéro.

— Voyons, ce n'est pas raisonnable ! J'ai plein accès aux restes retrouvés à Kaminaljuyu, et ceux récupérés au Paraíso me sont pratiquement interdits ? Le señor Díaz aurait-il peur que je découvre des choses ?

— C'est ainsi, Dr Brennan. Et aussi : vous n'êtes pas autorisée à emporter ni à photographier quoi que ce soit.

— Ça laissera un grand trou dans ma collection de souvenirs !

Comme Díaz, Lucas avait le don de faire jaillir le pire de moi.

— *Buenos días.*

Sur ce, il a quitté la salle.

Quelques secondes plus tard, Fereira est réapparue. Elle sentait la cigarette et avait un petit bout de papier collé sur la lèvre inférieure.

— Une audience avec Héctor Lucas, c'est votre jour de chance.

Bien que nous ayons parlé espagnol pendant toute l'autopsie, elle s'était adressée à moi en anglais, avec un accent presque texan.

— Ouais.

Dos à la paillasse, appuyée sur ses coudes, elle me regardait. Elle avait des cheveux gris coupés très court, des yeux marron foncé, des sourcils à la Pete Sampras et un corps taillé comme un Frigidaire.

— Il a peut-être l'air d'un crapaud, mais c'est un excellent médecin.

Je n'ai pas répondu.

— Vous vous êtes pris de bec, tous les deux ?

Je lui ai parlé de la fosse septique. Elle m'a écoutée avec une grande attention.

Quand j'ai eu fini, elle est demeurée un instant à considérer les restes de Claudia de la Alda.

— Galiano pense que ces deux affaires pourraient être liées ?

— Oui.

— Dieu du ciel, espérons que non !

— Amen.

De l'ongle de son pouce, elle a gratté le papier resté sur sa lèvre, l'a regardé et l'a expédié au loin d'une pichenette.

— Vous pensez que le corps trouvé au Paraíso pourrait être celui de la fille de l'ambassadeur ?

— C'est possible.

— Díaz vous bloque peut-être la route par crainte d'un embarras diplomatique.

— Ça n'a pas de sens, voyons ! C'est grâce à l'ambassadeur que j'ai été autorisée à venir.

— Pour deux heures seulement.

L'ironie perçait dans sa voix. Cela dit, elle n'avait pas tort. Si Specter était assez puissant pour passer par-dessus Díaz, comment se faisait-il qu'il ne m'ait pas obtenu l'autorisation d'effectuer toutes les analyses nécessaires ?

— Comment expliquez-vous que l'ambassadeur ne mette pas tout en œuvre pour en avoir le cœur net, quand bien même il n'y aurait qu'une chance sur cent mille pour que ce soit sa fille ?

Fereira venait d'énoncer tout haut la question que je me posais tout bas.

— Díaz a peut-être des motifs personnels pour m'interdire l'accès à ces os ?

— Comme quoi ?

Aucune raison ne me venait à l'esprit.

— D'après Lucas, c'est à cause de l'accident d'autocar.

— C'est vrai qu'on est sur les dents, ces derniers temps. (Elle s'est redressée.) Si ça peut vous réconforter, ce n'est pas vous, le problème. Tout simplement,

Lucas et Díaz détestent qu'on leur coupe l'herbe sous le pied.

J'ai voulu protester, elle a levé une main.

— Je ne dis pas que vous le faites. Je dis que c'est comme ça qu'ils voient les choses. (Coup d'œil à sa montre.) Quand comptez-vous examiner ces os ?

— Cet après-midi.

— Je peux faire quelque chose ?

— Oui. J'ai une idée mais, toute seule, je n'y arriverai jamais.

— Dites toujours.

Je lui ai exposé mon plan. Ses yeux ont glissé vers Claudia de la Alda et sont revenus sur moi.

— C'est dans le domaine du possible.

Trois heures plus tard, nous avions achevé l'autopsie de la jeune de la Alda et avalé ensemble un déjeuner rapide. Ensuite, Angelina Fereira était passée à l'examen d'une des victimes de l'accident d'autocar, tandis que le squelette du Paraíso venait remplacer sur la table le corps de Claudia de la Alda, à présent remisé en chambre froide. Rétrogradé du statut d'assistant à celui d'observateur, le technicien d'autopsie bayait aux corneilles sur son tabouret, dans un coin de la salle.

Les ossements étaient bien tels que je me les rappelais, sauf qu'ils étaient nettoyés du purin et des débris. J'ai inspecté les côtes et le bassin, examinant soigneusement l'état de jonction des crêtes des os, des capsules et des sutures crâniennes, sans oublier les dents.

Mes estimations du sexe et de l'âge sont demeurées inchangées : les restes étaient bien ceux d'une femme en fin d'adolescence.

Je ne m'étais pas trompée non plus quant à l'ascendance mongoloïde. Pour confirmer mon impression de l'autre fois et mes observations d'aujourd'hui, j'ai pris néanmoins différentes mesures du crâne et de la face en vue d'effectuer une analyse par ordinateur.

J'ai recherché vainement des indices de traumatismes *peri mortem*. Pas non plus de signes particuliers sur le squelette permettant une identification. Les dents ne présentaient ni anomalies ni réparations.

Je venais juste de finir d'enregistrer la longueur des os longs en vue de calculer la taille de la victime quand le téléphone de l'antichambre a sonné. Le technicien est allé répondre, puis est revenu me dire que mon temps était écoulé.

Je me suis écartée de la table, j'ai baissé mon masque et retiré mes gants. Pas de problème : j'avais tout ce qu'il me fallait.

Dehors, le soleil baissait et s'apprêtait à disparaître derrière des nuages floconneux qui montaient de l'horizon en tourbillonnant. L'air avait une odeur de fumée. On devait brûler des détritus quelque part. Une légère brise faisait voler papiers et journaux dans la rue.

J'ai pris une profonde inspiration, les yeux posés sur le cimetière à côté. Des ombres diagonales tombaient des monuments funéraires et des vases de bazar et autres pots de confiture qui contenaient des fleurs en plastique. Une vieille femme était assise sur une caisse en bois. Elle avait une mantille sur la tête et son corps usé était drapé de noir. Un rosaire se balançait entre ses doigts osseux.

J'aurais dû me sentir en pleine forme, compte tenu de ma victoire sur Díaz – victoire incomplète, certes, mais victoire quand même. Et aussi parce que mes estimations de départ s'étaient toutes révélées justes. Pourtant, je me sentais accablée.

Triste, mais aussi effrayée.

Trois mois s'étaient écoulés entre la disparition de Claudia de la Alda et celle de Patricia Eduardo. À peine plus de deux mois entre celle de Patricia Eduardo et celle de Lucy Gerardi. Et dix jours seulement entre celle de Lucy Gerardi et celle de Chantal Specter.

Des intervalles de plus en plus courts. Si un seul tueur était responsable de toutes ces disparitions, cela signifiait que sa folie sanguinaire allait en augmentant.

J'ai pris mon portable pour appeler Galiano. Avant même que j'aie le temps de composer son numéro, l'appareil a sonné dans ma main.

Mateo Reyes.

Molly Carraway était sortie du coma !

13.

Le jour commençait seulement à poindre à l'heure où nous avons pris la route pour Sololá. Mateo poussait la Jeep à fond, le visage impassible, les mains serrées sur le volant. L'air était frais et l'horizon brouillé par la brume de l'aube. Nous passions sans cesse de zones illuminées de rose par les rayons obliques du soleil levant, lorsque nous roulions au sommet des montagnes, à la grisaille des épaisses poches de brouillard dès que nous plongions dans le creux des vallées.

J'étais assise à l'avant, le coude à la fenêtre comme un camionneur de Tucson. Le vent ne relevait mes cheveux droit sur ma tête que pour mieux les rabattre sur mon visage et je les repoussais machinalement, perdue dans mes pensées.

Je n'avais rencontré Carlos que récemment. Molly, je la connaissais depuis une bonne dizaine d'années. À peu près du même âge que moi, elle était venue à l'anthropologie sur le tard, après avoir enseigné la biologie dans un lycée. À trente et un ans, frustrée de surveiller les toilettes et la cafétéria, elle avait repris ses études et, son doctorat de bio-archéologie en poche, elle avait travaillé au département d'anthropologie de l'université du Minnesota.

Comme moi, c'est à force de tomber sur des flics et des coroners qui ignoraient la distinction entre anthropologie physique et anthropologie légale qu'elle s'était retrouvée entraînée à pratiquer cette discipline et, comme moi, elle consacrait une partie de son temps à enquêter sur les violations des droits de l'homme.

Cependant, à l'inverse de moi, Molly n'avait jamais abandonné l'étude des morts du passé. L'archéologie restait son champ d'action privilégié, même si elle avait déjà traité plusieurs affaires judiciaires. Elle n'était pas encore agréée par le Conseil américain d'anthropologie légale.

Mais elle le serait, j'en étais sûre !

Nous avalions les kilomètres en silence. À mesure que nous nous étions éloignés de Guatemala, la circulation s'était peu à peu raréfiée et nous filions maintenant le long de vallées vert foncé et de pâturages jaunes où paissaient des vaches efflanquées. À l'approche des villages, les bas-côtés de la route étaient encombrés de vendeurs installés derrière leurs marchandises. Nous roulions depuis une heure et demie quand Mateo a enfin déclaré :

— Le docteur la trouve agitée.

— Réveillez-vous après un trou de deux semaines dans votre biographie et vous serez agité, vous aussi.

Nous avons pris un tournant à grande vitesse. Deux véhicules fonçaient à toute berzingue droit sur nous. Un jet d'air s'est engouffré par nos fenêtres ouvertes.

— Peut-être bien, a fait Mateo.

— Comment ça, peut-être bien ?

Je me suis tournée vers lui.

— Je ne sais pas. Le toubib avait une voix bizarre.

Il est allé mordre le pare-chocs du camion devant

nous et s'est déporté brusquement sur le côté pour le doubler.

— Bizarre ?

Il a levé les épaules.

— Son ton, surtout.

— Qu'est-ce qu'il a dit ?

— Pas grand-chose.

— Qu'elle aurait des séquelles ?

— Ça, il ne peut pas le dire. Ou bien il ne veut pas.

— Quelqu'un est venu du Minnesota ?

— Son père. Je croyais qu'elle était mariée ?

— Divorcée. Ses enfants vont encore à l'école.

Mateo a fait le reste de la route en silence. Le vent gonflait sa chemise en jean et je voyais les bandes jaunes de la route se refléter dans ses lunettes noires. Aux abords de Sololá, la circulation est redevenue plus intense.

L'hôpital était un bâtiment de six étages en briques rouges et verre sale. Mateo s'est garé sur l'un des nombreux petits parkings à proximité. Nous avons remonté à pied la ruelle ombragée qui menait à l'entrée principale. Dans la cour, un Christ en ciment nous a accueillis, les bras grands ouverts.

Des gens s'amalgamaient dans l'entrée, erraient, priaient, buvaient des boissons gazeuses ou bien étaient avachis sur des bancs en bois. Les uns en peignoir, les autres en costume ou en jean, la plupart en tenue maya de la région – les femmes drapées dans des tissus rouges bariolés portant leurs enfants roulés comme des *burritos* sur la poitrine ou dans le dos, les hommes en tablier de laine et chapeau de gaucho, le pantalon et la chemise brodés de grands motifs. Çà et là, parmi ce kaléidoscope, on voyait virevolter la blouse blanche raide d'amidon d'un employé de l'hôpital.

Je regardais autour de moi, quelque peu dépaysée. Si j'étais familière avec l'atmosphère de ce genre de lieu, j'ignorais l'organisation de celui-là. Des panneaux indiquaient la cafétéria, la boutique de cadeaux, les services administratifs et une douzaine de départements. *Radiografía. Urología. Pediatría.*

Ignorant les instructions qui enjoignaient de s'inscrire à l'accueil avant toute chose, Mateo m'a entraînée vers une batterie d'ascenseurs. Arrivés au cinquième étage, nous avons pris un couloir à gauche. Nos chaussures cliquetaient bruyamment. J'avais bien dû apercevoir une douzaine de fois mon reflet dans les petites fenêtres rectangulaires découpées dans les portes des chambres quand une voix derrière nous a ordonné :

— *¡ Alto !*

Demi-tour sur nous-mêmes.

Crachant le feu par les naseaux, une infirmière se ruait sur nous, un dossier serré contre sa poitrine d'un blanc immaculé. Sous sa coiffe à ailettes, ses cheveux étaient tellement tirés en arrière qu'elle en avait le visage coupé en deux par une ride horizontale.

La surveillante du cinquième étage !

Son bras tendu, prolongé du dossier, nous a bel et bien emprisonnés.

Sourire engageant de notre part.

Interrogatoire serré de la sienne.

Mateo a indiqué la raison de notre présence.

Le dragon s'est plongé dans sa liste de patients. Puis, avec le regard qu'on réserve aux bourreaux d'enfants :

— *¿ Familia ?*

— *Americana*, a répondu Mateo en me désignant.

Regard scrutateur du dragon.

— *Numero treinta y cinco.*

— *Gracias.*

— *Veinte minutos. Nada más.* Vingt minutes. Pas plus.

— *Gracias.*

La Mort Flouée, telle est l'allégorie qui m'est venue à l'esprit en découvrant Molly. Une chemise de nuit délavée par des millions de lessives pendait sur son corps comme un linceul, un tube partait de son nez, un autre de son bras, plus décharné que ceux des squelettes à la morgue.

Mateo a soufflé avec bruit.

— *Jesucristo.*

J'ai posé une main sur son épaule.

Molly a ouvert les yeux : deux cavernes couleur lavande. Nous reconnaissant, elle a tenté de se remonter dans son lit. Je me suis précipitée pour l'aider.

— *¿ Qué hay de nuevo ?*

Un bafouillage.

— Quoi de neuf de ton côté ? lui ai-je répliqué.

— Pour une sieste, c'était une sacrée sieste !

— Je savais bien que je t'en demandais un peu beaucoup, a lancé Mateo sur un ton qu'il aurait voulu léger.

Molly a eu un faible sourire. Elle a montré un verre d'eau sur la table de chevet.

— Tu veux bien ?

J'ai rapproché la table du lit. Elle a serré ses lèvres sèches autour de la paille. Au bout d'une gorgée, elle s'est laissée retomber sur son oreiller.

— Tu connais mon père ?

Sa main s'est levée pour s'affaler aussitôt sur la couverture de laine grise.

D'un même mouvement, Mateo et moi avons pivoté sur nos talons.

Un homme à cheveux blancs occupait une chaise

dans le coin de la chambre. Des rides profondes creusaient son front, le bas de ses joues et son menton. Le blanc de ses yeux avait jauni avec l'âge, mais les pupilles avaient conservé leur bleu aussi limpide qu'un lac de montagne. Mateo s'est avancé vers lui, main tendue.

— Mateo Reyes, le patron de Molly ici. Mais vous l'aviez deviné, bien sûr.

— Jack Dayton.

Ils se sont serré la main.

— Ravie de vous rencontrer, monsieur Dayton, ai-je lancé à mon tour, de ma place, près du lit.

Il a incliné la tête.

— Je regrette que ce soit dans de telles circonstances, ai-je ajouté.

— Celles-ci étant ?

— Pardon ?

— Qu'est-il arrivé à ma fille ?

— Papa, ne commence pas.

J'ai posé une main sur l'épaule de Molly.

— La police enquête.

— Ça fait deux semaines.

— Ces choses-là prennent du temps, a dit Mateo.

— Ouais.

— On vous tient informé ? ai-je demandé.

— Z'ont rien à dire.

— Je suis sûre qu'ils font leur travail.

J'étais loin d'en être convaincue mais je voulais l'apaiser.

— Ça fait deux semaines maintenant.

Ses yeux se sont baissés sur ses doigts noueux croisés sur ses genoux.

Vous avez tout à fait raison, Jack Dayton, ai-je

pensé. Tout haut, j'ai demandé à Molly comment elle se sentait et j'ai pris sa main dans la mienne.

— Avec un peu de temps, je serai aussi vaillante que la pluie... Drôle d'expression, n'est-ce pas ? a-t-elle ajouté avec un pauvre sourire. Ça doit venir des fermiers. Comme Papa.

Elle a roulé sa tête sur l'oreiller pour regarder son père. Le vieil homme n'a pas bougé un muscle. Elle s'est retournée vers moi.

— J'ai beau avoir quarante-deux ans, ils me prennent toujours pour une gamine, Maman et lui. Ils ne voulaient pas que je vienne ici.

Dans le fond de la chambre, il a levé au ciel ses yeux bleu glacier.

— Admire le résultat.

Molly m'a adressé un sourire de connivence.

— J'aurais aussi bien pu être agressée à Mankato, Papa.

— Sauf que, chez nous, on arrête les gens qui enfreignent la loi et on les enferme !

— Tu sais bien que ce n'est pas toujours vrai.

— En tout cas, les flics parlent une langue que je comprends.

Dayton s'est mis debout et a remonté sa ceinture.

— Je reviens.

Il a filé hors de la chambre dans un crissement de baskets sur le carrelage.

— Il faut l'excuser. Il est grognon parfois.

— Normal, il t'aime. Il a eu peur, il est furieux. Que disent les médecins ?

— Un peu de rééducation, et je serai vaillante comme la pluie. Je ne vais pas vous ennuyer avec les détails.

— Je suis si heureuse. On était fous d'inquiétude,

tu sais. Quelqu'un de l'équipe est venu te voir presque tous les jours.

— Je sais. Comment ça marche avec Chupan Ya ?

— On est à fond dans les analyses, a dit Mateo. Dans une ou deux semaines, tous les squelettes devraient être identifiés.

— C'est aussi épouvantable que les témoins le disent ?

J'ai hoché la tête.

— Blessures par balle et coups de machette. En majorité, des femmes et des enfants.

Molly n'a rien dit.

J'ai regardé Mateo. Il a hoché la tête. J'ai dégluti.

— Carlos...

— Je sais. Les flics m'ont dit.

— Ils t'ont interrogée ?

— Hier.

Elle a soupiré.

— Je n'ai pas pu leur dire grand-chose. Je me rappelle seulement des bribes, comme des arrêts sur image. Des phares dans la vitre arrière. Une voiture qui nous a forcés à quitter la route. Deux hommes sur le bas-côté. Une discussion. Des coups de feu. Une silhouette de mon côté du camion. C'est tout.

— Tu te rappelles que tu m'as téléphoné ?

Elle a secoué la tête.

— Tu pourrais les identifier ?

— Il faisait noir. Je n'ai pas vu leurs visages.

— Tu te rappelles ce qu'ils ont dit ?

— Pas tout. Carlos a dit quelque chose comme *morda... mordida.*

— Pot-de-vin, a traduit Mateo.

Molly a repoussé ses cheveux sur son front. Le

dessous de son bras avait la pâleur blafarde d'un ventre de poisson.

— Un des types répétait à l'autre de se grouiller.

— Quoi d'autre ? ai-je insisté.

Le bruit de l'ascenseur au bout du couloir est parvenu jusqu'à nous. Les yeux de Molly sont allés à la porte et sont revenus sur moi. Quand elle a recommencé à parler, elle l'a fait à voix basse :

— Mon espagnol n'est pas super, mais je crois qu'ils ont parlé d'un inspecteur. Tu penses que c'étaient des flics ?

Nouveau coup d'œil de Molly vers la porte. Ce que m'avait dit Galiano au Gucumatz m'est revenu à l'esprit.

— Des soldats impliqués dans le massacre de Chupan Ya, peut-être ?

C'est le moment qu'a choisi le dragon pour faire irruption dans la pièce. Panoramique sur les lieux et arrêt sur Mateo.

— La patiente doit se reposer !

Une main au coin de sa bouche, Mateo a chuchoté d'un air théâtral :

— Mission avortée. Nous avons été découverts.

Le dragon restant imperméable à l'humour, j'ai tenté la supplique :

— Cinq minutes, s'il vous plaît ?

Elle a regardé sa montre.

— Cinq minutes. Je reviendrai.

Son ton laissait entendre qu'elle n'hésiterait pas à appeler du renfort.

Molly l'a regardée partir. Prenant appui sur ses coudes, elle a essayé de se remonter dans son lit.

— Il y a autre chose. Je ne l'ai pas dit à la police, je ne sais pas pourquoi.

Son regard est passé de Mateo à moi.

— Je... (Elle a dégluti.) Un nom.

Nous avons attendu.

— Je jure que j'ai entendu un des types dire « Brennan ».

J'ai eu l'impression qu'on me catapultait contre un mur. J'ai entendu Mateo jurer. Moi, je regardais Molly, éberluée.

— Tu es sûre ?

— Oui. Non. Oui. Mon Dieu, Tempe, je crois. C'est un tel fouillis dans ma tête.

Elle s'est laissée retomber sur son oreiller. Son bras est remonté vers son front, ses yeux se sont emplis de larmes. J'ai serré sa main.

— Tout va bien, Molly.

Brusquement, j'avais la bouche toute sèche, la chambre me paraissait étouffante. Molly, elle, s'agitait de plus en plus.

— Tu crois qu'ils sont après toi, maintenant ? Et si c'était toi, leur prochaine cible ?

De ma main libre, j'ai caressé sa tête.

— Il faisait noir. Tu avais peur. Tout allait si vite. Tu as probablement mal compris.

— Je ne pourrais pas supporter que quelqu'un d'autre soit agressé. Promets-moi de faire attention, Tempe !

— Et comment ! Tu peux compter sur moi !

J'ai souri, malgré la trépidation qui s'emparait de moi.

À la sortie de l'hôpital, nous sommes allés déjeuner au *comedor* de l'hôtel Paisaje, tout près de la Plaza Central. Nous avons débattu de ce que Molly nous avait raconté et sommes convenus que cela méritait d'être porté à la connaissance de la police. Nous avons donc fait un détour par le commissariat de Sololá avant de reprendre la route pour Guatemala.

Le responsable de l'enquête n'avait rien de neuf à nous apprendre. Il a consigné nos dépositions, mais il était clair qu'il accordait peu de foi aux souvenirs de Molly. Nous n'avons pas fait état de sa référence à un inspecteur.

Trajet de retour sous un ciel gris. Brume légère comme des embruns sur les hauteurs, et brouillard épais dans les vallées. À croire qu'il avait dévoré le monde alentour.

De même qu'à l'aller, nous avons peu parlé. Les pensées s'entrechoquaient dans mon cerveau, et toutes s'achevaient sur un point d'interrogation.

Qui avait tiré sur Carlos et sur Molly ? Et pourquoi ? Pour la détrousser, comme le supposait la police ? Mais dans ce cas, pourquoi n'avaient-ils pas pris son passeport ? Un passeport américain, ça vaut de l'or dans ce pays ! Pourquoi la police s'accrochait-elle à ce mobile de vol ? Quelles raisons avait-elle de réfuter les autres ?

Se pouvait-il que Molly ait raison et que l'agression ait eu pour objectif d'empêcher l'enquête sur le massacre de Chupan Ya ? Quelqu'un se sentait-il menacé par des révélations ?

Molly maintenait que ses attaquants avaient prononcé le nom de Brennan. Je ne connaissais qu'une personne le portant : moi. Que cherchaient à obtenir ces gens à travers moi ? Serais-je leur prochaine victime ?

Et qui était cet inspecteur dont ils avaient parlé ? La police était-elle simplement réticente à mener l'enquête, ou avait-elle pris part au crime ?

À plusieurs reprises, je me suis surprise à surveiller le rétroviseur latéral.

Au bout d'une heure de trajet, j'ai fermé les yeux. J'étais debout depuis cinq heures du matin, mon cerveau marchait au ralenti et mes paupières pesaient des tonnes. Et puis il y avait le bercement de la jeep et le vent sur mon visage. Malgré mon angoisse, j'ai sombré dans le sommeil.

Un inspecteur, avait dit Molly. Un inspecteur de quoi ? Des bâtiments, des services agricoles, de la voirie ? Des services des eaux ? Des eaux d'égout ?

Eaux d'égout.

Fosse septique.

Je me suis redressée sur mon siège comme un diable qui jaillit de sa boîte.

— Et si ce n'était pas du tout un inspecteur ?

Mateo m'a jeté un coup d'œil.

— Et si Molly n'avait pas entendu un nom mais plusieurs ?

— Señor Inspecteur ?... Señor Specter ? a émis Mateo dans la nanoseconde.

— Exactement.

Maintenant, j'étais bien heureuse que Galiano ait mis Mateo au courant pour Chantal Specter.

— Vous pensez vraiment qu'ils parlaient d'André Specter ?

— Peut-être que l'agression est liée d'une façon ou d'une autre à la fille de l'ambassadeur.

— Mais pourquoi abattre Carlos et Molly ?

— Ils l'auront prise pour moi. Nous sommes toutes les deux américaines, de taille à peu près identique, et nous avons la même couleur de cheveux.

Seigneur ! Cela me paraissait tout à coup parfaitement plausible.

— C'est peut-être pour ça que mon nom a été prononcé.

— Galiano vous a mis sur l'affaire du Paraíso une semaine après que Carlos et Molly ont été agressés.

— Peut-être que quelqu'un avait eu vent de ses intentions et voulait empêcher qu'il les mette à exécution ?

— Qui aurait pu le savoir ?

Nouveau flash de Galiano au restaurant Gucumatz. J'ai frissonné.

— *¡ Maldicíon !* s'est écrié Mateo, une minute plus tard, les yeux rivés sur le rétroviseur.

J'ai jeté un coup d'œil dans celui de côté.

Du rouge palpitait dans la brume derrière nous. Une sirène résonnait au loin. Intermittente, mais indubitable.

Les yeux de Mateo faisaient des allers-retours du rétroviseur au pare-brise. Les miens restaient fixés sur le rétroviseur latéral.

Une voiture de police nous suivait. Sa lumière était à présent un tourbillon rouge, et sa sirène hululait de façon ininterrompue.

Mateo s'est rabattu sur la droite.

La voiture fonçait droit sur nous. L'intérieur de la jeep est devenu un tournoiement cramoisi. La sirène hurlait toujours. Mateo gardait les yeux droit devant lui. Je me suis mise à fixer une tache de rouille sur le tableau de bord.

La voiture de police a fait un écart à gauche, nous a doublés et s'est évanouie dans la brume.

Mon cœur n'a ralenti que lorsque nous nous sommes retrouvés à l'intérieur de la FAFG, le portail fermé à clef.

Galiano n'était pas disponible quand je l'ai contacté. Il m'a rappelée dans les minutes suivantes. Il était coincé jusqu'à ce soir, mais mourait d'envie de savoir ce que j'avais appris à Sololá. Il a proposé un dîner à Las Cien Puertas : bouffe super, prix modérés, bonne musique latino. À croire qu'il avait des actions dans la boîte.

J'ai passé les trois heures suivantes à travailler sur les victimes de Chupan Ya et suis rentrée à mon hôtel vers les six heures et quart, complètement déprimée. La disparition absurde d'un si grand nombre de gens me bouleversait. La mort ne me lâcherait-elle donc jamais ?

Tout en me changeant, je me suis forcée à penser à autre chose.

Galiano.

Où étaient donc sa femme et son jeune Alejandro ?

J'ai mis du désodorisant et tapoté un peu de rouge sur mes joues.

Est-ce que je l'éloignais de sa famille ?

Ridicule. Ce dîner était strictement professionnel.

Vraiment ?

S'il avait lieu à cette heure-là, c'était pour des raisons d'emploi du temps. Parce que nous étions tous les deux occupés pendant les heures de travail.

J'ai trouvé le mascara au fond de ma trousse de maquillage.

Ces dîners avec Galiano étaient-ils vraiment justifiés ?

Des dîners d'affaires, simplement.

Dans ce cas, à quoi bon le Rimmel ?

J'ai remis l'applicateur dans son tube et jeté le tube inutile dans ma trousse.

Galiano est passé me prendre à sept heures.

Le restaurant se trouvait sous une arcade typique de la zone 1. Sa grandeur coloniale et sa dignité des temps jadis avaient depuis longtemps cédé la place aux graffitis. Mais si la peinture s'écaillait, la nourriture était excellente. Galiano ne m'avait pas raconté de bobards.

Tout en mangeant, je lui ai détaillé ma visite à Sololá. Que Molly ait pu être prise pour moi lui a paru tout à fait concevable et il a insisté pour que je prenne des mesures de sécurité. Je n'ai pas discuté. J'ai même promis de rester vigilante. Il m'a suggéré de porter une arme et a proposé de m'en fournir une. J'ai refusé, me prétextant nulle au tir. En vérité, les pistolets m'effrayent davantage que la perspective d'être attaquée par des inconnus. Mais cela, je ne l'ai pas dit.

Galiano a convenu qu'empêcher les recherches à Chupan Ya pouvait avoir été le motif de l'agression. Cependant, si tel était le cas, une seconde attaque lui paraissait douteuse, maintenant que l'exhumation était achevée. Il m'a recommandé néanmoins de ne pas me rendre dans des endroits déserts. Recommandé ? Non, il a insisté.

Quant à ma théorie sur Specter, elle ne l'a pas convaincu. J'ai argumenté :

— Pourtant, ça expliquerait qu'on m'interdise d'analyser les restes découverts au Paraíso.

— Comment ça ?

— Parce que quelqu'un fait pression sur Díaz.

— Qui donc ?

— Je ne sais pas.

— Et pour quelle raison ?

— Je ne sais pas...

Son scepticisme m'a énervée. À moins que ce soit ma propre incapacité à fournir les réponses.

Sans aucune raison, j'ai repensé à mon trébuchement de l'autre jour. La mémoire tactile existe-t-elle ? Ma joue avait-elle vraiment frémi en reposant sur la poitrine de Galiano ?

Bien sûr que non !

Je l'ai écouté en silence me faire le point sur le meurtre de Claudia de la Alda. Il parlait un anglais sans accent, mais avec une cadence latine. J'aimais sa voix. J'aimais son visage tordu. J'aimais la façon dont il me regardait. J'aimais son apparence.

Le boulot, Brennan ! Tu es une scientifique, pas une écolière.

J'ai attrapé la note au moment où elle arrivait et j'ai fourré mon American Express dans la main du serveur. Galiano n'a pas objecté.

Dans la voiture, il s'est assis, le corps tourné vers moi, un coude posé sur l'appui-tête.

— Qu'est-ce qui vous turlupine ?

Une enseigne en néon striait son visage d'estafilades intermittentes, bleues puis jaunes.

— Rien.

— Vous vous comportez comme si vous veniez d'apprendre que quelqu'un veut vous descendre.

— Remarque pénétrante.

Mais diagnostic erroné, ai-je pensé tout bas.

— Et moi, je suis un mec sensible.

— Vraiment ?

— J'ai lu *Les hommes viennent de Mars, les femmes de Vénus*[1].

— Hmm.

1. *Les hommes viennent de Mars, les femmes de Vénus*, de John Gray.

— Et aussi *Sur la route de Madison*[1].

Il a passé le pouce sur le coin de ma bouche. J'ai détourné la tête.

— Et j'ai pris des notes.

— Que fait Mme Galiano ce soir ?

L'espace d'un instant, il a paru interloqué. Puis il a éclaté de rire.

— Elle est avec son mari, je présume.

— Vous êtes divorcé ?

Galiano a hoché la tête. Il a soulevé mes cheveux et passé le doigt sur le bas de mon cou. Ça m'a laissé une sensation de brûlure.

— Et Ryan par rapport à vous ?

— Une relation de travail.

C'est vrai que nous travaillions ensemble.

Galiano s'est penché vers moi. J'ai senti son souffle chaud et humide sur ma joue. Puis sa bouche a glissé derrière mon oreille. Sur mon cou, sur ma gorge. Doux Jésus ! il prenait mon visage entre ses mains. Ses lèvres ont trouvé les miennes. J'ai senti une odeur d'homme, de coton, un parfum acidulé comme le citron. Le monde a basculé au ralenti.

Galiano a déposé un baiser sur ma paupière gauche, puis sur la droite et...

Son portable a poussé des cris d'orfraie.

D'un coup, nous nous sommes écartés.

Il a arraché le téléphone de sa ceinture et a pris la communication, une main toujours enfouie dans mes cheveux.

— Galiano. (Pause.) *Ay, Dios.*

J'ai retenu mon souffle.

1. *Sur la route de Madison*, de Robert James Waller, dont Clint Eastwood a tiré un film avec Meryl Streep en 1995.

— Quand ?

Une plus longue pause.

— L'ambassadeur est au courant ?

J'ai fermé les yeux. Mes doigts se sont crispés en boule.

— Où sont-elles maintenant ?

Seigneur, pitié. Pas un autre cadavre !

— Ouais.

Il a raccroché. Sa main dans mes cheveux est tombée sur mon épaule. Pendant un moment, il s'est contenté de me regarder de ses bons yeux de chien, humides et brillants dans la pénombre de la voiture.

— Chantal Specter ?

Je pouvais à peine poser la question.

Il a hoché la tête.

— Morte ?

— Arrêtée, hier soir à Montréal.

14.

— Elle est vivante ?

Question stupide. Je m'en suis rendu compte en la posant.

— Lucy Gerardi est avec elle.

— Impossible !

— Elles se sont fait arrêter en train de piquer des CD au MusiGo du Faubourg.

— En train de voler ?

Je devais avoir l'air bête mais, vraiment, tout ça n'avait aucun sens !

— Oui. Les Cowboy Junkies.

— Pourquoi ?

— Elles doivent aimer le rock country.

J'ai écarquillé des yeux comme des soucoupes.

— Mais qui les a emmenées à Montréal ?

— Air Canada.

Crétin ! Mais j'ai gardé cette réflexion pour moi.

Galiano a mis le contact et démarré. J'ai effectué le trajet du retour les pieds appuyés contre le tableau de bord, genoux serrés contre ma poitrine. Posture d'autodéfense bien inutile, car la nouvelle avait pulvérisé tous les espoirs amoureux que nous pouvions caresser,

Galiano ou moi. Arrivée à l'hôtel, j'ai sauté de voiture avant même qu'elle se soit immobilisée.

— Appelez-moi dès que vous saurez quelque chose.

— Promis.

Un au revoir de la main entre nos deux visages. J'avais les joues en feu. Galiano, lui, affichait un sourire radieux.

— Vous le ferez ?

— Je n'y manquerai pas.

Trop excitée pour me coucher, j'ai vérifié mes messages à Montréal et à Charlotte. Pierre LaManche avait appelé pour me prévenir qu'on avait découvert à Québec une tête réduite datant des années 1930, à en croire les journaux. Rien d'urgent, donc. En revanche, un torse humain putréfié avait accosté sur la berge du lac des Deux-Montagnes, et lui devait être traité dans les plus brefs délais.

En Caroline du Nord, aucune affaire ne requérait mes services.

Peter disait que Birdie et Boyd allaient très bien.

Katy n'était pas chez elle.

Ryan n'était pas chez lui.

Je me suis autorisée à prendre deux beignets dans la boîte que j'avais cachée dans la kitchenette de ma chambre et je les ai dégustés en regardant CNN.

Un ouragan nommé Armand menaçait la Floride. À Buenos Aires, trois Canadiens avaient été arrêtés pour une arnaque à la Bourse. Une bombe avait tué quatre personnes à Tel-Aviv. Plus de cent voyageurs avaient été blessés dans un accident de train du côté de Chicago, la plupart superficiellement. Pain bénit pour les avocats !

Ensuite bain, traitement pour les cheveux, rasage des

aisselles et des jambes, épilation des sourcils et crème sur tout le corps.

Douce et lisse, je me suis glissée entre mes draps. Mais j'étais toujours aussi abasourdie par la nouvelle. Je savais que le sommeil ne viendrait pas.

Claudia de la Alda était la victime d'un meurtrier opérant à Guatemala. Patricia Eduardo avait des chances d'être la fille de la fosse septique. Chantal Specter et Lucy Gerardi étaient sous les verrous au Canada.

Qu'est-ce qui avait bien pu les attirer à Montréal ? Comment y étaient-elles arrivées sans qu'on les remarque ? Où s'étaient-elles cachées, et pourquoi ?

L'affaire de la fosse septique était-elle liée à celle de Claudia de la Alda, ou ces deux affaires n'avaient-elle rien à voir ? La théorie de Galiano sur un tueur en série serait-elle en train de partir en quenouille ? Qui avait informé Mme de la Alda de l'endroit où se trouvait le corps de sa fille ?

Où était Patricia Eduardo ? Le corps du Paraíso était-il le sien ?

Et qui avait téléphoné à Galiano pour lui annoncer l'arrestation de Chantal Specter ? La nouvelle m'avait à ce point ahurie que j'en avais oublié de lui poser la question.

Galiano...

Je serais volontiers rentrée sous terre. J'avais l'impression d'être une gamine surprise par ses parents en train de se faire tripoter sur le canapé du salon.

Et Ryan, hein ?

Justement, parlons-en, de Ryan !

Nous nous voyions. Nous dînions ensemble, allions voir une exposition, sortions ici ou là, jouions au tennis. Il avait même réussi à m'entraîner au bowling.

Mais étions-nous un couple ?

Non.

Pouvions-nous en devenir un ?

Le jury que je formais à moi toute seule était dans l'embarras.

Où en étions-nous, tous les deux ? Je l'aimais beaucoup, je respectais son intégrité et j'appréciais sa compagnie.

Une vague de chaleur s'est propagée dans mon ventre.

Je le trouvais aussi sacrément sexy.

Alors, pourquoi étais-je attirée par Galiano ?

Nouvelle vague de chaleur.

Du calme, dévergondée !

Ryan et moi étions arrivés à une entente. Enfin, pas vraiment une entente, un accord plutôt. Tacite : tu nc me demandes rien, je ne te demande rien. Politique qui marchait pour les militaires des États-Unis et qui, jusqu'à présent, avait très bien marché pour nous.

En outre, je n'allais pas entamer quoi que ce soit de sérieux avec Galiano.

Finalement, je me suis dit : Regarde les choses du bon côté, ma fille. Tu n'es passée à l'acte ni avec Ryan, ni avec Galiano. Alors, où est le problème ?

Eh bien voilà, il était là, le problème !

Après en avoir débattu encore une demi-heure avec ma libido frustrée, je me suis endormie. Elle aussi.

Le téléphone m'a réveillée alors que je dormais profondément. Une faible lumière filtrait par la fenêtre ouverte derrière les rideaux tirés.

Dominique Specter ! Remontée à bloc.

— Vous êtes au courant ?

— Oui.

Regard en coin vers mon réveil : sept heures douze.

— C'est magnifique. Je ne parle pas du vol, naturellement, mais que Chantal soit vivante.

Voix tendue, haut perchée, avec un accent plus fort que dans mon souvenir. Je me suis assise dans mon lit.

— Mon bébé est vivant.

— Vous savez si Chantal est inculpée d'autre chose que de vol à l'étalage ?

— Non. Nous devons aller la chercher et la ramener à la maison.

Je n'ai pas jugé bon de lui dire qu'un juge aurait peut-être une opinion différente sur la question.

— Si la drogue y est pour quelque chose, je trouverai un autre centre de traitement. Meilleur.

— C'est une bonne idée.

— Nous insisterons.

— Oui.

— Elle vous écoutera, vous.

— Moi ?

Soudain, j'étais complètement réveillée.

— *Mais oui.*

— Je ne vais pas à Montréal.

— J'ai réservé deux billets sur le vol de cet après-midi.

Visiblement, l'ambassadrice n'était pas femme à s'entendre dire non.

— Il m'est totalement impossible de quitter le Guatemala en ce moment.

— Mais j'ai besoin de vous.

— J'ai des engagements ici.

— Je ne peux pas faire ça toute seule.

— Où est M. Specter ?

— Mon mari est à une conférence sur l'agriculture à Mexico.

— Madame Spec...

— Chantal était furieuse, le soir où elle est partie. Elle m'a dit des choses terribles. Qu'elle ne voulait plus jamais me revoir.

— Je suis sûre...

— Et si elle refuse de me parler ?

Emportez du Valium, ai-je pensé. Tout haut j'ai dit :

— Je peux vous rappeler ?

— Je vous en supplie, ne m'abandonnez pas ! J'ai besoin de vous. Chantal a besoin de vous. Vous êtes l'une des seules personnes à connaître la situation.

— Je vais voir ce que je peux faire.

Je n'ai rien trouvé d'autre à dire.

Rejetant mes couvertures, j'ai balancé mes jambes hors du lit.

Comment se faisait-il que l'ambassadeur ne se précipite pas pour retrouver sa fille et son épouse ?

J'ai filé dans la kitchenette. J'ai grignoté un beignet tout en regardant le café passer. J'ai renversé du sucre en poudre et je l'ai ramassé du bout de mon doigt humecté de salive.

À Montréal, je pourrais voir Ryan.

Et puis LaManche voulait avoir mon opinion sur le torse trouvé au lac des Deux-Montagnes. Il avait même dit que c'était urgent.

Oui mais les squelettes de Chupan Ya m'attendaient à la FAFG. Cela dit, ces victimes étaient mortes depuis près de vingt ans. Ma présence ici était-elle aussi indispensable qu'aux côtés de LaManche ? D'un autre côté, depuis que Carlos était mort et Molly à l'hôpital, Mateo manquait de personnel. Il pourrait quand même se passer de moi pendant un ou deux jours, non ?

Je me suis rempli un bol de café et j'ai ajouté du lait.

Vision du corps dans le ravin. Claudia de la Alda

n'avait que dix-huit ans. La tristesse s'est abattue sur moi.

Image suivante : les os extraits de la fosse septique. La culpabilité m'a submergée, et très vite, la frustration : plus nous nous donnions de mal, avec Galiano, moins nous obtenions de résultats.

Il fallait agir. Faire quelque chose de concret.

Obtenir un avis sur les poils de chat.

Huit heures moins vingt à mon réveil.

Et récupérer autre chose, aussi. Angelina Fereira était-elle parvenue à s'acquitter de la tâche que je lui avais confiée ?

Encore deux beignets dans la boîte. Combien de calories ça faisait ? Un million, deux millions ? Oui, mais demain, ils seraient rassis.

Le voyage à Montréal ne durerait que quelques jours. Dès que j'aurais réconcilié la mère et la fille, je reviendrais dare-dare ici pour m'occuper des victimes de Chupan Ya.

J'ai fait un sort aux beignets et bu tout le café. Nouvelle étape : la salle de bains.

À huit heures, j'ai appelé mon labo à Montréal et demandé la section d'ADN. Robert Gagné a décroché. Je lui ai raconté l'affaire du Paraíso et expliqué ce que j'attendais de lui. Ça ne lui a pas paru irréalisable. Si je lui remettais mon échantillon de la main à la main, il l'analyserait même en priorité.

Ensuite, Minos. Il a promis de me préparer un paquet avec les poils de chat. Dans une heure, je pourrais passer le prendre.

Après, la morgue centrale. Le Dr Fereira avait bien fait ce que je lui avais demandé.

Puis Susanne Jean à la RP Corporation, à Saint-

Hubert. Même récit qu'à Robert Gagné. Selon elle, ça devrait marcher.

Mateo, maintenant. Réponse : « Prenez tout le temps qu'il vous faudra. »

En dernier lieu Galiano. Même réaction que le précédent.

Terminés, les coups de téléphone. Mme l'ambassadrice s'était trouvé une dame de compagnie pour le voyage. Espérons que, dans son sillage, celle-ci passerait sans encombre les douanes guatémaltèques !

Angelina Fereira était en plein examen d'une victime de l'accident d'autocar quand je suis entrée dans la salle d'autopsie. L'homme sur la table avait la tête et les bras carbonisés et l'abdomen béant comme une bouche peinte par Bacon. Sur la table à côté, la pathologiste, armée d'un grand couteau plat, était en train de découper le foie sur un plateau.

— *Un momento*, a dit Angelina sans relever la tête.

Elle a examiné attentivement ses coupes transversales avant d'y prélever trois bandes qu'elle a laissées tomber dans un flacon rempli d'une solution. Le tissu a sombré au fond et s'est trouvé une place parmi ses amis : morceaux de poumon, d'estomac, de rate, de rein et de cœur.

— Vous autopsiez tout le monde ?

— Autopsie externe des passagers. Mais lui, c'est le chauffeur.

— Vous avez gardé le meilleur pour la fin ?

— La plupart des victimes sont tellement brûlées qu'on ne peut pas les identifier en toute certitude. Lui, il a été trouvé hier.

Elle a retiré son masque et ses gants, s'est lavé les mains et s'est dirigée vers la porte battante en me faisant signe de la suivre. Elle m'a conduite par un morne couloir jusqu'à un petit bureau sans fenêtre. Ayant refermé la porte, elle a retiré une grande enveloppe brune d'une vieille armoire métallique.

— Un radiologiste du Centro Médico me devait un service. (Elle avait parlé en anglais.) J'ai dû lui inventer un sacré bateau pour qu'il accepte de me faire les scans.

— Merci.

— J'ai sorti le crâne en catimini, mardi, après le départ de Lucas. Sinon, il m'en aurait empêchée.

— S'il y a une fuite, ça ne viendra pas de moi.

— C'est une bonne chose qu'on ait fait ça.

— Que voulez-vous dire ?

Fereira a extrait un des nombreux clichés de l'enveloppe. Il comportait seize scans CT[1] du crâne trouvé dans la fosse septique, chacun reproduisant une tranche de cinq millimètres d'épaisseur. Levant le cliché vers le plafonnier, elle a désigné sur la neuvième image un petit grumeau blanc qui grandissait et changeait de forme sur les images suivantes pour diminuer et disparaître complètement à la quatorzième.

— J'avais repéré quelque chose dans l'ethmoïde et je m'étais dit que ça pourrait être intéressant. Ce matin, après votre coup de téléphone, j'ai voulu aller vérifier. Plus de crâne. Rien. Tout avait été emporté.

— Où ça ?

— À l'incinérateur.

— Après deux semaines seulement ? !

1. Examen invasif impliquant une irradiation minimale. Le scan CT utilise un équipement à rayon X spécial pour obtenir des informations du corps entier sous différents angles, informations qui sont traitées ensuite de façon à recréer une image en tranches des différents tissus et organes. *(N.d.T.)*

J'étais estomaquée.

Fereira a hoché la tête.

— C'est la procédure habituelle ?

— On manque d'espace, vous voyez bien. Même en temps normal, on ne peut se permettre le luxe de conserver longtemps des inconnus. L'accident d'autocar a été la goutte d'eau... Mais une semaine, ce n'est quand même pas banal, a-t-elle ajouté d'une voix plus basse.

— Qui a signé l'autorisation ?

— J'ai essayé de savoir. Impossible.

— Et bien sûr, le formulaire a été égaré.

— Le technicien jure qu'il l'a remis dans le panier de classement après l'incinération. Mais il reste introuvable.

— Une hypothèse ?

— Ouais.

Elle a rangé le cliché et m'a remis l'enveloppe.

— *Vaya con Dios.*

À douze heures cinquante-sept, j'étais assise, ceinture attachée, dans un fauteuil de première classe d'un vol American Airlines pour Miami. À côté de moi, Dominique Specter tambourinait sur son accoudoir. Les scans du Dr Fereira étaient dans la serviette fermée à clef à mes pieds, en compagnie des échantillons de poils de chat.

Mme Specter n'avait pas cessé de parler pendant le trajet en limousine ni pendant l'attente dans le salon des premières. Elle avait décrit Chantal, raconté des anecdotes d'enfance, jonglé avec les théories susceptibles 'expliquer les problèmes de sa fille, envisagé des solutions pour l'avenir. Elle était comme un DJ entre deux morceaux de musique : terrifiée par le silence.

Comprenant que son babillage servait surtout d'exutoire à sa tension, je me cantonnais à des onomatopées rassurantes sans véritablement prendre part à la conversation. De toute façon, elle se fichait totalement de mes réponses.

Dans l'avion, le flot verbal de Mme Specter s'est tari. Elle a sombré dans le mutisme. Nous étions en bout de piste, prêts à décoller. Elle a serré les lèvres, posé sa tête sur le haut du fauteuil et fermé les yeux. Quand nous avons atteint l'altitude de croisière, elle a sorti un *Paris Match* de son sac et s'est mise à le feuilleter.

Le bavardage a repris pendant l'escale à Miami pour s'éteindre de nouveau pendant le vol vers Montréal. Soupçonnant qu'elle avait peur en avion, j'ai continué de la laisser diriger les débats à sa façon.

Voyager en compagnie de l'épouse d'un ambassadeur présente des avantages certains. À vingt-deux heures trente-huit, heure de l'atterrissage, des hommes en civil nous ont fait franchir la douane, et à onze heures tapantes, une limousine nous emportait.

Durant tout le trajet jusqu'au centre-ville puis jusqu'à la rue Sainte-Catherine, Mme Specter a prolongé son silence. Peut-être se forçait-elle au calme. Peut-être aussi que le fait de se retrouver dans son pays l'apaisait.

Le chauffeur s'est arrêté devant mon immeuble, puis est sorti de voiture.

Au moment où je prenais ma serviette, Mme Specter a saisi ma main. Ses doigts étaient froids et moites comme de la viande laissée au réfrigérateur.

— Merci, m'a-t-elle dit d'une voix presque inaudible.

J'ai entendu le grincement du coffre qui s'ouvrait et son claquement sourd lorsque le chauffeur l'a refermé.

— Tant mieux si je peux servir à quelque chose.

Elle a poussé un profond soupir.

— Vous n'imaginez pas à quel point.

Ma portière s'est ouverte.

— Faites-moi savoir quand nous pourrons voir Chantal. J'irai avec vous.

J'ai posé ma main sur la sienne. Elle l'a serrée, puis embrassée.

— Merci. (Elle s'est redressée, puis elle a demandé :) Voulez-vous que Claude vous aide jusque chez vous ?

— Non, non, ça ira très bien.

Claude m'a accompagnée jusqu'en haut des marches et a attendu que je glisse ma clef dans la serrure de la porte du hall. Je l'ai remercié. Il a incliné la tête et déposé ma valise à mes pieds. Il est retourné à la limousine.

J'ai regardé l'ambassadrice se fondre dans la nuit.

15.

Le lendemain, dès sept heures du matin, je dévorais l'asphalte du tunnel Ville-Marie. Tout autour de moi, les entrailles de Montréal étaient aussi moroses que mon humeur. Au-dessus de ma tête, la ville bâillait et s'ouvrait à la vie.

Le Québec était la proie d'une vague de chaleur, rare en cette saison. La veille, quand j'étais arrivée chez moi aux alentours de minuit, le thermomètre du patio dépassait les vingt-cinq degrés. À l'intérieur de l'appartement, il devait faire dans les deux cent cinquante. Et comme de juste, l'air conditionné se fichait pas mal que j'aime dormir au frais. Dix minutes de manipulation des boutons et de coups sur l'appareil entrecoupés de jurons bien sentis ne l'avaient pas convaincu de se mettre au travail. Trempée comme une soupe et d'humeur massacrante, j'avais fini par m'écrouler sur mon lit, toutes fenêtres ouvertes.

Les types qui traînaient dans la rue s'étaient montrés tout aussi indifférents à mon confort et à mon besoin de sommeil. Ils étaient bien une douzaine à faire la fête dans l'arrière-cour d'une pizzeria à dix mètres de chez moi. Mes hurlements n'avaient pas gâché leur bonne humeur. Menaces ou malédictions, rien n'y avait fait.

J'avais mal dormi, me tournant et me retournant sous les draps collants, réveillée plusieurs fois par des rires, des chansons ou des cris de colère. J'avais accueilli l'aube avec un tambour dans le cerveau.

Les services du coroner et le laboratoire de sciences judiciaires et de médecine légale se trouvent dans un bâtiment en forme de T de treize étages, en verre et béton, à l'est de Centre-ville. Il est surnommé depuis des décennies la SQ, par déférence envers son principal occupant, la police provinciale, dite Sûreté du Québec.

Il y a plusieurs années de cela, le gouvernement de la Belle Province a injecté des millions de dollars dans le développement de la police et des sciences judiciaires. Après une rénovation totale du bâtiment, le LSJML s'est vu offrir deux étages, les douzième et treizième, autrefois occupés par la maison d'arrêt. Au cours d'une cérémonie officielle, la tour a été baptisée édifice Wilfrid-Derome. Mais les vieilles habitudes ont la vie dure, la plupart des gens continuent de dire : la SQ.

Émergeant du tunnel au niveau de la brasserie Molson, je suis passée sous le pont Jacques-Cartier, j'ai foncé sur la rue de Lorimier et tourné à droite dans un quartier où rien n'est beau, ni les rues ni les gens. Maisons à trois étages avec des cours grandes comme un timbre-poste et des escaliers de fer en spirale sur la façade ; églises en pierres grises avec des flèches argentées, *dépanneurs*[1] aux coins des rues, vitrines d'entreprises. Et, dominant le tout, le Wilfrid-Derome, alias la SQ.

Après dix minutes d'exploration minutieuse, j'ai

1. Petites épiceries-bazars ouvertes tard le soir. *(N.d.T.)*

dégotté une place de stationnement apparemment autorisée sans permis spécial. Une erreur du système, assurément. J'ai vérifié par deux fois les restrictions selon le mois, le jour et l'heure avant d'effectuer la manœuvre et je suis partie pour la SQ, lestée de ma serviette et de mon ordinateur portable.

Un flot d'enfants s'écoulait vers l'école voisine par groupes de deux ou trois, comme des fourmis convergeant sur une barre en chocolat en train de fondre. D'autres, arrivés en avance, jouaient déjà au ballon dans la cour, sautaient à la corde ou se pourchassaient. Une petite fille regardait à travers la grille de fer forgé, les deux mains accrochées aux montants, comme l'enfant à Chupan Ya. Elle m'a suivie des yeux, le visage dénué d'expression. Elle allait passer les huit heures suivantes enfermée dans une salle de classe surchauffée. L'été et la liberté ne viendraient pas avant un mois entier. Je ne l'ai pas enviée.

Cela dit, la journée qui m'attendait n'était pas plus enviable que la sienne : des heures en tête à tête avec un crâne momifié et un torse décomposé.

Quant à ce rôle de médiateur que j'allais devoir tenir entre Chantal et sa mère, il ne me réjouissait pas davantage. C'était un de ces matins où on regrette de ne pas être employé à la compagnie du téléphone.

Congés payés. Avantages sociaux conséquents. Et pas de cadavres.

Quand j'ai atteint la SQ, j'étais en nage. Ce mélange, dès le matin, de pollution et d'odeurs de brasserie n'était pas fait pour soulager les vaisseaux de mon crâne fatigué. J'avais l'impression que son contenu était nettement supérieur à sa capacité et que tout poussait pour sortir.

Surtout, je n'avais pas bu mon café du matin, mes

placards étant désespérément vides. Tout le temps qu'a duré la vérification par le scanner de mon badge d'accès à l'immeuble, mon passage sous le portique de sécurité, mon attente au pied de l'ascenseur, la lecture par le boîtier de contrôle de ma carte d'accès au labo et mon ascension jusqu'au douzième étage, mes lèvres n'ont cessé de répéter : Café !

Dernier obstacle, les portes en verre. Enfin, j'ai pénétré dans l'aile médico-légale.

Sur le côté droit du couloir, une succession de bureaux. Microbiologie. Histologie. Pathologie. Anthropologie/Odontologie. En face, les labos correspondants, avec des cloisons pleines jusqu'à mi-hauteur puis vitrées jusqu'au plafond, afin de maximiser la visibilité sans pour autant compromettre la sécurité.

Sept heures trente-cinq à ma montre. Pas âme qui vive. J'allais avoir presque une demi-heure pour moi, la plupart des assistants – techniciens et personnel administratif – ne commençant qu'à huit heures.

Sauf Pierre LaManche, bien sûr. Depuis dix ans que je travaille au LSJML, notre directeur de la section médico-légale n'est jamais arrivé après sept heures du matin, ni reparti avant que tout le monde ait vidé les lieux. Réglé comme une Timex, le patron.

Et, par ailleurs, une énigme. Chaque année, il prend trois semaines de congé en juillet et une semaine à Noël. Ce qui ne l'empêche nullement d'appeler tous les jours le labo pour travailler à partir de chez lui. Il ne voyage pas, ne fait pas de camping, ne jardine pas, ne pêche pas, ne joue pas au golf. Personne ne lui connaît de passe-temps. Quand on l'interroge sur ses vacances, il refuse poliment d'en discuter. Personne ne lui pose plus de questions.

Mon bureau est le dernier d'une série de six, juste

en face du labo d'anthropologie. Ma porte requiert une clef spéciale.

Ma table disparaissait sous une montagne de papiers. J'y ai ajouté mon ordinateur et ma serviette, puis j'ai attrapé ma tasse pour foncer vers la salle du personnel.

Comme prévu, la porte de LaManche était la seule ouverte. Au retour, j'ai passé la tête à l'intérieur.

Il a levé les yeux par-dessus les demi-lunes qui terminaient son nez. Long, ce nez ; longues, les oreilles. Et long le visage parcouru de longs plis verticaux. Un cheval affublé de lunettes.

— Temperance !

Seul LaManche m'appelle par mon nom entier. Dans son français ciselé, la dernière syllabe a rimé avec « sconce ».

— *Comment ça va* ?*

Je l'ai rassuré sur mon état de santé.

— Entrez donc, je vous prie, et prenez place.

De sa grande main tachetée, il a désigné les deux fauteuils en face de son bureau.

— Merci.

J'ai posé mon café en équilibre sur l'accoudoir.

— Comment était le Guatemala ?

Comment résumer Chupan Ya ?

— Difficile.

— À bien des niveaux, j'imagine ?

— Oui.

— La police guatémaltèque se réjouissait de collaborer avec vous.

— Tout le monde ne partageait pas son enthousiasme.

— Comment cela ?

— Vous voulez le détail ou les grandes lignes ?

Il a laissé tomber ses demi-lunes sur le bureau et

s'est calé dans le fauteuil. Je lui ai raconté la récupération au Paraíso et les efforts de Díaz pour m'empêcher de travailler.

— Pourtant ce monsieur n'a pas émis d'objection à ce que vous participiez à l'affaire Claudia de la Alda ?

— Il ne s'est même pas montré.

— A-t-on des suspects pour ce meurtre-là ?

J'ai secoué la tête.

— Si je vous ai bien comprise, il ne reste plus qu'une seule disparue, puisque la fille de l'ambassadeur et son amie sont ici.

— Oui, Patricia Eduardo.

— Et il y a aussi l'inconnue de la fosse septique.

— Il n'est pas impossible que les deux ne fassent qu'une.

Ma frustration devait se lire sur mon visage, car il m'a réconfortée :

— Vous n'aviez aucun pouvoir d'arrêter ce Díaz.

— Quand même, j'aurais dû faire un examen plus approfondi avant son retour.

Nous avons tous deux gardé le silence pendant un moment. J'ai fini par le rompre :

— Enfin, j'ai quand même quelques idées.

Je lui ai parlé des échantillons de poils de chat.

— Qu'espérez-vous en tirer ?

— Une analyse qui pourrait se révéler utile dès qu'on aura un suspect.

— Oui.

Plutôt réservé, le oui. J'ai insisté :

— Dans les meurtres d'enfants à Atlanta, ce sont les poils de chien qui ont permis d'inculper Wayne Williams.

— Ne montez pas sur vos grands chevaux, Temperance. Je suis d'accord avec vous.

J'ai remué le sucre dans mon café.

— Cela ne servira peut-être à rien.

— Si M. Gagné est disposé à analyser ces poils, pourquoi pas ?

Je lui ai exposé ensuite ce que je comptais faire à partir des scans.

— Cela me paraît plus prometteur.

Moi aussi, j'espérais que ça donnerait des résultats.

— Vous avez trouvé les demandes que j'ai laissées sur votre bureau ?

Il se référait au formulaire intitulé « Demande d'expertise en anthropologie » qui m'est adressé pour chaque cas avant tout examen. Rempli par le pathologiste chargé du cas, il indique les diverses analyses réclamées, le nom des spécialistes assignés pour chacune et donne un aperçu des éléments de l'enquête déjà connus.

— La tête réduite n'est pas forcément celle d'un homme, a précisé LaManche. De toute façon, elle ne semble pas provenir de quelqu'un mort récemment. Le torse, c'est une autre histoire. Commencez par lui, voulez-vous ?

— Vous avez des suppositions ?

— Ce pourrait être un petit trafiquant de drogue dans l'ouest du Québec, qui s'est récemment mis à son compte. Un certain Robert Clément.

— Et il a oublié de verser sa dîme aux Hell's Angels, je suppose ?

LaManche a hoché la tête.

— Il a disparu peu après son arrivée à Montréal, au début du mois. Sa disparition a été signalée il y a dix jours.

J'ai haussé des sourcils étonnés. En général, les

motards évitent d'attirer l'attention des représentants de la loi.

— Un appel anonyme émanant d'une femme, a précisé mon patron.

— Je m'y mets tout de suite.

De retour dans mon bureau, j'ai appelé Susanne Jean. Pas encore arrivée à l'usine. J'ai laissé un message.

Ensuite, j'ai emporté l'échantillon du Paraíso à la section d'ADN. Robert Gagné a écouté ma requête tout en faisant cliqueter son stylo-bille d'un air distrait.

— Le problème est intrigant.

— N'est-ce pas ?

— Je n'ai encore jamais fait de chat.

— L'occasion ou jamais d'entrer dans la postérité.

— Chez les félins, c'est le roi de la double hélice.

— La place est libre.

— Hélice de Félix... Pas mal comme nom pour ce projet, vous ne trouvez pas ?

Ça m'a fait tout drôle d'entendre en français le nom du célèbre chat du dessin animé.

— Je dois conserver une partie de l'échantillon ? a demandé Gagné en prenant le récipient en plastique que m'avait remis Minos.

— Vous pouvez tout utiliser. Ils en ont encore, au Guatemala.

— Ça vous ennuie si je joue un peu avec, pour tester différentes techniques ?

— Faites joujou autant que ça vous amusera.

Nous avons signé les formulaires de suivi de scellés, et je me suis dépêchée de retourner dans mon bureau. Je devais encore tamiser le courrier empilé sur mon sous-main avant mon entrevue avec le crâne et le torse.

J'ai réduit l'entreprise à son strict minimum : ayant soustrait de la pile les demandes d'expertise signées par LaManche, je suis partie à la pêche aux post-it roses – avis d'appels téléphoniques. Le reste du tas a été poussé sur le côté. J'espérais un message de Ryan, du genre : « Bienvenue, bon retour, heureux de te savoir rentrée. » À la maison, il n'y avait rien sur mon répondeur.

Coups de fil d'enquêteurs, d'étudiants, de journalistes. Un procureur avait appelé quatre fois. Ryan, pas une.

Sympa ! Pourtant il savait forcément que j'étais là. Car il avait ses sources, le grand Sherlock.

Le mal de tête tourbillonnait derrière mon œil droit.

Les demandes d'expertise à la main, j'ai enfilé ma blouse. J'étais presque arrivée à la porte du bureau quand mon téléphone a sonné.

Dominique Specter.

— *Il fait une de ces chaleurs* !*

— Terrible, ai-je renchéri en parcourant des yeux l'un des papiers de mon patron.

— Il semblerait qu'on dépasse tous les records, aujourd'hui.

— Oui.

Réponse distraite. La tête réduite avait été trouvée dans une malle. Des dents très usées et une corde autour de la langue, signalait LaManche.

— La chaleur paraît toujours tellement plus forte en ville. J'espère que vous avez l'air conditionné.

— Oui, ai-je répondu, préoccupée par un sujet autrement plus macabre.

— Je ne vous interromps pas ?

— J'ai été absente pendant presque trois semaines.

— Naturellement. Excusez-moi de m'imposer dans

votre emploi du temps. (Longue pause pour exprimer toute l'étendue de sa contrition.) Nous pouvons voir Chantal à une heure.

— Où ça ?

— Dans un commissariat de police de la rue Guy, près du boulevard René-Lévesque.

Op-sud. Tout près de chez moi.

— Voulez-vous que nous passions vous prendre ?

— Je vous retrouverai là-bas.

Je n'avais pas reposé le combiné que le téléphone sonnait à nouveau : Susanne Jean. Prise toute la matinée avec des ingénieurs de chez Volvo et déjeuner d'affaires chez Bombardier, mais pouvait me voir dans l'après-midi. Nous sommes tombées d'accord pour trois heures.

Dans mon labo, j'ai préparé un dossier pour chacune des deux affaires. La demande d'expertise relative au torse indiquait : Sexe : masculin. Âge : adulte. Parties manquantes : bras, jambes, tête. État : décomposition avancée. Lieu de la découverte : bassin technique du lac des Deux-Montagnes. Coroner : Leo Henry. Pathologiste : Pierre LaManche. Officier d'investigation : Andrew Ryan, lieutenant-détective à la Sûreté du Québec.

Tiens, tiens.

Les restes se trouvaient à la morgue. J'ai pris l'ascenseur réservé au personnel autorisé, et introduit ma carte. Trois arrêts : LSJML. Coroner. Morgue. J'ai appuyé sur le bouton du bas.

Sous-sol, autre secteur d'accès restreint. À gauche, les salles d'autopsie. Trois d'entre elles avec une seule table ; la quatrième, plus grande, en contenait deux. Enfin, une pièce centrale.

À travers le carreau de la porte, j'ai reconnu Lisa à ses longs cheveux bouclés retenus par une barrette. Notre jolie technicienne a la trentaine, une bouche toujours prête à sourire et trente-six dents parfaites. C'est la chouchoute incontestée de tous les enquêteurs. La mienne aussi parce qu'elle préfère parler anglais.

Ce qu'elle a fait en me reconnaissant dès qu'elle s'est retournée au bruit de la porte.

— Je vous croyais au Guatemala.

— Je ne suis là que pour quelques jours.

— R et R ? (Comprendre : repos et récréation.)

— Pas exactement. Je voudrais jeter un œil au torse de LaManche.

— Dr Brennan, voyons ! Un homme de soixante-quatre ans ! s'est-elle écriée avec la grimace idoine.

— Que voulez-vous, un comédien se cache en chacun de nous.

— Enregistré à la morgue sous le numéro ?

Ce numéro, inscrit sur la demande, permet de savoir dans quelle armoire le corps est conservé. Je l'ai lu à haute voix.

— Salle 4 alors, a déclaré Lisa.

— Après vous.

Elle a disparu derrière une porte à double battant donnant sur l'une des cinq travées de la morgue. Chacune comporte quatorze compartiments frigorifiés fermés par des portes en acier sur lesquelles est collée une étiquette blanche mentionnant les références de l'occupant. Étiquette rouge en cas d'HIV positif.

Équipée d'une ventilation spéciale, la salle 4 récupère les cadavres gorgés de flotte ou grillés comme des biscottes. C'est celle où je travaille le plus souvent.

Je venais tout juste de passer mes gants et d'attacher

mon masque que Lisa a émergé des portes battantes en poussant une civière.

À peine ai-je ouvert le sac qu'une puanteur s'est répandue dans l'air.

— Je crois qu'il a son compte.

— Il n'en redemandera plus.

Aidée de Lisa, j'ai transféré le torse sur la table de dissection. Bien que gonflées et déformées, les parties génitales étaient intactes.

— Bravo, madame, un garçon !

Lisa Lavigne jouant les infirmières de maternité.

J'ai pris des notes tandis qu'elle sortait les radios ordonnées par LaManche. Arthrose vertébrale, les quatre membres réduits à l'état de tronçons mesurant moins de quinze centimètres.

Au moyen d'un scalpel, j'ai retiré les chairs recouvrant le sternum. Lisa a mis en marche une scie oscillante pour effectuer une coupe à hauteur des troisièmes, quatrièmes et cinquièmes côtes. Même opération pour le bassin : après dissection des chairs, nous avons mis à nu la partie avant à l'endroit où les deux moitiés se rejoignent en formant une ligne.

Les six côtes et les symphyses pubiennes présentaient une porosité et une excroissance osseuse manifestes. Ce type était vraisemblablement sur terre depuis pas mal d'années.

Son sexe m'était indiqué par ses organes génitaux. Son âge me serait révélé par l'extrémité de ses côtes et par ses symphyses. Pour l'ascendance, ce serait plus compliqué.

La couleur de la peau n'est pas significative puisqu'elle peut foncer, éclaircir ou carrément changer *post mortem* selon les conditions de conservation. Ce monsieur avait choisi pour camouflage un brun chiné de vert. Certes, il existe bien des moyens d'estimer la race, des mesures à prendre sur l'arrière du crâne ou sur les fémurs par exemple, mais en l'absence de tête et de membres, tintin. Découvrir la race du propriétaire de ce torse serait quasi impossible.

J'ai commencé par libérer la cinquième vertèbre cervicale, la plus haute de celles encore attachées au torse. Puis j'ai écarté la purée de chair qui recouvrait les tronçons de membres gauches et droits de façon à ce que Lisa prélève un échantillon sur chacun, tout au bout des humérus et des fémurs brisés.

Bords nettement ébréchés et stries profondes en forme de L sur toute la surface découpée. *A priori*, emploi d'une tronçonneuse.

Après avoir remercié Lisa pour son aide, je suis remontée au douzième étage remettre les échantillons à Denis, le technicien de labo. Il les ferait tremper et les débarrasserait délicatement des résidus de chairs et de cartilages. D'ici quelques jours, les spécimens seraient prêts pour l'analyse.

Dans mon bureau, sur le rebord de la fenêtre, il y a une pendule marquée McGill qui m'a été offerte par l'association des anciens élèves en remerciement pour ma participation à une conférence. À côté, se trouve un cadre avec une photo de Katy et de moi, prise un été aux Outer Banks [1]. C'est la première chose que j'ai vue en entrant dans mon bureau après la dissection. Comme toujours, elle a aussitôt déclenché en moi une sensation de douleur, immédiatement suivie d'un sentiment d'amour si fort qu'il en était presque douloureux, lui aussi.

1. Cordon d'îles le long de la côte de Caroline du Nord. *(N.d.T.)*

Pour la millionième fois, je me suis demandé pourquoi cette photo me mettait dans un tel état. Sentiment d'abandon ? Culpabilité pour mes nombreuses absences ? Peine pour mon amie assassinée ? On avait placé cette photo dans sa tombe. C'est moi qui l'avais découverte près de son corps, et je me souviens qu'en la voyant, j'avais été prise de panique puis de rage. Aujourd'hui, j'ai pensé au type qui avait tué mon amie. Continuait-il de focaliser sur moi, dans sa prison ?

Pourquoi avais-je conservé cette photo ? Et pourquoi ici ?

J'étais incapable de le dire.

Mais peut-être comprenais-je, tout de même, quelque part dans mon inconscient. Au milieu de cette folie meurtrière qui est mon lot quotidien, au milieu de ces mutilations et de ces autodestructions qui me laissent chaque fois le cœur engourdi, cette photo craquelée aux couleurs passées me rappelle que je suis douée de sentiments. Voilà pourquoi, d'une année sur l'autre, elle demeure sur l'appui de ma fenêtre.

Midi quarante-cinq sur la pendule McGill. Je n'avais pas une minute à perdre.

16.

Dehors, l'air était lourd et poisseux. La brise qui venait du Saint-Laurent avait évacué les odeurs de brasserie pour apporter celles du fleuve, ce qui n'était pas vraiment un soulagement. Pendant que je marchais jusqu'à ma voiture, une mouette dans le ciel a salué l'arrivée intempestive de l'été. À moins que ce ne soient des cris de protestation, au contraire.

Au Québec, les forces de l'ordre sont organisées selon un schéma assez compliqué. La SQ supervise toutes les instances qui ne relèvent pas des municipalités, et il y en a plusieurs à l'intérieur du grand Montréal. L'île elle-même est sous le contrôle de la police de la Communauté urbaine de Montréal, la CUM, laquelle est divisée en quatre secteurs intitulés : Opérations du nord, du sud, de l'est et de l'ouest. Appellation certes peu originale, mais qui présente l'avantage de coller à la géographie. Chaque secteur possède son propre bâtiment où sont regroupés les départements d'investigation, d'interposition et d'analyses, ainsi qu'un centre de détention provisoire.

C'est là que les suspects arrêtés pour des crimes autres que le meurtre et l'agression sexuelle attendent d'être déférés devant un juge. Ayant été interpellées pour vol, rue Sainte-Catherine, au magasin MusiGo du centre commercial Le Faubourg, Chantal Specter et Lucy Gerardi étaient détenues à l'Op-sud.

L'Op-sud présente la même variété humaine que le secteur de ville très étendu qui se trouve sous son contrôle. Si le français et l'anglais y sont les langues prédominantes, on y parle également le grec, l'italien, le libanais, le chinois, l'espagnol, le parsi et une douzaine de dialectes. Outre le quartier où j'habite moi-même, l'Op-sud supervise l'université McGill, le night-club Wanda, les assurances Sun Life, le pub Hurley's, la cathédrale Marie Reine-du-Monde et le magasin de préservatifs de la rue Crescent.

Cette partie de la ville regroupe aussi bien des séparatistes que des fédéralistes, des trafiquants de drogue que des banquiers, des veuves richissimes que des étudiants sans le sou. Cour de récréation pour les fans de hockey comme pour les célibataires en mal de rencontre, lieu de travail pour un bon nombre de banlieusards, c'est aussi un lit pour les SDF qui cuvent sur les trottoirs leur dose d'alcool quotidienne. Pour moi, c'est la scène de crime de bien des enquêtes auxquelles j'ai participé au fil des années.

Refaisant en sens inverse le trajet du matin, j'ai emprunté le tunnel vers l'ouest et suis sortie à Atwater. Là, j'ai pris la rue Saint-Marc vers le nord et tourné une première fois à droite dans la rue Sainte-Catherine, puis une deuxième fois dans la rue Guy. Passant à quelques mètres de chez moi, j'ai bien regretté de ne pouvoir m'y arrêter au lieu de me rendre à l'Op-sud.

Tout en roulant, je pensais aux parents des deux prévenues : au señor Gerardi, le père de Lucy, un monsieur arrogant et dominateur, et à sa mère terrorisée ; à Dominique Specter et à ses yeux colorisés, et à l'ambassadeur, ce perpétuel absent. Ces deux couples étaient les chanceux de l'histoire, leurs filles étaient vivantes. Alors que la señora Eduardo était toujours aux quatre cents coups, à se demander ce qui avait bien pu arriver à Patricia. Quant aux de la Alda, ils devaient être anéantis par la mort de Claudia et peut-être aussi écrasés de culpabilité pour n'avoir pas su prévenir la tragédie.

Sur le parking de l'Op-sud, je me suis garée entre deux voitures de police. Claude, le chauffeur des Specter, était appuyé contre le flanc de sa Mercedes, les bras croisés sur la poitrine. À mon passage, il a incliné la tête.

J'ai emprunté la porte principale et suis allée me faire identifier auprès de l'agent au comptoir, en lui exposant l'objet de ma visite. La femme a vérifié que c'était bien moi sur la photo et fait courir son doigt le long d'une liste. Satisfaite, elle a relevé la tête.

— L'avocat et la mère sont déjà là. Laissez vos affaires ici.

J'ai déposé sur le comptoir le sac que j'avais à l'épaule. Elle l'a rangé dans un casier et a gribouillé quelque chose dans un registre qu'elle a tourné vers moi.

Pendant que j'y consignais l'heure et mon nom, elle a décroché un téléphone et prévenu quelqu'un de mon arrivée. Quelques instants plus tard, une collègue s'est encadrée dans la porte métallique verte à ma gauche. Ayant promené sur moi son détecteur de métaux, elle m'a fait signe de la suivre le long d'un couloir éclairé au néon, sous des caméras au plafond qui enregistraient tous nos mouvements.

Droit devant moi, le dessoûloir et sa kyrielle de pochetrons, les uns écroulés sur les bancs et endormis, les autres accrochés aux barres de fer. Après le bloc, une seconde porte en fer du même vert que la précédente et, au-delà, les cellules. En face du dessoûloir, un comptoir placé devant un treillis en bois – le vestiaire destiné aux prisonniers entrants. Prison standard.

Nous sommes passées devant une série de portes marquées ENTREVUE DÉTENU. De mes visites précédentes, je savais que toutes donnaient sur un box minuscule comportant un téléphone mural, un tabouret boulonné au sol et, le long du mur du fond, un comptoir surmonté d'une fenêtre par laquelle on apercevait le box identique situé de l'autre côté. Je savais aussi que les conversations avaient lieu à travers cette vitre en plexiglas au moyen du téléphone.

Mais cela, c'était pour les détenus de base, pas pour la progéniture d'un ambassadeur.

En effet, nous avons dépassé les parloirs et nous sommes arrêtées devant une porte marquée ENTREVUE AVOCAT. La gardienne m'a fait signe d'entrer. Je n'avais jamais pénétré dans ces salles réservées aux entretiens avec les avocats. Allais-je y trouver des chaises en cuir rouge ? Des verres de fine ?

Plus grande que celle réservée aux fiancés et aux parents des détenus, la salle était tout aussi sévère. Outre le téléphone, le mobilier se composait en tout et pour tout d'une table et de chaises en fer.

Autour de la table étaient assis Mme Specter, sa fille et un monsieur à l'imposante bedaine, l'avocat selon toute apparence. Presque aussi haut que large, il avait le crâne serti d'une couronne de cheveux gris qui rebiquaient sur le col de son costume à vingt mille dollars, découvrant au sommet de sa tête un rond rose et brillant comme son visage. Palette estivale pour Mme l'ambassadrice : tailleur écru, bas blanc cassé, escarpins laissant apparaître les orteils. Ses boucles cuivrées étaient retenues par un serre-tête doré, parsemé de fines petites perles.

Un bref sourire crispé à mon adresse, et le masque Estée Lauder a repris ses pleins droits.

— Dr Brennan, permettez-moi de vous présenter Ihor Lywyckij.

Ledit s'est levé à moitié et m'a tendu une main. Ses traits portaient la marque d'années d'alcool et de nourriture trop riche. Ils ont quand même eu droit à mon plus beau sourire. La poignée de main, flasque, méritait un 4 sur 20.

— Tempe Brennan.

— Enchanté.

— M. Lywyckij représentera Chantal.

— Avec lui, j'suis aidée... S'iou plaît, m'sieur, m'envoyez pas en cabane.

La voix de Chantal débordait de sarcasme.

Je me suis tournée vers elle. Assise, les jambes allongées et les mains enfoncées dans les poches de son gilet en jean, la fille de l'ambassadeur gardait les yeux fixés au sol.

— Chantal, n'est-ce pas ?

— Non, c'te conne de Blanche-Neige !

— Chantal !

Mme Specter a posé la main sur la tête de sa fille qui l'a écartée d'un mouvement de l'épaule.

— C'est de la merde cette histoire, j'ai rien fait.

L'air aussi innocent que l'étrangleur de Boston. Des cheveux blonds teints en un noir corbeau, un bustier en dentelle rose sous son gilet, une minijupe noire en tissu extensible, des collants noirs, des croquenots noirs et, pour compléter le tout, un maquillage noir.

J'ai pris la chaise en face de cette pauvre malheureuse injustement accusée, tandis que Lywyckij objectait :

— Le garde de sécurité a trouvé cinq CD dans votre sac, mademoiselle.

— Allez vous faire foutre !

— Chantal !

Cette fois, c'est vers sa propre tête que s'est élevée la main de Mme Specter.

— Je suis là pour vous aider, mademoiselle. Je ne peux le faire si vous vous butez contre moi, a poursuivi l'avocat.

Il avait tout de M. Rogers, le voisin nunuche et complaisant de la série télé.

— Tu parles, tout ce que vous voulez, c'est m'envoyer dans un camp de concentration de merde, oui.

Chantal a relevé la tête. Un bloc de haine pure se dressait en face de moi. Coup de coude pour me désigner :

— Et qu'est-ce qu'elle fout ici, celle-là ?

Mme Specter ne m'a pas laissé le temps de répondre.

— Nous sommes tous concernés, chérie. Si tu as un problème de drogue, nous voulons trouver la meilleure solution pour toi, et le Dr Brennan peut nous y aider.

— Pigé. Vous voulez m'enfermer le plus loin possible pour que je sois plus une gêne.

Coup de pied dans la table et nouveau regard furibond rivé au sol.

— Chant...

Une main sur l'épaule de sa cliente, maître Lywyckij a levé l'autre pour lui signifier de le laisser parler.

— Qu'est-ce que vous voulez exactement, Chantal ?

— Sortir de ce trou.

— J'arrangerai cela.

— Vous ?

Pour la première fois, elle avait la voix d'une gamine de son âge.

— Vous n'êtes pas sous le coup d'une inculpation antérieure, et le vol à l'étalage est un délit mineur. Étant donné les circonstances, j'arriverai certainement à persuader le juge de vous remettre à la garde de votre mère mais seulement si vous promettez de lui obéir et de vous conformer aux conditions édictées.

Aucune réaction.

— Vous comprenez ce que cela signifie ?

Pas de réponse.

— Qu'en désobéissant à votre mère, vous violez l'arrêt du juge.

Nouveau coup de hache dans le pied de table.

— Vous comprenez, Chantal ?

— Ouais, ouais.

— Serez-vous capable de vous conformer aux conditions qui vous seront imposées ?

— J'suis pas complètement tarée.

Mme Specter a accusé le coup, mais a tenu sa langue.

— Et Lucy ? a demandé Chantal.

Lywyckij a chassé de la table une poussière inexistante.

— La situation de Mlle Gerardi est plus problématique. Votre amie est entrée au Canada illégalement et n'a pas de papiers l'autorisant à s'y trouver. C'est un point qui devra être réglé.

— J'vais nulle part sans Lucy.

— Nous trouverons une solution.

Lywyckij a croisé les doigts. Chapelet de saucisses roses entrelacées.

Pendant un moment, personne n'a prononcé un mot. Chantal continuait de donner de grands coups dans le pied de la table.

— Et maintenant, a fait Lywyckij en se penchant sur ses avant-bras, peut-être pourrions-nous aborder la question de la drogue.

Silence.

— Chantal, chérie, tu dois...

Une nouvelle fois, Lywyckij a levé la main pour intimer à sa cliente de se taire.

Le silence s'est prolongé. La table a continué de trembler.

Mon regard allait et venait de la mère à la fille. De *Glamour Magazine* à *Metal Edge*.

Au bout d'un moment, second coup de coude dans ma direction.

— Et elle, c'est une sorte d'assistante sociale ?

— Cette dame est une amie de votre m..., a commencé Lywyckij.

— J'avais dit : ma mère, et personne d'autre !

— Le Dr Brennan a fait le voyage avec moi de Guatemala, est intervenue Mme Specter d'une toute petite voix.

— Pour t'aider à te moucher pendant le décollage ?

Malgré mes bonnes résolutions de ne pas m'énerver, je lui aurais volontiers sauté à la gorge, à cette mouflette. Un démon. L'enfer avec des mains d'enfant.

— Je travaille pour la police d'ici.

Chantal a réagi au quart de tour.

— Laquelle, de police ?

— Toutes. Et vos manières de loubard ne m'impressionnent pas.

Chantal a haussé les épaules.

— Votre avocat vous donne de bons conseils.

Je n'ai même pas essayé de prononcer le nom du susnommé.

— L'avocat de ma mère a un QI de navet.

Le visage de Lywyckij s'est assombri jusqu'à ressembler à une grosse quetsche mûre. Mieux valait intervenir :

— Vous me semblez partie pour une sacrée dégringolade.

— Ouais, eh ben, c'est ma vie.

— Je dois avoir pleine connaissance de... a voulu plaider Lywyckij, mais Chantal l'a coupé encore une fois :

— Ça veut dire quoi : vous travaillez pour la police ?

Pas idiote, la fille de l'ambassadeur ! Le côté volontairement vague de ma phrase ne lui avait pas échappé.

— Je travaille pour le laboratoire médico-légal.

— Le coroner ?

— Admettons.

— Ils découpent les macchabées, à Guatemala ?

— J'ai été appelée là-bas pour participer à une enquête sur un meurtre.

M'en tenir là, ou saupoudrer d'un peu de réalité ? J'ai opté pour la seconde solution.

— Les deux victimes étaient des jeunes filles de votre âge.

Les yeux de vampire ont enfin rencontré les miens. J'ai laissé tomber :

— Claudia de la Alda.

Aucune réaction chez Chantal. Et pourtant, j'ouvrais l'œil.

— Elle habitait tout près de chez vous.

— Une coïncidence incroyable, hein ?

— Claudia travaillait au musée Ixchel.

Haussement d'épaules.

— La seconde victime n'a pas été identifiée. Nous l'avons trouvée dans une fosse septique, dans la zone 1.

— Un quartier plutôt louche, vous trouvez pas ?

Nous en étions maintenant à qui ferait baisser les yeux à l'autre.

— Essayons un autre nom.

— Bouton d'or ?

— Patricia Eduardo. Ça vous dit quelque chose ?

Combat d'yeux. Les siens ne cillaient pas.

— Elle travaillait à l'hôpital Centro Médico.

— Je joue plus ! J'ai pas la forme aujourd'hui.

— Disparue depuis octobre dernier.

— Les gens s'en vont.

— En effet.

Grand coup de pied dans la table, qui a fait un bond en avant.

— Votre nom a été prononcé au cours de l'enquête.

— Vous mentez !

Elle avait crié. Et bang dans la table.

— Pourquoi est-ce que vous mentez ?

— Trop de coïncidences incroyables.

— On se fout de moi ou quoi ?

Chantal s'est tournée vers Lywyckij. Geste d'ignorance de l'avocat, paumes en l'air. Retour de Chantal sur moi.

— C'est du baratin.

— Ce n'est pas l'avis de la police guatémaltèque. Ils veulent des renseignements.

— Ils veulent peut-être aussi un traitement contre la chaude-pisse ? J'sais pas de quoi vous parlez.

Elle me regardait avec des yeux ronds.

— Vous avez le même âge, vous habitez le même quartier, vous fréquentez les mêmes lieux. Qu'ils trouvent un seul lien entre vous et Claudia de la Alda, un seul endroit où vous ayez toutes les deux fait pipi, et ils vous font revenir pour vous passer à la moulinette.

Ce n'était pas vrai, bien sûr, et Lywyckij le savait, mais il jouait mon jeu.

— Personne pourra me réexpédier de force au Guatemala.

Voix un peu moins assurée.

— Vous avez dix-sept ans. Cela fait de vous une mineure.

— Nous ne permettrons pas que cela se produise.

Lywyckij sautait à pieds joints dans le rôle du gentil. J'ai persévéré dans celui de la méchante.

— On ne vous laissera pas forcément le choix.

Visiblement, Chantal n'y croyait pas. Retirant enfin ses mains de ses poches, elle les a tendues vers moi, poignets serrés l'un contre l'autre.

— OK, c'est moi ! Je les ai tuées et je fournis aussi l'école en héroïne.

— Personne ne vous accuse du meurtre, ai-je dit.

— J'sais bien. C'était juste un petit avant-goût de la vie à l'intention des vilains enfants.

Elle s'est jetée en avant, les yeux écarquillés, s'est mise à branler du chef comme les chiens en plastique sur les plages arrière des voitures.

— De vilaines choses arrivent aux vilains enfants.

— Quelque chose dans ce goût-là, ai-je répliqué d'une voix égale. Mais puisque vous savez tout, vous savez forcément que rien n'empêchera l'extradition de Lucy Gerardi vers son pays d'origine.

Chantal s'est levée si brutalement que sa chaise s'est renversée.

Mme Specter a porté la main à sa poitrine.

La gardienne s'est encadrée dans la porte, la main sur son pistolet.

— Tout va bien ?

— Nous avons terminé, a répondu Lywyckij.

Il s'est levé lourdement et a repris à l'intention de Chantal :

— Votre mère a apporté des vêtements pour la comparution devant le juge.

Regard ébahi de Chantal. Les paquets de Rimmel collés à ses cils ressemblaient à des gouttes de pluie sur une toile d'araignée.

— La relaxe devrait être prononcée dans deux ou trois heures, poursuivait l'avocat. Nous réglerons la question de la drogue plus tard.

La gardienne a emmené Chantal hors de la salle. Lywyckij s'est tourné vers Mme Specter.

— Vous pensez que vous saurez vous faire obéir ?

— Naturellement.

— Elle risque de fuguer encore.

— C'est cet abominable endroit qui déclenche chez elle une réaction d'autodéfense. Dès qu'elle sera à la maison avec son père et moi, tout ira bien.

Visiblement, l'avocat avait des doutes. Moi, des certitudes.

— Quand l'ambassadeur sera-t-il de retour ?

— Aussi vite qu'il le peut.

Le sourire plaqué avait repris ses droits. Une ritournelle qu'on chantait chez les Jeannettes quand j'avais huit ans m'est revenue en mémoire :

J'ai un' chose dans ma poch' qu'appartient à mon visage,
J'l'ai toujours sous la main, à la place la plus sage.

— Et Mlle Gerardi ?

— Quoi, Mlle Gerardi ?

L'échange entre l'avocat et l'ambassadrice m'a ramenée au temps présent. On ne pouvait pas dire que le ton de Dominique Specter exprimait une grande compassion pour la demoiselle en question.

— Dois-je la représenter ?

— Les ennuis de Chantal viennent très certainement de sa mauvaise influence. Ma fille n'aurait jamais eu toute seule l'idée de remonter tout le continent en auto-stop et en car.

— Je n'en suis pas aussi sûre !

Les yeux émeraude se sont tournés vers moi d'un coup.

— Comment osez-vous dire une chose pareille ?

Je n'ai pas cherché à minimiser mes paroles :

— Appelez cela l'instinct.

— Quoi qu'il en soit, a déclaré Mme Specter après un court silence, mieux vaut ne pas se mêler des affaires des citoyens guatémaltèques. Le père de Lucy n'est pas démuni. Il saura prendre soin d'elle.

L'homme fortuné se trouvait justement à Montréal et marchait derrière une gardienne, au moment où nous sommes sortis dans le couloir. Il était accompagné d'un homme vêtu du même uniforme que Lywyckij : costume hors de prix, mocassins italiens et serviette en cuir. Gerardi s'est retourné, nos yeux se sont croisés. La pitié que j'ai ressentie alors pour Lucy n'avait rien de commun avec ma commisération de ce matin pour la petite fille qui se pendait à la grille de l'école : ce qui avait poussé Lucy à s'enfuir de chez elle ne lui serait pas pardonné de sitôt !

17.

Quarante minutes plus tard, je remontais une allée bordée de haies qui m'arrivaient à l'épaule, en direction d'une porte vitrée à doubles battants. Logo au centre de chaque panneau de verre et, dessous, le nom de la compagnie sur deux lignes : le français en haut, l'anglais en bas et en plus petit. Très québécois.

Le trajet jusqu'à Saint-Hubert m'avait pris une demi-heure. Après, il m'en avait fallu une autre pour dénicher la RP Corporation parmi les six ou sept entreprises implantées au cœur d'un parc, dans des bâtiments de béton de deux étages cerclés, à mi-hauteur, d'une rayure de couleur censée exprimer à elle seule toute la personnalité de la société qui s'abritait derrière la façade.

La RP Corp. pouvait s'enorgueillir de posséder le dallage le plus étincelant qu'il m'ait été donné de fouler dans ma vie. J'ai traversé le hall jusqu'à un bureau où j'ai passé la tête. Une Asiatique m'a saluée en français. Cheveux noirs et brillants coupés au carré au ras des oreilles et longue frange sur les yeux. Ses pommettes larges m'ont rappelé Chantal Specter, ce qui m'a rappelé la fille de la fosse septique, ce qui m'a rappelé ma bourde et, patatras ! re-plongeon dans l'autocritique.

— Je m'appelle Tempe Brennan..., ai-je commencé.

En m'entendant, elle est passée à l'anglais.

— Que puis-je pour vous ?

— J'ai rendez-vous avec Susanne Jean à trois heures.

— Prenez un siège, je vous prie. Cela ne devrait pas être long.

Et de décrocher son téléphone.

En moins d'une minute, Susanne est apparue et m'a fait signe de la suivre.

Une splendeur, cette Susanne. Du même poids que moi, mais avec une bonne tête de plus et la peau couleur aubergine. Elle portait un treillage de petites nattes d'une dizaine de centimètres tout autour du visage, et les cheveux lâches dans le dos, simplement retenus par une barrette mandarine. Un mannequin plutôt qu'un ingénieur.

Nous sommes repassées par le hall et avons franchi une porte vitrée. De là, nous avons continué jusqu'à une salle où une armée d'hommes en blouse blanche réglaient des cadrans, consultaient des moniteurs ou surveillaient le fonctionnement d'une quantité de machines. Vrombissements, bourdonnements et déclics assourdis s'entrechoquaient dans l'air.

Le bureau de Susanne était aussi immaculé que le reste de l'usine. Murs blancs et nus à l'exception d'une aquarelle derrière son bureau, mobilier en teck aux lignes épurées, orchidée dans un vase en cristal.

Susanne aime les choses claires et nettes, bien qu'elle ait connu un passé aussi houleux que le mien : alcool pour moi, cocaïne pour elle. Comme moi, elle peut se vanter d'avoir su le chasser au loin sans aide aucune. Bizarrement, c'est un adepte fanatique des Alcooliques Anonymes qui nous a présentées l'une à l'autre, il y a six ans déjà. Depuis, nous avons gardé le contact, soit au travers de notre ami commun, soit en nous voyant seules pour dîner ou faire une partie de tennis. Je connais peu de chose de son monde, et elle, encore moins du mien. Cela ne nous empêche pas de bien nous entendre.

Susanne s'est laissée tomber à un bout d'un canapé abricot et a croisé ses jambes d'au moins douze mètres de long. Je l'ai imitée à l'autre bout.

— Ton usine fabrique des pièces pour Bombardier ? ai-je demandé.

— Des prototypes en plastique.

— Et pour Volvo ?

— Des paliers en métal.

La façon dont les produits sont manufacturés m'est aussi mystérieuse que la langue okeefenokee. Tout ce que je sais, c'est qu'on fait entrer d'un côté des matières premières et qu'il en ressort de l'autre du désherbant, des Q-tips ou des Buick. Ce qui se passe au milieu ? Je donne ma langue au chat.

— Tu as tes CT scans ?

Je lui ai tendu l'enveloppe que m'avait donnée Angelina Fereira. Elle a examiné les clichés en les tenant en l'air, vers la lumière, comme l'avait fait le médecin au Guatemala. De temps à autre, un cliché se recourbait avec un bruit de coup de tonnerre au loin.

— Ça devrait être rigolo.

— Sans trop entrer dans la technique, qu'est-ce que tu comptes faire ?

— Tout d'abord, créer un dossier STL à partir de tes données CAO 3-D, ensuite...

— STL ?

— Abrégé pour « stéréolithographie ». Ensuite, entrer ce dossier dans notre système.

— Dans l'une de ces machines, là-bas ?

— Exact. Elle étendra une fine couche de poudre sur une plateforme de construction et un laser à CO2 tracera sur cette couche de poudre une coupe transversale de l'objet – en l'occurrence du crâne – en suivant les données du dossier STL. Ensuite, par un procédé de chauffe et de fonte menées alternativement, cette vue transversale se transformera en une masse reproduisant la coupe. Et ainsi de suite, une couche après l'autre, jusqu'à ce que ces vues du crâne deviennent un crâne entier.

— C'est tout ?

— En gros, oui. Une fois terminée, la sculpture, si l'on peut dire, passera à la soufflerie pour être débarrassée de toutes les scories et tu pourras t'en servir telle quelle. Ou bien la poncer, la recuire, l'enduire ou la peindre, si ça t'amuse.

C'était bien ce que je pensais : un machin entrait à un bout, et un truc complètement différent sortait à l'autre. Dans le cas présent, les informations contenues dans les scans donneraient un moulage du crâne trouvé au Paraíso. Du moins l'espérais-je.

— Ce processus technologique s'appelle « agglomération sélective par laser ».

— En dehors de ces paliers en métal et autres pièces en plastique, qu'est-ce que vous fabriquez d'autre ?

— Des engrenages pour des pompes, des connexions électriques, des boîtiers pour lampes halogènes, d'autres pour les turbocompresseurs de voiture, des pièces détachées pour le réservoir du liquide des freins...

— Des O ronds pour la nébuleuse d'Orion.

Nous avons éclaté de rire.

— Ça va prendre combien de temps ?

Elle a eu un geste d'ignorance.

— Il faut compter dans les deux ou trois heures pour convertir les scans en dossier STL et probablement toute une journée pour obtenir le moulage. Lundi en fin d'après-midi, ça te va ?

— Génial.

— On ne dirait pas, à voir ton air ébahi.

— Je m'attendais à ce que tu dises une ou deux semaines.

— Disons que c'est plus marrant que les boîtiers pour prothèses auditives.

— La police guatémaltèque t'en sera éternellement reconnaissante.

— Il y en a de mignons, là-bas ?

Vision de Galiano et de son visage irrégulier.

— Il y en a un pas mal.

— Tu n'as pas déjà un *caballero*, ici ?

Vision de Ryan.

— Pecos Bill nous la joue profil bas.

— Bon. Je vais faire ton crâne moi-même. (Elle a pointé son doigt vers moi :) Mais à une condition...

— OK, ai-je répondu en riant. Dîner et boisson à mon compte. Demain soir, ça marche ?

— Je te préviens, ma vieille, je choisirai l'eau minérale la plus chère de la carte !

En pénétrant dans mon immeuble j'ai découvert le susnommé *caballero* recroquevillé sur le sofa du hall, un bras sous la tête, l'autre sous ses jambes croisées.

— Comment es-tu entré ?

— Pas d'angoisse, je suis flic !

J'ai posé par terre mon sac et mes provisions.

— D'accord, je formule autrement : Pourquoi ?

— Parce qu'il fait trop chaud pour faire le pied de grue dehors.

J'ai attendu. Ryan s'est redressé et a posé son quarante-cinq fillette sur le plancher.

— Il est vraiment fait pour les nains de moins d'un mètre quatre-vingts, ce sofa.

— C'est un meuble de décoration.

— Ça doit être un enfer de regarder la finale de la coupe Stanley assis là-dessus.

— Ce n'est pas fait pour qu'on s'y installe des heures.

— Pour quoi c'est fait, alors ?

— Pour trier son courrier et en retirer les réclames et les journaux périmés.

— Comme entrée, on fait plus accueillant, a insisté Ryan en se frottant la nuque.

— Tu n'aimes pas les palmiers en pot ?

— Je commençais à m'ennuyer de toi.

Grand sourire enfantin malgré ses quarante ans passés.

— Je suis arrivée hier.

— J'étais en planque sur une affaire.

— Ah bon ?

— À Drummondville.

Klaxons et coups d'accélérateur nous parvenaient à travers la porte du hall. Les bouchons du vendredi commençaient à se résorber.

— Le tenancier d'un bouge qui a pour nom Les Deux Timbrés avait décidé d'investir dans les armes de poing. Ses zigotos devaient le rendre nerveux, j'imagine.

— Tu ne m'avais pas dit que tu parlais espagnol.

— Quoi ?

— Laisse tomber, va. La journée a été assez pénible comme ça.

J'ai ramassé mes paquets.

— Dîner demain soir, ça te dit ?
— Je suis déjà prise.
— Libère-toi.
— Ce serait grossier.
— Alors, ce soir ?
— Je viens d'acheter des crevettes et des légumes.
— Je connais une recette de scampi considérée comme un crime dans quatre villes d'Italie.

J'avais assez de victuailles pour deux, et même pour douze. Les placards vides d'hier soir m'avaient laissé un mauvais souvenir. Et Ryan, statue vivante de la supplication, me décochait le plus beau de ses sourires. Dans son visage bronzé après sa planque en extérieur, ses yeux, d'un bleu plus bleu que celui que les cellules humaines sont capables de produire, étincelaient avec encore plus d'éclat que d'habitude.

En général, il arrive toujours un temps où la beauté la plus étourdissante finit par vous sembler normale. Comme le patinage aux Jeux olympiques. À force de regarder, on devient blasé, on oublie ce que tant de grâce et de beauté peuvent avoir d'absolument extraordinaire. C'était le cas avec Susanne. Je continuais de remarquer son allure quand elle faisait son entrée quelque part, mais je n'en étais plus époustouflée. Alors que la beauté de Ryan me bouleversait autant qu'au premier jour.

Et il le savait, ce gredin.

— Lesquelles ? ai-je demandé.

Il a semblé tomber des nues.

— De quelles villes parlais-tu ?
— Turin, Milan, Sienne et Florence.
— Tu y as cuisiné des scampi ?
— J'ai lu ça quelque part.
— T'as intérêt à ce que ça soit bon !

Ryan nous a sorti une bière tandis que je me changeais. Puis il s'est attaqué aux crevettes, et moi à la sauce de la salade.

Pendant le dîner, nous avons bavardé de choses et d'autres, en veillant à maintenir la conversation à un niveau de banalité exempt de tout danger. La table débarrassée, nous avons pris le café dehors, dans le patio.

— C'était vraiment bon, l'ai-je félicité pour la seconde fois, tout en regardant les lumières clignoter chez mes voisins d'en face.

— Est-ce que je t'ai déjà raconté un crac ?

— En vertu de quelle loi cette recette est-elle interdite en Toscane ?

— J'ai peut-être exagéré un peu, a-t-il reconnu.

— Je vois.

— En fait, ce n'est qu'un délit.

Dans la rue, les bruits typiques d'un vendredi soir commençaient à se faire entendre : klaxons, sirènes d'ambulance, brailleries des banlieusards en goguette échappés de leurs villes-dortoirs de Dorval et Pointe-Claire, martèlement de hip-hop au passage des voitures.

Ryan a allumé une cigarette.

— Comment va Chupan Ya ?

— Tu as retenu le nom ? !

— C'est un endroit qui compte pour toi.

— Oui.

— Déchirant, je suppose.

— Ça oui !

— Raconte.

Comment parler des mères décapitées, des bébés massacrés, de la vieille femme qui n'avait survécu que parce qu'elle était allée vendre ses haricots au marché, ce jour-là ? C'était un univers parallèle dans lequel des corps en décomposition tenaient les rôles principaux.

Ryan m'écoutait. Ses yeux qui aiment rire étaient rivés sur moi. Ses questions, peu nombreuses, étaient toujours à propos. Il ne forçait pas mon récit, ne me faisait pas dévier du sujet, mais laissait ma libération s'opérer à son rythme.

Surtout, il m'écoutait.

Et brusquement, j'ai pris conscience d'une chose très vraie : Andrew Ryan était l'un des rares hommes que je connaisse capables de me faire sentir, à tort ou à raison, que mes pensées étaient les seules à les intéresser dans toute la galaxie.

Et cela, pour moi, c'est incontestablement le trait le plus attirant chez un homme.

Cette découverte n'est pas passée inaperçue de ma libido. Laquelle semblait d'ailleurs apprécier de faire des heures sup', ces derniers temps.

— Encore du café ?

— Merci.

Je suis allée le chercher à la cuisine.

Finalement, que mon *caballero* soit passé à l'improviste n'était peut-être pas si mal. N'avais-je pas été un peu trop sévère avec lui ? Un petit coup de maquillage rattraperait peut-être le coup ?

Sprint à la salle de bains pour me donner un coup de brosse. Blush sur les joues, mais pas de mascara. Mieux vaut des cils riquiqui qu'un Rimmel qui coule.

Quand j'ai tendu sa tasse à Ryan, il a gentiment caressé du doigt ma joue toute neuve. Sensation de brûlure.

Peut-être que j'avais attrapé un virus.

Ryan a cligné de l'œil.

J'ai regardé nos ombres entremêlées au sol. Mon cœur battait à tout rompre.

Peut-être que ce n'était pas un virus.

Je me suis rassise. Ryan m'a demandé pourquoi j'étais rentrée à Montréal.

Retour à la réalité.

J'ai pris le temps de considérer ce que j'avais la liberté de lui dire sur l'affaire du Paraíso. Il était déjà au courant de la découverte du cadavre. Pour le reste – l'aspect ambassade de l'histoire –, le secret m'avait été demandé par deux personnes. Galiano et Dominique Specter.

J'ai décidé de tout lui raconter en taisant seulement le nom des Specter. Je les appellerais : famille du Québec.

Là encore, Ryan m'a écoutée sans m'interrompre. Le corps, les quatre disparitions ramenées à trois pour se réduire finalement à une seule. Les poils de chat. Le moulage du crâne. Quand je me suis tue, le silence a bien duré une minute entière.

— Et ils ont enfermé ces filles au bloc juste pour des CD volés ? a demandé Ryan.

— L'une d'elles s'est montrée plutôt désagréable.

— C'est-à-dire ?

— Résistance, obscénités, hurlements et crachats.

Information transmise par Mme Specter pendant l'escale à Miami.

— Ouais, pas malin. Ce que je ne comprends pas, c'est comment Chantal Specter a pu être placée en garde à vue.

— Tu connais son nom ?

Et moi qui m'étais donné un mal de chien pour préserver l'intimité de la famille de l'ambassadeur ! Comme de juste, ce limier de Ryan avait déjà toutes les infos en poche ! Et il a enchaîné, comme si de rien n'était :

— Les diplomates bénéficient de l'immunité.

— L'immunité diplomatique, je sais !

J'avais répliqué sur un ton cassant. J'ai fermé les yeux pour tenter de me calmer. J'étais furieuse. Ryan m'avait laissée m'empêtrer dans mes précautions oratoires et mes circonvolutions comme la dernière des idiotes, alors qu'il était au courant de tout. Mais de qui tenait-il ses informations ?

— Merde, Ryan. Est-ce que je travaillerai un jour sur une affaire sans que tu aies à te pointer pour me donner un coup de pouce ?

Mais Ryan de poursuivre :

— L'immunité diplomatique ne s'applique pas dans son pays d'origine. Pourquoi est-ce que Chantal n'a pas été libérée immédiatement ?

— Peut-être qu'elle a refusé bec et ongles de rendre le tailleur orange. Ça fait combien de temps que tu es au courant ?

— En moins d'une heure, sa limousine aurait dû venir la chercher.

— Elle avait donné un faux nom. Les flics n'avaient pas la moindre idée de qui elle était. Ça fait combien de temps que tu es au courant pour les Specter ?

Il a continué d'ignorer ma question.

— Comment ont-ils découvert son identité ?

— Chantal a passé son unique coup de téléphone autorisé à une copine.

Information que je tenais de sa mère.

— Qui, ensuite, a prévenu l'ambassadrice ?

— Exactement.

J'ai poussé un soupir profond et théâtral.

— Et ces messieurs en costume trois pièces ont

décidé de laisser la vilaine Chantal se calmer au frais, le temps que la maman rapplique.

— Quelque chose comme ça.

Le mur de la cour a renvoyé un cliquetis de talons sur le trottoir. Une voiture est entrée sur le parking de l'autre côté de la petite rue.

— Deux heures environ.

— Pardon ?

Une fois de plus, j'avais pris un ton sec.

— Ça fait environ deux heures que je suis au courant. C'est Galiano qui m'a prévenu. (Ryan a souri et haussé les épaules.) Ce vieux Bat, il ne changera jamais.

Quand je suis énervée, je m'emporte de plus en plus et les mots finissent par sortir de ma bouche comme autant de missiles. Mais quand je suis en colère, en colère au point d'en avoir le cerveau comme transpercé par un rayon laser grenat, je me fige complètement. Mon esprit gèle, ma voix perd toute expression et mes réponses sont glaciales.

Et là, justement, j'étais bel et bien folle de rage : ces deux types auraient-ils parlé de moi comme ils le faisaient à propos des filles, du temps de leurs études ?

— C'est toi qui as appelé Galiano ?

Ton neutre.

— C'est lui.

— Le détective Galiano s'interroge sur mes compétences ?

— Sur la famille Specter.

Silence arctique de ma part. Ryan a allumé une cigarette.

— Vous avez étudié mon cas en espagnol ?

— Pardon ?

Ma référence au temps jadis lui avait manifestement échappé.

— Laisse tomber.

Il a tiré sur sa cigarette, a retenu la fumée, puis l'a soufflée en un jet qui est monté tout droit en l'air.

— Galiano avait des nouvelles à propos d'un suspect.

Il avait dit cela sur un ton détaché, comme il aurait lu tout haut les textes qui défilent au bas de l'écran pendant les infos à la télé.

— Et, bien évidemment, il contacte quelqu'un d'extérieur à l'affaire !

— Il voulait savoir si j'avais des renseignements sur les Specter. Il avait essayé de te joindre.

— Vraiment ?

— Il t'a appelée sur ton portable. C'est pour te prévenir, que je suis passé.

— Menteur !

— Tu as écouté tes messages ?

Je ne l'avais pas fait.

Sans dire un mot, je suis rentrée dans la maison prendre le portable dans mon sac. Quatre appels ratés. Tous extérieurs à Montréal. Deux messages.

Le premier d'Ollie Nordstern. Ce crétin de journaliste voulait me demander quelque chose et insistait pour que je le rappelle. J'ai enfoncé le bouton effacer.

Le second venait de Galiano.

« Le salopard qui a tué Claudia de la Alda a été arrêté hier soir. J'ai pensé que ça vous ferait plaisir de le savoir. »

18.

Galiano ne m'a rappelée que le samedi en fin de matinée, entre deux interrogatoires du salopard en question.

— Comment s'appelle-t-il ?

— Miguel Ángel Gutiérrez. La nuit d'avant-hier, il est retourné aux ruines de Kaminaljuyu méditer sur ses ancêtres. C'est le vieux pépé fouineur qui nous a prévenus, celui qui nous a déjà manifesté tant de sollicitude. On l'a pincé au moment où il enjambait la rambarde, cinq mètres au-dessus de l'endroit où le corps de Claudia de la Alda avait été balancé.

— Une coïncidence ?

— Comme les gants de O.J. Simpson. Gutiérrez, qui est jardinier, travaille régulièrement chez les de la Alda.

— Vous vous foutez de moi !

— Pas du tout.

— Et il dit quoi ?

— Pas grand-chose. En ce moment, il se confesse à son curé.

— Et alors ?

— Il ne va pas tarder à s'accuser d'avoir violé le

cinquième commandement. En attendant, Hernández est en train de fouiller sa cahute.

— Un lien avec le Paraíso ou avec Patricia Eduardo ?

— Pas qu'on sache pour l'instant. De votre côté ?

Je l'ai informé de mes progrès concernant les échantillons de poils de chat et le moulage du crâne.

— Pas mal, Brennan.

Exactement la phrase que Ryan aurait dite.

— Tenez-moi au courant.

L'après-midi, après un grand ménage assorti d'une lessive, j'ai mis mes baskets et suis partie me défouler à la gym. Deux noms ont rythmé mes kilomètres sur le tapis roulant.

Ryan, Galiano. Galiano, Ryan.

Ma colère était quelque peu retombée depuis que j'avais refermé ma porte sur Ryan avec un au revoir glacial, mais elle se maintenait au niveau six sur l'échelle de l'énervement.

Pourquoi ?

Parce que ces *compadres* d'université avaient forcément parlé de moi comme ils auraient discuté d'un rendez-vous pour une partie de bowling.

Ryan et Galiano.

Galiano et Ryan.

Qu'est-ce qu'ils avaient bien pu se dire ?

Le souvenir d'une virée en barque avec Ryan m'est revenu en mémoire. Ce jour-là, je ne portais rien sous mon T-shirt sans manches. Souvenir cuisant.

Salopard !

Galiano et Ryan.

Ryan et Galiano.

J'ai couru à en avoir les poumons en feu et la tremblote dans les jambes. Le temps de gagner les douches, ma colère avait quitté la zone rouge.

Ensuite, dîner avec Susanne Jean au Petit Extra, rue Ontario. Elle a écouté mon histoire de mecs avec un sourire narquois.

— Comment sais-tu que leur conversation a débordé du cadre strictement professionnel ?

— Intuition féminine.

Ses jolis sourcils se sont levés.

— C'est tout ?

— Et aussi en vertu de la théorie que les hommes sont des cochons.

— Ce n'est pas un peu sexiste ?

— Bien sûr que si. Mais c'est mon seul argument.

— Calme-toi, Tempe. Tu es tout simplement à bout de nerfs.

Ce dont je me doutais au fond de moi.

— Et puis, pour ce qui est de comparer, ils n'ont rien à se mettre sous la dent, si j'en crois ce que tu dis.

— Mais si j'en crois la théorie précédemment évoquée, ce n'est pas ça qui les empêchera d'inventer des détails.

Elle a éclaté d'un rire de gorge.

— Alors là, ma vieille, tu es perdante à tous les coups !

— Je sais. Parlons plutôt du crâne. Ça marche comme tu veux ?

Susanne avait converti les scans CT en fichier SLS. Le moulage serait achevé lundi vers quatre heures.

Au moment de nous dire au revoir, elle m'a visée de son long doigt noir, juste entre les deux yeux.

— Toi, ma sœur, tu aurais besoin d'une petite détente.

— Pour ça, il me faudrait un compagnon de jeux.

— J'ai comme l'impression que tu en as un de trop.

— Hmm.

— Tu n'as pas un JSP dans ta manche ?

— Je prends tout ce qui se présente, même les JSP. C'est quoi, exactement ?

— Un jules sur pile. Tu le branches quand tu en as besoin.

Susanne a une façon de prendre la vie qui ne manque pas de piquant.

Le lendemain, dimanche, coup de fil de Mateo Reyes pour m'informer du résultat des travaux concernant les victimes de Chupan Ya. Neuf squelettes seulement n'avaient pu être identifiés. De mon côté, je lui ai appris que la situation était sous contrôle en ce qui concernait Chantal Specter, et que je reviendrais à Guatemala dès que j'aurais achevé les analyses pour mon labo de Montréal.

Mateo m'a ensuite transmis qu'Ollie Nordstern tenait absolument à me contacter. Il avait appelé tous les jours. Je suis restée évasive quant à la date d'un rendez-vous.

Les nouvelles de Molly Carraway étaient bonnes. Elle était rentrée au Minnesota avec son père. On espérait un rétablissement complet.

Mais il y avait aussi des nouvelles attristantes en provenance de Chupan Ya. La señora Ch'i'p était morte dans son sommeil, dans la nuit de vendredi, à l'âge de soixante et un ans.

— Vous savez ce que je me dis ?

La voix de Mateo m'a paru bizarrement tendue.

— Quoi donc ?

— Qu'elle s'est maintenue en vie jusqu'à ce que ses enfants reçoivent une sépulture digne de ce nom.

Il devait avoir raison. En coupant la communication, j'ai senti quelque chose de chaud rouler en bas de mes joues.

— *Vaya con Dios, señora Ch'i'p.*

J'ai écrasé mes larmes.

— Le combat continue.

Les os appartenant au torse étaient toujours en train de tremper quand je suis entrée dans mon labo, le lundi matin. Le briefing avait été particulièrement court, la moisson du week-end n'ayant rapporté que trois affaires : une rixe au couteau à Laval ; un accident de tracteur près de Saint-Athanase ; un suicide à Verdun.

Je venais de déposer la tête réduite sur ma table d'examen quand un toc-toc a retenti sur le carreau de ma porte. Ryan me souriait du couloir. Je lui ai fait signe de partir.

Il a insisté. Je l'ai ignoré.

Troisième coup plus fort. Puis l'insigne est venu se coller contre la vitre. Levant les yeux au ciel, je suis allée ouvrir.

— Tu vas mieux ?

— Je me sens parfaitement bien.

Le regard de Ryan s'est posé sur ma table.

— Ben merde alors ! Qu'est-ce qui lui est arrivé, à celui-là ?

La chose qu'il désignait mesurait à peu près quinze centimètres de diamètre, était pourvue de longs cheveux foncés et présentait une peau plissée toute brune. On aurait dit une chauve-souris qui aurait voulu prendre figure humaine. Des punaises saillaient de ses lèvres et une corde sortait d'un trou dans sa langue.

J'ai rapproché la binoculaire de Ryan et l'ai dirigée

successivement sur le nez, les joues et les mâchoires de la momie.

— Que remarques-tu ?

— De minuscules coupures.

— Elle a été écorchée pour qu'on puisse procéder à l'ablation des muscles. Les joues sont probablement remplies d'une matière spéciale.

J'ai retourné la tête.

— On a cassé la base pour extraire le cerveau.

— Nom de Dieu ! Et c'est qui ?

— Un trophée péruvien.

Ryan m'a regardée comme si je lui avais dit qu'il tenait entre les mains un bébé martien.

— La plupart de ces têtes réduites proviennent de la côte sud du Pérou. Elles ont été fabriquées entre le premier et le sixième siècle de notre ère.

— Une tête réduite ? ! s'est exclamé Ryan.

— Oui.

— Comment est-elle arrivée au Canada ?

— Il y a des amateurs pour ce genre de chose.

— Leur importation est légale ?

— Plus chez nous depuis 1997. Au Canada, je ne sais pas.

— Tu en avais déjà vu, avant ?

— Seulement des fausses.

— Et celle-là, c'est une authentique ?

— Ça y ressemble. L'usure dentaire suggère que ce petit monsieur est parmi nous depuis un bon bout de temps. (J'ai reposé le trophée sur la table.) Ce sera à un archéologue de l'authentifier. Qu'est-ce que tu me veux ?

— Tes conclusions sur le torse, a répondu Ryan.

Il a palpé les cheveux du trophée, enfoncé le doigt dans sa joue, et demandé :

— Monsieur est âgé ?

— Des septuagénaires auraient disparu, plus haut sur le Saint-Laurent ? Je n'ai fait qu'une analyse préliminaire, mais ce type avait pas mal de kilomètres dans ses jambes qu'il n'a plus, ai-je ajouté.

Il a relevé la tête et s'est essuyé la main sur son jean.

— Dans ce cas-là, ce n'est pas Clément.

— Probablement pas, ai-je laissé tomber en m'emparant ostensiblement de mes étriers.

Ryan n'a manifesté aucune intention de partir.

— Tu veux autre chose ?

— Galiano aimerait que j'aie un petit cœur-à-cœur avec la vilaine Chantal. Pour s'éviter le voyage. Il a pensé que ça pourrait te faire plaisir de suivre le mouvement.

Suivre le mouvement ? ! J'ai senti le rouge clignoter à nouveau. Mais Ryan demandait déjà :

— Pourquoi il a un trou dans le front ?

— Pour la corde.

— Moi, je déteste quand ce genre de chose m'arrive.

Grimace pour lui signifier de m'épargner ses commentaires stupides.

— Les Specter sont hors du coup en ce qui concerne l'affaire de la fosse septique. En fait, maintenant que la police a chopé Gutiérrez, la théorie du tueur en série ne tient plus tellement la route. Mais Galiano trouve que ça ne ferait pas de mal d'interroger quand même la petite princesse.

— Galiano t'a encore appelé ?

Ton plutôt frais.

— Ce matin.

— Gutiérrez a avoué ?

— Pas encore, mais ça ne devrait pas tarder.

— Ça me fait plaisir que Galiano te tienne au courant.

— Il est loin, je suis sur place. Un échange de bons procédés.

— Et toi, tu es très bon pour ça.

— Ouais.

— Dieu bénisse les hormones mâles !

— Tu es une scientifique, Brennan, tu étudies des os. Moi je suis flic, j'interroge les gens.

J'allais rétorquer quand son bip a sonné. Il l'a sorti de son ceinturon pour lire le nom affiché.

— Il faut que j'y aille. Tu sais, ne te sens pas obligée de m'accompagner voir Chantal. C'est juste que Galiano pensait que ça te ferait plaisir de participer.

— La promenade est prévue pour quand ?

— Vers six heures, quand je serai rentré de Drummondville.

— Oh, zut ! Juste à l'heure où je regarde le téléachat.

— Tu as tes règles, Brennan ?

— Quoi ?

Il s'est mis en posture d'autodéfense.

— Je passerai te prendre sur le coup de six heures moins le quart.

— J'en ai déjà le cœur qui bat !

— Et pendant que tu y es, Brennan... (Mouvement du pouce vers le trophée.) Regarde donc ton copain péruvien et prends-en de la graine. Arrête, tant que tu as encore la tête sur les épaules.

J'ai passé le reste de la journée en compagnie de l'ami péruvien. Les rayons X ont confirmé que la tête provenait bien d'un homme et non d'un chien ou d'un oiseau, espèces souvent utilisées par les faussaires. J'ai pris des photographies et mis mes notes en forme avant de contacter la chaire d'anthropologie de l'université McGill. Le responsable m'a promis de mettre la main sur l'expert adéquat.

À deux heures, Robert Gagné a fait une halte dans mon bureau pour me dire que les analyses de poils de chat seraient prêtes sous peu. J'ai été aussi ébahie que lorsque Susanne m'avait annoncé le temps qu'il lui faudrait pour réaliser le moulage du crâne. Nous, on attend des semaines pour obtenir nos résultats de séquençage ADN. Mais voilà, ce projet peu banal les intriguait tous les deux. Comme Susanne, Gagné avait mis les bouchées doubles.

À trois heures, j'ai pris la route pour Saint-Hubert. À quatre heures et demie, je rentrais chez moi avec une boîte sur le siège du passager : le moulage du crâne découvert au Paraíso. À moi maintenant de recréer les traits de la face.

Il y avait des embouteillages, et on avançait par bonds. Je faisais passer le temps en pianotant sur mon volant ou en tapant sur le levier de changement de vitesse. Peu à peu, les temps morts se sont multipliés jusqu'à se transformer, sur le pont Victoria, en un arrêt définitif au beau milieu d'une collection de voitures réparties sur quatre files.

Je faisais du surplace depuis dix bonnes minutes quand mon portable a sonné. De la diversion, toujours ça de gagné !

— Salut, Maman !

Ma fille, Katy.

— Bonjour, ma chérie. D'où appelles-tu ?

— De Charlotte. Plus de cours pour cette année !

— Tu ne termines pas un peu tard ?

— Je devais rendre mon mémoire de fin d'année en méthodologie.

Katy est en cinquième année d'études à l'université de Virginie. Intelligente, vive d'esprit, blonde et jolie, ma fille n'a pas encore opté pour une carrière précise, ne sachant pas très bien ce que la vie a à lui offrir. Mon ex prétend que la vie a tout à lui offrir. J'en suis moi-même tout à fait convaincue. C'est pourquoi Peter et moi lui avons alloué une pension de six ans pour lui laisser le temps de découvrir le sens de la vie. Pour le moment, Katy a choisi psycho comme matière principale.

— C'était quoi, ton sujet ? ai-je demandé en changeant de vitesse.

Hourrah ! Quarante centimètres de gagnés !

— Les effets du fromage Cheez Whiz sur la mémoire des rats.

— Et tes conclusions sont ?

— Qu'ils adorent ça.

— Tu t'es inscrite pour le prochain semestre ?

— Ouais.

— Tu resteras à portée de main du giron familial ?

— Ouais.

— Tu es chez ton père ?

— Non, chez toi.

— Tiens donc !

D'habitude, Katy préfère la grande maison de Peter, celle où elle a passé son enfance.

— J'ai pris Boyd avec moi. Ça ne te dérange pas, j'espère.

— Bien sûr que non. Mais comment réagit le chat ?

Victoire, un bond de deux mètres en avant !

— Il est sur mes genoux. Il n'a pas l'air très fana du toutou. Il a le poil hérissé en permanence.

— Ton père n'est pas en ville ?

— Ils reviennent aujourd'hui... Oh, pardon ! a ajouté Katy, craignant que je tique sur le « ils ».

— Pas de problème !

— Il s'est trouvé une nouvelle copine.

— Tu m'en vois ravie.

— Je crois que son soutif est plus gros que son QI.

— Elle n'y peut rien, la pauvre.

— Elle n'aime pas les chiens.

— Là, elle y peut quelque chose.

— Et toi, tu es où ?

— À Montréal.

— En voiture ?

— Oui, et je vais bientôt passer le mur du son.

Je faisais maintenant du vingt kilomètres à l'heure.

— Sur quoi tu travailles ?

Je lui ai raconté l'affaire du Paraíso sans entrer dans les détails.

— Pourquoi tu n'utilises pas le vrai crâne ?

J'ai précisé que Díaz et Lucas avaient piqué le squelette.

— Marrant, en socio, j'ai eu un prof qui s'appelait Lucas. Richard Lucas.

— Celui-là, c'est Héctor.

À peine ce nom prononcé, j'ai deviné la suite : Katy allait fredonner la comptine qu'elle avait adorée à quatre ans et chantée une année tout entière. Ça n'a pas loupé.

— *Héctor Protecteur a un habit qui gratte*
Héctor Protecteur se goinfre de dattes...

Je lui ai coupé le sifflet :

— Héctor Dissecteur est pendu par la rate.

— Oh, c'est pas bien, ça.

— C'est juste une première ébauche.

— Eh bien, tu peux garder la seconde pour toi. Ce n'est pas parce que tu es frustrée que tu dois maltraiter la poésie.

— Héctor Protecteur n'est quand même pas Coleridge.

— Quand est-ce que tu reviens à Charlotte, Maman ?

— Je ne sais pas. Je voudrais retourner au Guatemala finir ce que j'ai commencé.

— Bonne chance.

— Et toi, tu t'es trouvé un boulot pour l'été ?

— J'y travaille.

— Bonne chance.

Gagné a appelé juste au moment où je tournais dans ma rue.

— Il y a correspondance !

De quoi parlait-il ? Je me suis engagée dans la descente menant à la porte du parking souterrain de mon immeuble.

— Comme la technologie mitochondriale vient d'être mise sur le net, j'ai décidé de m'amuser un peu. Je me suis dit que ça pourrait nous aider au cas où l'échantillon de la fosse septique serait très dégradé.

J'ai enfoncé le bouton de la télécommande, la porte en fer s'est relevée avec des raclements. À mesure que je me rapprochais de ma place, la voix de Gagné devenait de plus en plus faible jusqu'à disparaître parfois complètement.

— Il y a correspondance entre deux de vos échantillons.

— Deux ? Je ne vous en ai donné qu'un.

— Il y en avait quatre dans le paquet. (Bruit de papier froissé.) Paraíso, Specter, Eduardo, Gerardi.

Minos avait dû mal comprendre ma demande. Quand

je lui avais parlé d'emporter des poils au Canada, j'avais en tête ceux prélevés sur le jean. Et lui, il avait fourni des échantillons provenant de tous les chats.

— Et lesquels correspondent, monsieur Gagné ? ai-je demandé d'une voix haletante.

Derrière moi, la porte de garage a commencé à redescendre en cliquetant. Je me suis crispée sur le téléphone. Impossible d'entendre la réponse. Des bribes de mots qui ne faisaient aucun sens. Une série de bips a suivi, puis un silence sépulcral.

19.

Dans le parking, ma sacoche et mon ordinateur portable sur une épaule, la boîte avec le moulage du crâne sous l'autre bras, je me suis hâtée vers l'ascenseur. Au rez-de-chaussée, j'ai jailli de la cabine à peine les portes ouvertes. Pour tomber nez à nez avec Andrew Ryan.

— Hé là ! Il y a le feu ?

— Quel humour ! Tu es d'un original !

Première réaction : l'irritation. Un réflexe chez moi.

— Je fais de mon mieux. C'est quoi, ton paquet ?

J'ai tenté de le contourner. D'un pas sur la gauche, il m'a bloqué la voie. Au même moment, un voisin est entré dans le hall.

— Bonjour.

Le vieux monsieur a porté sa canne à son chapeau en nous saluant tour à tour de la tête. Petit hochement à l'intention de Ryan, petit hochement à mon intention.

— Bonjour, monsieur Gravel.

Il s'est dirigé à petits pas jusqu'aux boîtes aux lettres.

Je me suis déplacée sur la gauche, Ryan sur la droite, le carton contenant le crâne entre nous.

La boîte aux lettres s'est ouverte, puis s'est refermée ; la canne a tapoté le sol en marbre.

— J'ai un appel urgent à passer, Ryan.

— Qu'est-ce qu'il y a dans ton colis ?

— La tête de la fosse septique.

Le bruit de canne s'est interrompu.

— Je t'en supplie, ne fais pas ça !

Chuchotement implorant de Ryan, les deux mains à plat sur le paquet.

Le hoquet de M. Gravel a retenti comme une pétarade.

Grand sourire de Ryan tandis que je lui lançais un regard furibond.

— C'est bon, suis-moi, ai-je lâché entre mes dents.

Tout en me dirigeant vers ma porte, j'ai entendu Ryan se retourner. À coup sûr, il faisait un clin d'œil complice à M. Gravel. Mon exaspération a grimpé en flèche.

Dans l'appartement, j'ai tout déposé sur la table de l'entrée pour courir au téléphone appeler le labo.

— Gagné vient de m'appeler. Il a les résultats ADN pour les poils de chat.

— C'est Krazy Kat ?

— Il a trouvé une correspondance entre deux des quatre échantillons.

— Quels échantillons ?

Tout en composant le numéro du labo, je lui ai expliqué que Minos avait mis dans le paquet, entre ceux du Paraíso, des poils provenant de chez les Specter, de chez les Eduardo et de chez les Gerardi. J'ai enfoncé la touche d'écoute amplifiée.

— Et quels échantillons correspondent ? a demandé Ryan tandis que je priais la standardiste de me passer Gagné.

— C'est justement ce que je voudrais savoir. Ça ne peut pas être le chat des Eduardo.

— Pourquoi ?

— Parce que c'est un persan.

— Pauvre petite Peluche.

— Renoncule... Désolée, ai-je poursuivi à l'intention de Gagné qui venait de prendre la ligne, j'étais dans le parking quand vous m'avez appelée.

— On dirait que vous y êtes toujours.

— C'est parce que j'ai branché l'écoute amplifiée. Le détective Ryan est avec moi.

— Ryan est sur cette affaire ?

— Il est partout, vous savez bien. Vous pouvez répéter ce que vous me disiez tout à l'heure, s'il vous plaît ? Pour qu'il l'entende.

— Je disais que j'ai fait une analyse mitochondriale de l'ADN. Trois échantillons avaient l'air OK, mais les poils marqués Paraíso ne présentaient pas d'étiquette folliculaire permettant l'analyse du génome. Ni sur la racine ni sur la gaine. Vous m'aviez bien dit de tout analyser, n'est-ce pas ?

En effet, mais je voulais dire par là qu'il pouvait utiliser la totalité de l'échantillon Paraíso. Je n'imaginais pas un instant que le paquet puisse contenir d'autres spécimens :

— J'aurais pu rechercher les cellules épithéliales sur les tiges des poils du Paraíso, continuait Gagné, mais étant donné le contexte, je me suis dit que je n'en trouverais guère.

— Les chats ont des régions polymorphes dans leur ADN mitochondrial ? ai-je demandé.

— Oui, exactement comme les hommes. Aux États-Unis, un généticien spécialiste des félins étudie justement cette substance pour un institut de recherche sur le cancer. Il détient d'excellentes statistiques sur la variabilité au sein de la population.

Ryan, deux doigts sur la tempe, faisait semblant de se tirer une balle dans la tête. Non, décidément, ce n'était pas un clone de Linus Pauling[1].

— Et la correspondance concerne quels poils, monsieur Gagné ?

Froissement de papier. Je retenais mon souffle.

— L'échantillon Paraíso présente le même profil que celui marqué Specter.

Ryan a cessé de chasser la fumée imaginaire qui s'élevait du canon formé par ses doigts pour regarder fixement le téléphone.

— Vous voulez dire qu'ils correspondaient ?

— Je veux dire qu'ils sont identiques.

— Merci.

J'ai coupé la communication.

— Tu peux ranger ton arme.

Ryan a laissé tomber la pantomime pour s'écrier, les mains sur les hanches :

— Comment peut-il être si sûr de lui ?

— C'est son boulot d'être sûr de ce qu'il avance.

— Mais ces poils ont traîné dans une cuve de merde !

— Tu connais quelque chose à l'ADN ?

— Je sens que tu vas m'apprendre tout ce que j'ignore encore. (Puis, la main levée, l'air penaud :) La version en cinq minutes, SVP.

— Tu sais à quoi ressemble une molécule d'ADN ?

— À un escalier en spirale.

1. Linus Carl Pauling, 1901-1994. Chimiste américain qui a notamment introduit la physique quantique en chimie nucléaire. Prix Nobel de chimie 1954 ; prix Nobel de la paix 1962. *(N.d.T.)*

— Bien. Les sucres et les phosphates forment les rampes, les bases forment les marches. Comment est-ce que je pourrais ramener tout ça à un niveau qui te soit accessible ?

Ryan a ouvert la bouche. Je me suis dépêchée d'enchaîner.

— Pense que les bases sont des Lego de quatre couleurs seulement. S'il y en a un rouge sur une moitié de marche, celui sur l'autre moitié est forcément bleu. Le vert, lui, vient toujours en paire avec le jaune.

— Et comme tout le monde n'a pas les mêmes couleurs au même endroit...

— Finalement, tu n'es pas aussi bête que tu en as l'air. Le polymorphisme, c'est lorsqu'il existe de multiples variations pour une même série de marches. Quand ces variations sont extrêmement nombreuses, qu'il y en a jusqu'à plusieurs centaines, on parle de région hypervariable.

— Comme Manhattan.

— Tu voulais ça en cinq minutes ?

Ryan a levé les deux mains en signe de reddition.

— Les variations, ou polymorphismes, peuvent concerner l'ordre des couleurs proprement dit, comme le nombre de répétitions qui se produisent à l'intérieur d'une même séquence de marches. Tu me suis ?

— Un fragment particulier peut varier en couleurs ou en longueurs.

— La première technique d'analyse de l'ADN employée à des fins légales a été le RFLP ou polymorphisme réduit dans la longueur du fragment, qui détermine la variation du polymorphisme dans la longueur d'un fragment d'ADN défini.

— Et ça donne ce truc qui ressemble à un code-barres.

— On appelle ça un autoradiographe. Malheureusement, ce type d'analyse exige une quantité d'ADN supérieure à celle qu'on trouve généralement dans les échantillons prélevés sur une scène de crime. C'est pourquoi on recourt à l'analyse PCR.

— L'amplification ?

— Exactement. Ç'a été une réelle avancée. Sans entrer dans les détails...

— Dommage, j'adore quand tu dis des choses cochonnes.

Ryan a tendu le doigt pour me caresser le nez. J'ai chassé sa main.

— La PCR, ou réaction en chaîne des polymérases, est une technique qui permet d'augmenter la quantité d'ADN disponible pour l'analyse. Une volée de marches bien définie de ce Lego est copiée des millions de fois.

— Photocopie génétique.

— Sauf que chaque fois, le nombre de copies double, ce qui fait que l'ADN augmente en progression géométrique. L'ennui avec ce type d'analyse, c'est que peu de régions variables ont été identifiées et qu'au fil des duplications, elles tendent à présenter partout de moins en moins de variations.

— Si je comprends bien, on peut utiliser la méthode PCR avec de l'ADN médiocre, sauf qu'on aura une puissance de discrimination inférieure.

— Historiquement, ça a été le cas.

— Et qu'est-ce que c'est que ce truc mitochondrial ?

— Les analyses RFLP et PCR, et d'autres méthodes encore, utilisent l'ADN génomique, lequel se trouve dans le noyau de la cellule. Mais il y a aussi un peu de cet élément génétique dans les mitochondries, ces petits compartiments à l'intérieur de la cellule qui lui permettent de respirer. Le génome provenant des mitochondries est plus petit, à peine supérieur à seize mille bases, et il forme un cercle au lieu d'une spirale. Deux régions sur ce cercle sont fortement variables.

— Et quel est l'avantage de l'ADN mitochondrial ?

— Comme il est présent à des centaines ou des milliers de copies par cellule, il est possible de l'extraire à partir d'échantillons petits ou dégradés ayant perdu leur ADN génomique depuis longtemps. Des chercheurs ont retrouvé de l'ADN mitochondrial dans les momies égyptiennes.

— Je doute que ta fosse septique ait été construite par les pharaons.

— J'essayais de te rendre la chose compréhensible. J'ai cherché un meilleur exemple.

— L'ADN mitochondrial a été employé pour déterminer que les squelettes récemment exhumés en Russie étaient bien ceux du tsar Nicolas et de sa famille.

— Comment ça ?

— L'ADN mitochondrial se transmet exclusivement par les femmes.

— Tu veux dire que ce truc de correspondance vient entièrement de Maman ?

— Désolée de te décevoir, Ryan.

— Mes congénères l'ont quand même dans le baba !

— Les chercheurs ont comparé l'ADN des ossements découverts en Russie à l'ADN prélevé sur des parents vivants du tsar, notamment sur le prince Philip de Grande-Bretagne.

— Le mari de la reine Élisabeth ?

— Oui. Sa grand-mère maternelle étant la sœur de la tsarine Alexandra, il avait donc pour arrière-grand-mère la mère d'Alexandra, et comme toute la descendance hérite de l'ADN mitochondrial, le sien était donc identique à celui de la tsarine.

— Revenons aux chats, si tu veux bien.

— Les cellules des poils de chat n'ont pas de noyau. Par conséquent, elles n'ont pas d'ADN génomique. En revanche, celles de la partie tige du poil contiennent de l'ADN mitochondrial.

— Gagné parlait de cellules épithéliales.

— Ce sont celles qui servent à protéger certaines surfaces ou cavités du corps. Il y en a dans la salive, la peau, les muqueuses de la bouche ou du vagin. On peut donc en retrouver sur les poils d'un chat puisqu'il se lèche pour faire sa toilette. Mais comme on en trouve aussi dans l'urine et les excréments, tu comprends que Gagné n'ait pas eu grand espoir de découvrir de l'ADN mitochondrial appartenant au chat sur les poils de l'échantillon Paraíso.

— Ouais, une merde cache l'autre.

— Selon Gagné, les poils du chat des Specter présentent des séquences mitochondriales identiques à celles des poils de chat relevés dans la fosse septique.

— Ce qui signifie que la victime du Paraíso a été en contact avec le chat des Specter.

— Ouais.

— Or nous savons que la fille dans la fosse n'est pas Chantal.

— Bien, Ryan ! Les flics sont vraiment bons à ce genre de déductions.

— La victime est donc quelqu'un qui a été chez les Specter ou, du moins, qui a été en contact avec leur chat.

— Avant Noël dernier.

Il m'a lancé un regard interrogateur.

— C'est l'époque où Guimauve a voulu faire la planche dans leur piscine.

Ryan a gardé le silence un moment, puis :

— J'ai comme l'impression que la petite Chantal en sait un peu plus qu'elle ne veut bien nous le dire.

— Chantal ou quelqu'un d'autre.

— Mme Specter ?

J'ai eu un geste d'ignorance.

Nous nous sommes regardés. Nous pensions tous les deux à la même chose. C'est moi qui l'ai formulée :

— L'ambassadeur ? Je ne l'ai jamais rencontré.

— Où est-il ?

— Au Mexique, en train de discuter des rendements du soja.

— Bizarre, non, alors que sa fille vient de se faire arrêter ?

— Galiano dit que, lorsqu'il a été mis sur le coup de la disparition de Chantal, plutôt tardivement d'ailleurs, le papa ne s'est pas montré très coopératif.

— Ce chat nous fait voir les choses sous un angle neuf.

Situé juste à l'ouest de Centre-ville, Westmount dévale la Montagne en une série de rues arborées. Sa forte concentration d'anglophones et sa fidélité féroce aux fédéralistes fait de lui un véritable anathème lancé aux partisans du séparatisme. Avant la restructuration de l'île de Montréal et le regroupement d'un grand nombre de municipalités excentriques, voire périphériques, sous la houlette de la seule Communauté urbaine, Westmount se glorifiait de son indépendance, de ses taxes moins élevées, de son excellente gestion et de son goût si distingué.

La ville a lutté ferme pour ne pas être absorbée dans

le grand Montréal. À la veille de perdre la bataille, ses habitants, drapés dans leurs visons et leurs cachemires, ont pincé leurs nez de riches et attendu, confiants, qu'un certain avocat aille obtenir cassation de l'arrêt par la cour.

Ils attendent toujours.

Ryan est sorti du tunnel à Atwater, a tourné à gauche sur le Boulevard, puis à droite, et a commencé à grimper. À mesure que nous nous élevions, les maisons devenaient de plus en plus vastes. Des patios et des vérandas qui donnaient au sud, on devait avoir une vue superbe sur le fleuve et la ville.

Westmount est comme Hong-Kong. Plus on monte, plus c'est chic. La maison des Specter, l'une des plus grandes du haut Westmount, était une haute forteresse en pierre surmontée d'une tourelle, protégée des regards indiscrets par une haie de cyprès s'étirant de part et d'autre d'une grille ouvragée. Ce qui se trouvait derrière devait être grandiose.

— Pas mal comme bercail, a lancé Ryan en garant la voiture.

— Mme Specter m'en avait parlé comme d'un pied-à-terre.

— Comble de l'arrogance. Tout à fait Westmount.

— Mme Specter est de Charlevoix.

Ryan a sonné la cloche d'une superbe porte en chêne. Quelque part à l'intérieur, un carillon a retenti.

— Ça gagne combien, un ambassadeur ? m'a soufflé Ryan.

— Moins que tout ça, j'en suis sûre. En général, les ambassadeurs ne prennent pas le boulot pour l'argent. Ils paient pour l'obtenir.

Nous avons attendu une bonne minute. Ryan a sonné une seconde fois.

Mme Specter est venue ouvrir elle-même. J'ai eu un choc. Malgré son maquillage et son rouge à lèvres, elle était livide. Des mèches échappées de ses cheveux remontés sur la tête tombaient en tortillons sur ses oreilles et sur sa nuque.

— Oh, je ne peux pas, je suis désolée... (Une de ses mains s'est portée à sa poitrine.) J'ai un empêchement, je ne peux pas vous recevoir...

Elle a voulu refermer la porte. Ryan a bloqué le battant.

— Je vous en prie. J'ai la migraine.

— Nous ne voulons pas vous déranger, madame Specter, nous sommes juste venus voir Chantal, a plaidé Ryan avec son sourire désarmant d'enfant de chœur.

— Je ne peux pas vous laisser importuner ma fille.

Voix désespérée.

— Nous serons très brefs, ai-je tenté à mon tour.

— Chantal dort.

— Je vous en prie, réveillez-la.

— Elle ne se sent pas bien.

— La migraine, peut-être ?

— Oh, je sais ce que c'est, j'en ai moi-même d'épouvantables, me suis-je empressée de dire pour adoucir le ton cassant de Ryan. Faites descendre Chantal et retournez vous mettre au lit.

— Non, merci.

Elle était à côté de la plaque. J'ai scruté ses pupilles. Grosses comme un verre à cocktail. Elle avait dû avaler une boîte entière d'analgésiques.

— Est-ce que M. Specter...

D'un geste de la main, elle a voulu m'interrompre. J'ai insisté.

— Votre mari est ici, madame Specter ?

— Ici ?
— À la maison ?
— Je suis toute seule.
— Toute seule ?
Prenant conscience de sa bourde, elle a secoué la tête.
— Avec Chantal.
J'ai échangé un regard avec Ryan. Posant une main sur celle de l'ambassadrice, j'ai demandé doucement :
— Où est-elle, madame ?
— Pardon ?
— Chantal est partie, c'est ça ?
Elle a baissé la tête et fait signe que oui.
— Savez-vous où elle est ?
— Non.
Le lustre de l'entrée illuminait en contre-jour les mèches folles de ses cheveux.
— Elle ne vous a pas téléphoné, depuis ?
— Non.
Tête toujours baissée. Voix lointaine, à des millions de kilomètres.
— Madame Specter ?
Elle a relevé la tête et fixé la haie dans notre dos.
— Chantal est avec des gens qui vont lui faire du mal. Et elle est furieuse. Furieuse à un point... (Soupir tremblotant et regard timide sur moi.) C'est de notre faute aussi, à son père et à moi. Mon aventure... Ses petits jeux vengeurs. Comment est-ce que cela n'aurait pas affecté notre fille ? Oh, je ferais tout tellement différemment... !
— Les parents parfaits n'existent pas, madame.
— Oui, mais ils ne poussent pas tous leurs enfants dans la drogue.
Difficile de ne pas en convenir.

— Avez-vous une idée qui puisse nous aider à localiser votre fille ?

— Quoi ?

J'ai répété ma question.

Mme Specter a interrogé les parties de son cerveau encore en état de fonctionner.

— Non. Je suis désolée. Désolée.

— Pouvons-nous voir sa chambre ? a demandé Ryan.

Elle a esquissé un vague acquiescement et fait demi-tour. Nous l'avons suivie jusqu'au palier du second étage par un escalier en bois travaillé.

— La chambre de Chantal est la première à gauche. Je dois aller me recoucher.

— Ne vous inquiétez pas, nous partirons sans vous déranger.

La chambre était plongée dans le noir et des centaines de petits points scintillaient au plafond, au-dessus du lit. Le kit de *Nature Company*. Je l'ai reconnu immédiatement. J'en avais acheté un à Katy, l'année de ses quatorze ans, et nous avions passé un après-midi entier à reproduire la voûte céleste. Plus tard, elle y avait ajouté le système solaire. Dans son lit, elle passait des heures à rêver à des mondes lointains. Je me suis demandé qui, de la mère ou de la fille, avait décoré ce plafond.

Dès que Ryan a allumé la lumière, le miroitement a disparu. La pièce était tendue de vichy jaune parsemé d'œillets blancs. Des poupées et des oreillers en dentelle encombrant le lit à baldaquin. À l'un des montants, un orang-outan aux yeux de verre. D'autres poupées et peluches étaient disposées sur les rebords de fenêtre et le fauteuil à bascule.

À côté du lit, une table de chevet avec un téléphone

sans fil, une autre avec un radio-réveil Bose et un lecteur de CD. En face, une armoire peinte qui devait coûter à elle seule plus que tout mon mobilier. Laissant Ryan s'occuper de l'ordinateur, je suis allée l'ouvrir. Des affiches tapissaient les battants à l'intérieur. A droite : *White Trash*, *Two Heebs and a Bean* gribouillé en travers de quatre estomacs ; à gauche : *Punk Rock on – Girls Kick Ass*.

L'armoire contenait des livres, une télé et une impressionnante collection de CD. J'ai survolé les noms des artistes. Dropkick Murphy's, Good riddance, Buck-O-Nine, AFI, Dead Kennedys, Racid, Saves the Day, Face to Face, The Business, Anti-Flag, The Clash, Less than Jake, The Unseen, The Aquabats, The Vandals, NFG, Stiff Little Fingers. Pas mal de NOFX.

Inconnus au bataillon – de moi, en tout cas. Je me suis sentie vieille comme le monde.

Les livres étaient en français et en anglais : *Anna Karénine*, de Tolstoï ; *Le Retour de Merlin*, de Deepak Chopra ; le *Guide du Routard de la galaxie*, de Douglas Adams ; *Père manquant, fils manqué,* de Guy Corneau ; *Anne of Green Gables* ; plusieurs *Harry Potter.*

Ça m'a un peu remontée.

— Des signaux plutôt confus, a résumé Ryan en allumant l'ordinateur.

— Elle doit passer par une crise d'identité.

Ce fatras de rêves d'enfant, de colère d'ado et de curiosité d'adulte avait quelque chose de schizophrénique en effet. J'ai essayé de me représenter Chantal dans cet environnement. En chair et en os, je l'avais vue dans sa version punk ; en photo, sous son aspect petite fille sage. Mais qui était-elle vraiment ? Qui était-elle quand elle se trouvait dans cette chambre ? Je n'aurais su le dire.

L'unité centrale a émis des bip-bip et bourdonné pendant que les programmes se chargeaient.

Chantal aimait-elle le vichy ? Était-ce à sa demande qu'il y avait autant de poupées ? La nuit, regardait-elle ces étoiles au plafond en se demandant ce que la vie lui réservait ? Fermait-elle ses paupières très fort, déçue par ce qui lui était échu jusque-là ?

La page Windows s'ornait d'une chute d'eau. Ryan a cliqué sur la souris et tapé quelque chose. Je me suis rapprochée pour regarder. Il avait lancé AOL et tentait de craquer le mot de passe.

Il a essayé une autre combinaison de touches.

AOL l'a informé que son choix était incorrect et lui a proposé de recommencer.

— Ça peut prendre une vie entière, ai-je dit.

— En général, les gosses ne sont pas très sophistiqués.

Il a essayé le prénom de tous les membres de la famille, puis leurs initiales, à l'endroit et à l'envers, puis dans différentes combinaisons.

Pas de résultat.

— C'est quoi, sa date de naissance ? a demandé Ryan.

Je la lui ai indiquée. Il a essayé les chiffres dans le bon ordre, puis dans l'ordre inverse. AOL est resté muet.

— Le nom du chat ?

— Guimauve.

— Guimauve ?

— Ne me regarde pas comme ça, ce n'est pas moi qui l'ai choisi.

G-U-I-M-A-U-V-E.

AOL n'était pas d'accord.

E-V-U-A-M-I-U-G.

L'écran de bienvenue a clignoté, et une voix mélodieuse a annoncé du courrier en attente.

— Merde alors, je suis bon, quand même !

— À condition de connaître le nom du chat.

Ryan a cliqué sur une icône, la boîte aux lettres de Chantal est apparue sur l'écran. Deux e-mails non lus. Nous les avons parcourus en silence. Les deux venaient d'une amie de classe à Guatemala.

Boîte d'envoi maintenant. Depuis sa relaxe de vendredi, Chantal avait adressé sept e-mails à un certain culenfer@hotmail.com. Tous expliquaient combien elle était malheureuse et suppliaient qu'on vienne à son secours. Elle avait également contacté Chiencrade, Rambeau, Têtedelit, Sexychaton et Criperçant.

La boîte de courrier ancien contenait deux e-mails, l'un daté de la veille, l'autre du jour même à quinze heures, tous les deux provenant de Culenfer. Ryan a ouvert le plus récent.

CHIÉMENT CONTENT DE TON RETOUR. CHIENCRADE ET RAMBEAU SONT DANS LES BAS-FONDS. LA TÊTE EST DANS L'OUEST. APPELLE. TU PEUX COMPTER SUR MOI.

— Super, un fana de James Taylor ! a ricané Ryan en ouvrant le second e-mail.

CHANGEMENT DE PROGRAMME. CHEZ TIM. GUY. HUIT. SI C'EST CHAUD, VA CHEZ CLEM.

— Tu crois que tous ces Clem, Tim et Guy pourraient être les punks du cyberespace à qui elle a envoyé ses e-mails ?

Ryan n'a pas répondu, perdu dans ses pensées.

J'ai décroché le téléphone et enfoncé le bouton de rappel automatique.

Rien.

J'ai fixé l'orang-outan. Il m'a rendu un regard vide de ses yeux en verre. Je l'aurais bien secoué pour qu'il m'apprenne où était partie sa maîtresse.

Ryan a fermé l'ordinateur et s'est redressé. J'ai demandé :

— Une idée ?

— Ouais, et excellente. En avant, la zizique !

20.

— C'est quoi, le programme ? ai-je demandé à Ryan alors qu'il tournait dans Sherbrooke.

— Des cannellonis à La Transition.

Je me suis contentée de le regarder.

— Et du pudding de pain. Il est à tomber, là-bas !

— Je croyais qu'on recherchait Chantal ?

— Et les beignets, je te dis pas !

— Les beignets ?

— Tu sais, ceux qui ont des petits grains sur le dessus ? Miam-miam, mes préférés... !

Avant que j'aie eu le temps de répondre, il s'était déjà garé dans Grosvenor et m'ouvrait la portière. Me prenant par le coude, il m'a entraînée vers le restaurant qui faisait le coin. Son attitude de conspirateur commençait à me taper sur le système.

— Qu'est-ce qui se passe ?

— Fais-moi confiance.

— Je m'en voudrais de gâcher ce grand moment de suspense, mais nous devons trouver Chantal.

— Nous allons le faire.

— En nous tapant des beignets et des cannellonis ?

— Tu jures de me faire confiance ?

J'ai libéré mon bras d'un coup sec.

— Parce que tu as des infos confidentielles à me communiquer ? !

Une femme avec des lunettes en forme de bouteille de Coca clopinait vers nous derrière un fox-terrier qui avait tout du rat qu'il était censé chasser. Au ton de ma voix, elle a raccourci sa laisse et accéléré le pas, les yeux sur ses chaussures.

— Tu vois, tu fais même peur aux indigènes ! Entre, je t'expliquerai.

J'ai plissé les paupières, mais obtempéré néanmoins. Sur le pas de la porte, brusque flash-back de mon dîner avec Galiano au Gucumatz. Si le maître d'hôtel de La Transition avait le malheur de nous placer dans une alcôve, je ne resterais pas une seconde dans cet endroit !

Le restaurant se voulait « fusion méditerranéenne » : lumières tamisées, murs lambrissés vert sapin, nappes bleu marine et grenat. Une jeune femme nous a conduits à une table près des fenêtres. En chemin, large sourire à Ryan qui lui a rendu ses amabilités.

— Tu as déjà entendu parler de Patrick Feeney ?

— Nous ne nous envoyons pas de cartes de vœux pour Noël.

— T'es vraiment une sacrée emmerdeuse.

— Je me donne du mal, tu sais. Ça ne me vient pas tout seul.

Ryan a poussé un long soupir pour signifier qu'il faisait preuve avec moi d'une infinie patience.

— Tu as déjà entendu parler de Chez Tante Clémence ?

— C'est un abri pour des enfants des rues.

Une seconde jeune femme nous a présenté les menus et, avec un sourire encore plus rayonnant, a rempli d'eau nos verres avant de prendre la commande des boissons. Nous avons tous les deux demandé un Perrier.

Ryan a ignoré son menu.

— Les cannellonis sont excellents.

— J'ai entendu.

Quand la serveuse est revenue, j'ai choisi les *linguine al pesto genovese.* Ryan est resté fidèle à ses amours. Comme entrée, nous avons pris tous les deux une salade César.

Nous avons grignoté du pain, puis mangé la salade sans presque nous dire un mot. Je regardais par la fenêtre, le jour cédait la place à la nuit. Les enfants avaient déserté les rues et les squares le long de Grosvenor, ils étaient rentrés chez eux, dîner ou faire leurs devoirs. Des lumières jaunes brillaient dans les vérandas et les appartements en duplex des deux côtés de la rue. Dans Sherbrooke, les banques et les entreprises fermaient, les magasins se vidaient. Les néons des boîtes de nuit clignotaient déjà, bien que la plupart des établissements ne soient pas encore ouverts.

Les piétons hâtaient le pas. Un rafraîchissement avait été annoncé à la tombée du soir. Et Chantal ? Vers quelle destination se pressait-elle dans cette nuit embryonnaire ?

Les plats servis, poivrés et saupoudrés de fromage, Ryan a pris la parole.

— Patrick Feeney est le prêtre défroqué qui tient Chez Tante Clémence. Ni drogue, ni alcool ne sont autorisés sur les lieux. En dehors de ça, les gosses sont libres d'aller et de venir à leur guise. Il leur offre des repas et un lieu pour dormir. S'il y en a qui veulent parler, il les écoute. S'ils réclament un soutien psychologique, il les oriente vers la bonne personne. Pas de sermon, pas de couvre-feu et pas de serrure aux portes.

— Un tantinet libéral pour l'Église catholique, non ?

— Je t'ai dit qu'il était défroqué. Exclu du clergé depuis des années.

— Pourquoi ?

— Pour autant que je me souvienne, parce qu'il avait une petite amie. On lui a demandé de choisir. Il a décidé de ne pas travailler à sa réintégration dans le sein de l'Église, mais de se consacrer à celle des autres dans la société.

— Qui paye la facture ?

— Il touche des subventions de la ville, mais les fonds proviennent surtout de donations et de manifestations diverses à but caritatif. Il s'appuie beaucoup sur les bénévoles.

Le déclic s'est fait dans ma tête.

— Et tu penses que Clem, ce serait Chez Tante Clémence ?

— Je te l'ai dit, que j'étais plutôt bon en déduction.

Second déclic.

— Et Tim serait la boutique Tim Hortons qui vend des beignets, rue Guy ?

— Tu n'es pas mauvaise non plus, Brennan.

— Et nous, on tue le temps jusqu'à l'heure du rendez-vous avec Culenfer.

Nous avons tous les deux regardé notre montre. Six heures cinquante-huit.

Les civils se représentent les planques comme la partie haletante du travail du policier, quelque chose qui fait grimper en flèche l'adrénaline. En réalité, les trois quarts du temps, c'est aussi passionnant qu'un cachet de Metamucil.

Nous avons passé deux heures à surveiller le Tim Hortons, Ryan de sa voiture, moi du banc d'un square.

Des voyageurs entraient et sortaient de la station de métro Guy, des étudiants rentraient chez eux après leurs cours du soir à l'université Concordia, des gens nourrissaient les pigeons au pied du monument à Norman Bethune, d'autres jouaient au frisbee ou promenaient leur chien. Hommes d'affaires, clodos, bonnes sœurs ou mecs branchés, il y avait toutes sortes de gens. Sauf Chantal Specter.

À dix heures, Ryan m'a appelée sur mon portable.

— Ça m'a l'air râpé pour ce soir.

— Tu crois que Culenfer nous aurait repérés et aurait prévenu Chantal ?

— À condition qu'il ait un QI plus gros qu'un pois chiche, ce dont je doute.

— Et de la patience, pour attendre aussi longtemps.

J'ai regardé autour de moi. Le seul homme qui flânait près de la boutique Tim Hortons avait au moins soixante-cinq ans. Sur le trottoir en face, rue de Maisonneuve, des buveurs passablement imbibés avaient bien l'apparence idoine, mais aucun ne semblait s'intéresser à moi ou au magasin de beignets.

— Qu'est-ce qu'on fait ?

— Accordons encore une demi-heure à notre petite chérie avant de nous pointer chez Clem.

Le petit triangle dans lequel j'étais installée était comme une île au milieu de la rue de Maisonneuve. Les voitures passaient sur les trois côtés. Inconsciemment, j'ai commencé à compter. Un, sept, dix.

Bravo, Brennan, tu fais dans la compulsion, maintenant ?

Dix heures cinq.

Pourquoi est-ce que Chantal n'était pas venue au rendez-vous avec Culenfer ? L'e-mail était-il un piège ou était-ce moi qui avais tout fait rater ? Elle était venue et, me reconnaissant, s'était enfuie ?

Une famille d'Asiatiques s'avançait vers la boutique. L'homme est entré, la femme a attendu dehors avec un enfant en bas âge et un bébé dans une poussette.

Coup d'œil à mon poignet. Dix heures dix.

Avions-nous raté Chantal ? S'était-elle cachée jusqu'à l'arrivée de Culenfer et lui avait-elle signalé de faire gaffe ? Était-elle venue déguisée ?

Dix heures quatorze.

Rapide regard de l'autre côté du croisement. Les yeux de Ryan ont trouvé les miens. Il a secoué sa tête lentement.

Deux hommes sont entrés dans la boutique, de vraies réclames pour Hugo Boss. Par la vitre, je les ai regardés choisir un par un une douzaine de beignets. Deux vieilles dames buvaient du café dans une alcôve. Trois poivrots discutaient à une table dehors.

Dix heures dix-sept.

Des beignets pour un groupe d'étudiants.

J'ai scruté les visages. Pas de Chantal.

— Prête ?

J'ai relevé les yeux. Ryan se détachait sur fond d'halogènes et de néons. Au-dessus de sa tête, le ciel était noir et sans étoiles.

— On y va ?

Chez Tante Clémence se trouvait dans la rue de Maisonneuve, deux blocs à l'est du vieux Forum. C'était une habitation de trois étages dans un trio de maisons de différentes couleurs aux colombages repeints de frais. Dans ce triptyque arc-en-ciel, le bleu lavande avait échu à Tante Clémence.

Mais la brigade de rénovation ne s'était pas arrêtée

en si bon chemin : du moutarde pour la véranda et du rouge cerise pour les bacs à fleurs. Dans la première, un échantillon de la faune occupant les lieux ; dans les seconds, des plantes desséchées.

Sur le deuxième palier de l'escalier de secours, deux filles se peinturluraient les ongles de pied. Cheveux bruns coupés court, frange longue, pantalon Capri et assez de trous dans les chairs pour faire jouer n'importe quelle assurance post-opératoire. Les Laverne et Shirley de la série télé version punk. Le duo a suspendu sa pédicure pour suivre notre approche.

Clope au bec ou entre les doigts, l'équipe dans la véranda a braqué les yeux sur nous. D'après les coiffures, on avait : une Statue de la Liberté, un Mister T., deux Sir Galahad et une Janis Joplin. Bien qu'il fasse trop noir pour distinguer leurs traits, au jugé, tous devaient être en maternelle l'année où le mur de Berlin était tombé.

La Statue a donné un petit coup de coude à Mister T. Celui-ci a fait un commentaire qui a déclenché l'hilarité générale.

— *Bonjour**, a lancé Ryan du trottoir.

Pas de réponse. Il a tenté l'anglais.

— Salut.

Les Sex Pistols parvenaient de l'intérieur par rafales intermittentes, comme si quelqu'un s'amusait à monter et à baisser le son.

— Nous cherchons Patrick Feeney.

— Pourquoi ? a fait Mister T. Papa a tiré le gros lot ?

— Non, c'est pour le Nobel, a rétorqué Ryan d'une voix égale.

Mister T., en gilet de cuir sur un thorax glabre et nu, s'est écarté de la balustrade. Campé sur ses pieds écartés, les épaules rejetées en arrière, les pouces dans les passants de son jean : paré pour la bagarre.

— Réveiller le tigre qui dort, c'est pas vraiment une bonne idée, a décrété la Statue en secouant sa cendre sur le trottoir.

Lui, son objectif, c'était manifestement de se faire remarquer, à en croire ses pointes de cheveux teintes dans des couleurs que j'aurais été bien incapable de nommer et sa narine reliée par une chaîne au lobe de son oreille.

Ryan a fait un pas en avant et balancé son insigne dans la figure de Mister T.

— Patrick Feeney ? a-t-il répété d'une voix de granit.

Mister T. a lâché les passants de son jean et fermé ses poings. Joplin s'est tendue vers lui et a passé un bras autour de sa jambe.

— *À l'intérieur**.

— *Merci**.

Ryan a posé le pied sur la première marche. Le groupe s'est écarté d'un quart de millimètre. Nous avons grimpé le perron en faisant attention à ne pas écraser de doigts ou d'orteils.

Dix yeux ont suivi notre progression jusqu'à la porte au-dessus de laquelle brillait une unique ampoule rouge. Le plancher de la véranda était affaissé sur un côté mais, dans la lumière cramoisie, on remarquait çà et là des lattes neuves. Quelqu'un avait retourné la terre d'un des bacs. À côté, des soucis attendaient d'être plantés. Si l'on pouvait douter que Chez Tante Clémence remporte un jour un concours de décoration, il était évident qu'une main bienveillante y était quand même à l'œuvre.

L'intérieur de la maison ne décevait pas les attentes qu'on avait pu se forger dehors. Peinture bleu lavande pour les parties en bois, fresques maladroites sur les murs représentant des animaux, des fleurs et des couchers de soleil criards qui m'ont rappelé mes dessins à l'école primaire ; mobilier récupéré à l'Armée du Salut ; lino différent dans chaque pièce.

Nous avons traversé une salle de séjour contenant plusieurs futons, laissé un escalier en bois sur notre gauche et enfilé un long couloir étroit, juste en face de l'entrée. Des deux côtés, des portes donnant sur des chambres à coucher encombrées de commodes abîmées, de lits à une place ou de lits de camp. Quatre à six par chambre. Dans l'une, j'ai aperçu la lueur bleu argent d'une télé, et j'ai reconnu le thème principal de *La Loi et l'Ordre*.

À mi-chemin dans le couloir, la cuisine. Après, une salle à manger à gauche et deux autres chambres à droite.

Patrick Feeney était à genoux dans la cuisine, en train d'aider une Metallica adolescente à bricoler une grosse radio-cassette portative en compagnie de deux garçons.

De même que les caméléons africains tournent au vert et se balancent pour ressembler à une feuille, de même les gens qui s'occupent des jeunes prennent généralement l'allure de leurs protégés. Jean, queue-de-cheval, bottes ou pompes Birkenstocks, tel est le camouflage qui les aide à se fondre dans la population.

Ce n'était pas le cas de Feeney. Lui, il n'aurait pas déparé au milieu de retraités. Lunettes à monture d'écaille, toison blanche séparée par une raie droite comme une piste d'envol, cardigan de laine à torsades, chemise de flanelle et pantalon gris en polyester, remonté jusque sous les bras.

Au bruit de nos pas, il s'est retourné.

— Je peux faire quelque chose pour vous ?

Ryan a brandi son insigne.

— Détective Andrew Ryan.

— Patrick Feeney. C'est moi qui dirige ce centre.

Il m'a regardée. Metallica *idem*. Je m'attendais presque à ce que leur petite bande se mette à brailler *Die, die my darling* avec des voix grésillantes et haut perchées.

— Tempe Brennan, me suis-je présentée.

Feeney a hoché trois fois la tête, plus pour lui-même qu'à notre intention. Derrière lui, les garçons nous fixaient avec des regards allant de la curiosité à l'hostilité.

Deux filles blond platine se sont encadrées dans une porte de l'autre côté du couloir. Elles avaient l'air d'avoir ingurgité pas mal de patates dans leur vie. L'une portait un jean et un sweat-shirt de l'université de Colombie-Britannique, l'autre une jupe paysanne bas sur les hanches, un choix peu judicieux compte tenu de sa silhouette.

Feeney s'est remis debout tant bien que mal. Metallica s'est aussitôt précipitée pour l'aider. Marchant les pieds très écartés comme s'il souffrait d'hémorroïdes, il s'est avancé vers nous.

— Qu'est-ce que je peux faire pour vous, détective ?

— Nous recherchons une jeune fille du nom de Chantal Specter.

— Il y a un problème ?

— Est-ce qu'elle est ici ?

— Pourquoi ?

— La question n'est pas difficile, mon père.

Feeney s'est raidi légèrement. Du coin de l'œil, j'ai vu disparaître Jupe paysanne. L'instant d'après, la porte avant s'ouvrait, puis se refermait.

Je me suis glissée hors de la cuisine pour filer jusqu'au salon. Pour autant que je puisse voir par la fenêtre, ne restaient sur les marches de la véranda que la Statue et Mister T. en grande conversation avec Jupe paysanne. Mister T. a secoué sa cigarette, et ils sont partis tous les trois dans la rue de Maisonneuve, en direction de l'ouest. J'ai attendu qu'ils prennent un peu d'avance pour leur emboîter le pas.

Les Canadiens de Montréal n'ont pas eu de chance avec leurs stades. Pendant la saison 1909-1910, les hockeyeurs s'entraînaient dans l'arène de Westmount, à l'angle des rues Sainte-Catherine et Atwater. Mais la patinoire brûla et les Habs se rapatrièrent dans la partie est de la ville, plus près de leurs racines. Las, un nouvel incendie devait ravager les lieux. C'est ainsi que fut construite l'arène de Mont-Royal. Les gars devaient y lancer le palet pendant quatre saisons, jusqu'en 1924, année où le Forum fut édifié juste en face. Les travaux prirent exactement cent cinquante-neuf jours et coûtèrent la bagatelle d'un million deux cent mille dollars. Le jour de l'inauguration, les Canadiens écrasèrent les Saint-Pat' de Toronto par 7 à 1.

Le hockey est sacré au Canada et, au fil des ans, le Forum acquit l'aura d'un lieu saint. Le caractère sacré du stade se renforçant à chaque coupe Stanley, sa petitesse devenait de plus en plus évidente. L'administration réclamait des sièges, les joueurs des vestiaires plus confortables.

Le 11 mars 1996, l'équipe se produisit pour la dernière fois au Forum. Quatre jours plus tard, cinquante mille Montréalais descendaient dans la rue pour assister au défilé du déménagement. Pour leur match inaugural au nouveau centre Molson, les Habs battaient les New York Rangers par 4 à 2.

Depuis, ils ne sont plus bons à rien, me suis-je dit tout en me hâtant le long de la rue de Maisonneuve.

Le vieux Forum resta vide un certain temps, à l'abandon, désespéré. Dans ce quartier périphérique de l'ouest de la ville, sa vue avait quelque chose de choquant. En 1998, la société Canderel Management le rachetait et faisait entrer Pepsi-Cola dans l'aventure en tant que sponsor-titre. Trois ans plus tard, après une restructuration massive des lieux, le bâtiment rouvrait ses portes sous le nom de Centre de divertissement du Forum Pepsi.

Bouffe et amusements ont remplacé le sport. Là où, jadis, les vendeurs de billets à la sauvette s'arrachaient les sièges près de l'arène, là où courtiers en Bourse et camionneurs jouaient des coudes pour avoir une bière, à présent des vingt-trente ans sirotent des Smirnoff glacées en disputant des parties de bowling sur des pistes sonores. Le Centre de divertissement du Forum Pepsi abrite également un mégaplex de vingt-deux écrans, un élégant magasin de vins et spiritueux, des restaurants, un mur d'escalade et un grand écran où l'on rend hommage au cinéma du bon vieux temps.

Mister T., la Statue et Jupe paysanne ont tourné à gauche dans la rue Lambert-Closse et pénétré dans le Forum par l'entrée de la rue Sainte-Catherine. Je les suivais à dix mètres.

Prenant pour repère les mèches hirsutes de la Statue, j'ai filé le trio parmi les joueurs de bowling et les amoureux du septième art éparpillés dans le hall. Les mèches multicolores se sont élevées sur l'escalator jusqu'au deuxième étage et ont disparu chez Jillian's.

Des tables et des stalles occupaient la droite du restaurant, un bar la gauche. Côté dîneurs, il n'y avait pas foule. En revanche, le long du comptoir, tous les tabourets étaient occupés et il y avait une bonne douzaine de buveurs debout à côté, en petits groupes de deux ou trois.

Le trio se dirigeait vers une fille assise tout au bout du bar. Chemisier noir en dentelle, sautoir en perles de jais et mitaines noires. Dans les cheveux, un immense nœud noir qui lui faisait comme un énorme papillon perché sur la tête.

Chantal Specter !

En apercevant ses amis, elle a souri et désigné du pouce le type à sa gauche, en levant les yeux au ciel.

J'ai regardé l'objet de son dédain.

Non, impossible !

Mais si, c'était bien lui.

Je me suis ruée sur mon portable.

21.

Ryan est arrivé dans les minutes qui ont suivi.

— Qui c'est, le crétin avec les cheveux raides de gel ?

— Ollie Nordstern, un journaliste de Chicago.

— Qu'est-ce qu'il fout ici ?

— Il se tape une bière.

— Ici, à Montréal ?

— Je crois qu'il me cherche. Il enquête sur le travail des organisations humanitaires. On s'est parlé à Guatemala. Depuis il ne me lâche plus.

— Comment ça, il ne te lâche plus ?

— Il m'appelle sur mon portable, me laisse des messages au labo.

— Qu'est-ce qui lui dégouline de l'œil ?

La question se référait à Chantal.

— Un tatouage, je suppose.

— Pourquoi Nordstern s'intéresse-t-il à la fille Specter ?

— C'est une question qu'il faut lui poser directement.

— Plutôt incontrôlable, la fille de l'ambassadeur. (Puis, après un claquement de doigts :) Il doit courir après un Pulitzer.

À présent, Chantal, blottie contre ses amis, tournait le dos au journaliste.

— Parée ?

— Allons-y.

Mister T., en mode surveillance, les pouces dans les passants de sa ceinture, triturait un chewing-gum du bout des incisives. Il nous a repérés à trois mètres et nous a fixés tel un serpent hypnotisant sa proie. Les autres sont restés concentrés sur leur conversation, Nordstern sur Chantal.

Ryan est allé se placer derrière elle et s'est emparé de son verre pour en renifler le contenu.

Le silence s'est fait.

— Tout le monde a bien sûr une pièce d'identité prouvant son âge.

Sourire paternel de Ryan : le gentil flic inquiet pour des mineurs.

— Allez vous faire foutre ! a lâché Mister T.

À la lumière électrique, il paraissait plus âgé que dehors, dans la véranda. Un peu plus de vingt ans. Je lui ai demandé :

— Culenfer ?

Ses yeux se sont baissés vers moi.

— En acier trempé. Et le vôtre ?

Il s'est mis à tambouriner à toute vitesse sur le bar, du plat de ses mains. Chantal avait sursauté légèrement.

— Ce n'est pas le nom que vous utilisez sur le net ?

— Jolis, les nichons.

— Vous dites ça pour me faire plaisir.

— On pourrait peut-être se prendre un cappuccino tous les deux, un jour ?

Petit sourire en coin tout en se grattant la poitrine.

— Pourquoi pas ? Dès que vous aurez droit aux

visites, hein ? Ça sera ma contribution aux bonnes œuvres du quartier.

Un petit couinement bébête et nerveux s'est fait entendre. Mister T. s'est retourné d'un coup vers Jupe paysanne.

— Qu'est-ce t'as à rire, pauv' conne ?

Ryan, qui s'était glissé derrière Mister T., a saisi son bras droit et le lui a plaqué dans le dos.

— Bordel de...

— Gardons nos bonnes manières, d'accord ?

Gentil Flic, tout à coup, n'était plus aussi prévenant.

— C'est du harcèlement.

Une veine palpitait le long du cou de Mister T. Il a tenté de se dégager, Ryan a serré plus fort.

Comme Chantal faisait mine de se lever, je l'ai rassise sur son tabouret, de mes deux mains plaquées sur ses épaules. De près, on voyait que ses larmes étaient en décalcomanie. La partie du haut se décollait un peu.

Nordstern considérait la scène d'un air totalement inexpressif.

— Ma collègue a posé une question légitime, a chuchoté Ryan dans l'oreille de Mister T. Pour nous, tu étais Mister T., mais c'est un peu gênant. Ça nous donne l'impression d'être des vieux.

Pas de réponse.

Ryan lui a tordu le bras.

— Brutalité policière... 'lez vous faire foutre.

— Tu supportes bien, pourtant.

Nordstern s'était mis à plier une serviette en papier en triangles de plus en plus petits.

Nouvelle torsion du bras de Mister T.

— Culenfer.

C'était presque un jappement.

Les voisins de Nordstern ont ramassé leurs bières et se sont tirés.

— Je doute que ta mère ait mis ce nom sur ton acte de naissance, a fait Ryan.

— Et moi, que la vôtre ait seulement su lire et écrire.

Ryan a accentué sa torsion.

— Merde !

— Je m'impatiente.

— Prenez un Prozac.

Torsion encore plus forte.

— Leon Hochmeister. Lâchez-moi.

Ryan a obtempéré. Hochmeister s'est penché pour cracher sa gomme par terre. Puis il s'est redressé et a fait rouler son épaule en se frottant le biceps.

— Tu devrais élargir ton vocabulaire, Leon. Y a des logiciels de synonymes pas mal du tout, tu sais.

Les incisives du haut de Hochmeister raclaient déjà sa lèvre inférieure dans l'intention d'expulser le mot f... quand, brusquement, il s'est ravisé. Ses yeux se sont rétrécis et il s'est mis à ressembler à un Raspoutine revu et corrigé version Indien mohawk. Déjà, Ryan s'adressait à la Statue :

— Et vous êtes ?

— Presley Iverson.

Celui-là avait une expression de curiosité amusée.

— Antoinette Gaudreau, a déclaré d'elle-même Jupe paysanne.

— Ai-je le plaisir de m'adresser à Chiencrade, Rambeau, Têtedelit, Sexychaton ou Criperçant ?

— Le Crieur pour vous servir, ou Criperçant, a répondu Iverson en s'inclinant avec des ronds de la main.

— Très poétique.

Une bulle rose s'est échappée de ses lèvres. À peine a-t-elle éclaté qu'il s'est remis à mastiquer ferme pour en produire une autre.

Ryan a regardé Gaudreau.

— Je ne passe pas beaucoup d'e-mails.

— Et quand vous le faites ?

Elle a haussé les épaules.

— Sexychaton.

— Merci, petit chat.

Aussi sexy qu'une baleine, le petit chat.

— Vous ne pouvez pas débarquer chez les gens et les tabasser comme ça, a maugréé Hochmeister qui reprenait de l'assurance.

— Je vais me gêner. Je peux même traîner ton cul au bloc, mon cher Leon. Pour assistance à un mineur en fuite. Je crois bien qu'en tapant ton nom, des dossiers pas inintéressants apparaîtraient à l'écran.

Les doigts de Leon se sont figés sur le bras qu'il était en train de masser. Il a jeté un regard à Chantal et a levé les yeux au plafond. Quand son menton est redescendu, de la sueur brillait le long de la ligne de démarcation entre ses cheveux et son front.

— On sait rien sur cette merde.

— Quelle merde, Leon ?

— La merde dont il parle.

Du coin de l'œil, j'ai vu Nordstern s'immobiliser.

— Il qui, Leon ?

Hochmeister a désigné de la tête le journaliste.

— Et Chantal non plus. Cet abruti est aussi cinglé que vous.

Index pointé en direction de Nordstern.

— Comment ça ?

— Il pense que Chantal connaît une gonzesse qui s'est fait descendre au Guatemala

— Leon ! a sifflé celle-ci entre ses dents.

Je me suis tournée vers Nordstern.

— C'est un peu éloigné de votre article sur les droits de l'homme, non ?

Ses yeux se sont élevés de la serviette jusqu'à rencontrer les miens.

— Peut-être.

— Où êtes-vous descendu, monsieur ? est intervenu Ryan.

Nordstern s'est remis à déchiqueter la serviette.

— Je vous en prie, ne perdez pas votre temps ou le mien. Mes informations et mes sources sont strictement confidentielles... À moins que nous ne trouvions un arrangement mutuellement bénéfique, a-t-il conclu en jetant sa serviette sur le bar pour se tourner vers moi.

Voix huileuse comme une plate-forme de forage.

— Je ne sais pas de quoi vous parlez.

Il m'a étudiée un long moment avant de répondre.

— Vous n'avez pas la moindre idée de ce qui se passe en réalité.

— Vraiment ?

— Vous êtes tellement loin de la vérité que vous pourriez aussi bien vous trouver sur Ganymède. Vous n'êtes même pas dans la bonne galaxie.

— La dernière fois que j'ai vérifié, Ganymède était toujours dans la Voie lactée

— C'est bon, Dr Brennan, je ne parle pas d'astronomie.

Il a vidé son verre et l'a reposé sur le comptoir.

— De quoi parlez-vous, alors ?

— De meurtre.

— Meurtre de qui ?

Les sourcils levés, il s'est mis à agiter un doigt comme un métronome.

— Secret.

— Pourquoi ? ai-je insisté.

Nouveau battement du doigt.

— C'est un secret très grave, venu d'outre-tombe.

J'ai soudain réalisé qu'il était pompette. Il tentait de conserver un air enjoué, mais son sourire se fanait.

— Je suis descendu au Saint-Malo, a-t-il repris à l'adresse de Ryan. Quant à vous (retour sur moi), appelez-moi quand vous aurez envie d'obtenir des réponses à certains secrets très graves.

Je l'ai suivi des yeux tandis qu'il se dirigeait vers la porte. À mi-chemin, il s'est retourné et a articulé à mon adresse : « Ganymède ! » Après un salut des deux doigts sur son front, il a disparu.

— Complètement fou, ce connard ! a lancé Hochmeister. Si je le croise encore, je lui fais un trou de balle aussi gros que Cap Breton.

— Leon, je ne te le dirai pas deux fois. Rentre chez toi, a déclaré Ryan. Non, je ne serai même pas aussi précis : casse-toi, c'est tout. (Le doigt sur le nez de Hochmeister, il a ajouté :) Et casse-toi maintenant ! Comme ça, avec tes potes, tu pourras regarder des rediffs d'Archie Bunkert... sinon, tu vas passer la nuit sans lacets ni ceinture.

Iverson et Gaudreau ont sauté à bas de leurs tabourets. À croire qu'ils étaient montés sur ressorts ! Hochmeister a hésité le temps d'un battement de cœur et leur a emboîté le pas, mâle alpha d'un groupe de babouins en déroute.

Ryan s'est tourné vers Chantal.

— Que voulait Nordstern ?

— C'est son nom, à ce taré ?

Elle a repris sa bière. Ryan la lui a enlevée des mains pour la reposer sur le bar.

— Ollie Nordstern. C'est un journaliste du *Chicago Tribune*, ai-je répondu.

— Vraiment ?

Bonne question. Pour ma part, je n'avais pas douté un instant de la légitimité du gratte-papier. J'avais gobé tout rond ce que Mateo m'avait dit de lui.

— Que voulait-il savoir ?

— Mes projets pour Sundance.

— Je ne crois pas que vous vous rendiez compte de la gravité de votre situation, Chantal. Manquement à la parole donnée à un magistrat : le juge peut vous renvoyer en prison.

Elle a gardé les yeux baissés sur ses genoux. Les mèches noires qui tombaient sur son visage blafard ne laissaient voir que le bout de son nez.

— Je ne vous entends pas, Chantal.

— Il voulait savoir des choses sur ces filles qui sont mortes.

— Celles dont je vous ai parlé à la prison ?

Elle a hoché la tête, le papillon en dentelle a tressauté.

Tout d'un coup, la dernière phrase de Nordstern pendant l'interview à la FAFG m'est revenue en mémoire. Je me suis tournée vers Ryan :

— Nordstern m'a déjà posé des questions sur la fosse septique.

— Comment pouvait-il être au courant ?

— Ça...

La même pensée nous a traversé l'esprit simultanément : Nordstern soupçonnait-il un lien entre les Specter et le Paraíso ? Je me suis retournée vers Chantal.

— Comment Nordstern vous a-t-il rencontrée ?

— Comment je le saurais ? Peut-être qu'il faisait le pied de grue devant la maison.

— Et il vous aurait suivie jusqu'au Tim Hortons ?

— C'est comme ça que vous m'avez retrouvée, vous ?

— L'aviez-vous déjà vu avant ce soir ?

— On se voyait en secret sous les gradins du stade.

— Chantal !

— Non.

— Qu'est-ce qu'il vous a demandé d'autre ?

Silence radio.

— Chantal ?

Elle a relevé la tête : visage de petite fille crispé par la colère. Version dure et froide de la photo remise par l'ambassade.

— Des choses sur mon père, sur mon célèbre emmerdeur de père ! a-t-elle lâché d'une voix qui tremblait. Rien sur moi. Je ne compte pas, moi. Je ne compte jamais.

D'une pochette brodée qu'elle portait en travers de la poitrine, elle a sorti une paire de lunettes noires. Aussitôt, deux Tempe biscornues au regard ahuri m'ont regardée dans les yeux.

Ryan a posé brutalement ses deux poings sur le bar.

— Votre mère s'inquiète. On parlera demain.

Chantal s'est laissé emmener sans faire d'histoires hors du restaurant et jusque vers la rue Sainte-Catherine. Arrivé à la porte, Ryan m'a désigné discrètement Ollie Nordstern plongé dans l'étude d'une sélection de chardonnay français dans la boutique de spiritueux.

— Tu en penses quoi ? lui ai-je demandé.

— Qu'il n'a aucun avenir à la CIA. Voyons s'il nous suit.

Accélérant le pas, nous avons fait franchir la porte à Chantal puis nous avons tourné le coin du bâtiment.

Elle n'a pas bronché. Elle s'est contentée de lever les yeux au ciel.

Vingt secondes plus tard, Nordstern débouchait sur le trottoir. Après un regard circulaire, il est parti d'un pas pressé en direction de l'ouest. Arrivé au coin de la rue Atwater, il a fait demi-tour et est revenu sur ses pas.

Je l'ai vu s'arrêter rue Lambert-Closse, regarder la Montagne à gauche, puis la place Cabot à droite. Mes yeux suivaient les siens. Revenue sur lui, j'ai exploré le carrefour du regard. C'est alors que j'ai aperçu un type en casquette de base-ball marchant vers lui, un Luger 9 mm pendu à la ceinture.

Ce qui a suivi a été un kaléidoscope de quatre-vingt-dix secondes qui m'ont paru durer trois fois l'éternité.

J'ai désigné le bandit en hurlant. Ryan a sorti son arme. J'ai entraîné Chantal au sol et je me suis recroquevillée à côté d'elle.

— Police ! a braillé Ryan. Tout le monde par terre !

Le bandit a dégainé à moins d'un mètre cinquante de Nordstern. Bras tendu, il a visé la poitrine.

Une femme a crié.

— Un pistolet ! *Une arme à feu* !*

Ses mots ont rebondi d'un mur à l'autre de la rue Sainte-Catherine.

Second hurlement.

Deux explosions ont déchiré l'air. Nordstern a volé en arrière, deux fleurs rouges épanouies sur sa chemise.

Il y avait peut-être quinze personnes dans la rue. La plupart se sont laissé tomber à genoux. D'autres ont tenté tant bien que mal de rentrer dans le Forum. Un homme a attrapé une petite fille et s'est enroulé autour d'elle comme un tatou. Les pleurs étouffés de l'enfant se sont ajoutés au tohu-bohu.

Des voitures se sont arrêtées, d'autres ont accéléré. Le carrefour s'est vidé.

Le tireur, campé sur ses jambes, les genoux légèrement fléchis, faisait de grands moulinets avec son Luger. De gauche à droite. De droite à gauche. Il était à peu près à quatre mètres de moi, je l'entendais haleter. Je voyais même ses yeux sous sa visière bleu marine.

Ryan, tapi derrière un taxi garé rue Lambert-Closse, le visait de son arme qu'il tenait à deux mains. Je ne l'avais pas vu s'approcher.

— *Arrêtez* !* Pas un geste !

Le doigt crispé sur la gâchette, le tireur a pointé son pistolet et visé la tête de Ryan. J'ai retenu mon souffle. Ryan ne tirait pas, de peur de blesser quelqu'un. Le meurtrier n'avait pas forcément les mêmes scrupules.

— Lâchez votre arme ! a crié Ryan. *Déposez votre arme par terre* !*

Le visage de l'homme restait impassible.

Quelque part, un klaxon a retenti. Au-dessus de ma tête, les feux étaient passés du vert à l'orange.

Ryan a répété son ordre.

L'orange est devenu rouge.

Au loin, une sirène. Puis une deuxième. Une troisième.

Le bandit s'est préparé, le corps tendu. Tenant toujours Ryan en joue, il a reculé de deux pas et attrapé une femme accroupie sur le trottoir. Se couvrant la tête de ses bras, elle s'est mise à hurler, d'une voix folle de terreur :

— Ne me tuez pas. J'ai un bébé.

Le tireur l'a traînée par sa veste.

Ryan a tiré.

L'agresseur a vacillé et lâché la femme pour porter

la main à son épaule droite. Sa chemise s'est imbibée de sang. Il s'est redressé et a tiré quatre coups en rafale. Les balles ont cinglé le mur au-dessus de nous. De la brique a plu sur nos têtes.

— Non, non ! a crié Chantal avec des trémolos dans la voix.

Ryan a tiré une seconde fois.

Le bandit s'est écroulé sur la femme qui a recommencé à hurler. J'ai entendu un crâne heurter le trottoir et vu le Luger valdinguer jusque sur la chaussée.

La femme grattait désespérément le bitume. Elle s'est remise à sangloter. L'enfant, lui, n'avait pas cessé. En dehors de ces pleurs, silence total. Pas un mot. Pas un geste de qui que ce soit.

Le vacarme des sirènes a retenti de plus en plus fort jusqu'à devenir une clameur de sons emmêlés. Dans des crissements de pneus et des crépitements de radios, des voitures de police ont convergé des quatre rues du carrefour à grands renforts de gyrophares.

Ryan s'est levé, le canon de son pistolet pointé au ciel. Je l'ai vu sortir son insigne.

À côté de moi, Chantal reprenait son souffle par petites saccades irrégulières. Je l'ai regardée. Son menton tremblait, des larmes brillaient sur ses joues. Je lui ai caressé les cheveux.

— C'est fini. Tout va bien.

Je n'ai pas reconnu ma voix.

Elle a levé les yeux vers moi. Il n'y avait plus que deux fausses larmes collées sur son visage.

— C'est vrai ?

J'ai passé le bras autour de ses épaules. Elle s'est effondrée contre moi et a pleuré en silence.

22.

Le jour suivant, je me suis réveillée avec le même sentiment de crainte diffus qu'au lendemain de l'agression à Sololá. Puis, d'un coup, les souvenirs de la veille se sont abattus sur moi. La poitrine de Nordstern en train d'exploser, le coup de feu tiré par Ryan, le tireur inerte sur le trottoir éclaboussé de sang. Je me suis frotté le visage avec mes deux mains. Les deux hommes étaient morts, j'en étais certaine, bien qu'on ne m'ait rien dit officiellement. J'ai fermé les yeux et remonté la couverture sur ma tête. N'y aurait-il jamais de fin aux massacres ?

J'ai revu Chantal, ses joues striées de larmes, son corps raidi de terreur. À l'idée que nous ayons pu être blessées, voire mourir, elle et moi, un frisson m'a parcourue. Comment aurais-je pu annoncer la nouvelle à sa mère ?

Et Katy ! Comme elle aurait été anéantie en apprenant ma mort ! Grâce au ciel, ce moment n'était pas encore arrivé.

J'ai revu Nordstern, à Guatemala et aussi au Jillian's Bar, quelques minutes avant qu'il ne meure. Le remords m'a inondée. Je l'avais détesté, je l'avais rembarré, mais je n'avais jamais souhaité sa mort.

Et maintenant, il n'était plus.

Seigneur ! Qu'avait-il donc découvert de si important pour qu'il faille l'abattre en pleine rue à Montréal ?

Et Chantal ? Comment allait-elle réagir après de tels événements ? Tant de voies s'offrent à une adolescente en crise : le repentir, la fugue, l'évasion dans la drogue. Elle avait beau paraître solide, au fond elle était certainement aussi fragile qu'une aile de papillon. Qu'elle apprécie ou non ma compagnie, je ne pouvais pas la laisser tomber. Sur ce serment, je suis allée prendre ma douche.

L'été, débarqué quelques jours plus tôt avec tant d'impétuosité, s'était enfui pendant la nuit. C'est par une température avoisinant les quinze degrés et sous un crachin bien parti pour durer que je suis sortie du garage. *C'est la vie québécoise**.

La réunion du matin a été courte et n'a fait apparaître aucune affaire nécessitant mes compétences. J'ai passé l'heure suivante à découper une gomme en petits tronçons de longueurs différentes et à les coller sur le moulage réalisé par Susanne. En dehors de son aspect brillant, le crâne ressemblait exactement à l'original récupéré au Paraíso.

À dix heures du matin, j'étais assise devant un moniteur au département imagerie, la section où l'on traite les images photographiques et de synthèse. Lucien, notre gourou en matière de graphisme, était en train d'installer le crâne en face d'une caméra vidéo quand Ryan est entré.

— Qu'est-ce que c'est que ces piquants hérissés partout ?

— Des marqueurs pour indiquer la profondeur des tissus.

— Évidemment, suis-je bête !

— Chacun d'eux indique l'épaisseur de chair à un endroit spécifique du visage ou du crâne, a émis Lucien d'une petite voix fluette. Le Dr Brennan les a découpés selon les normes correspondant aux femmes mongoloïdes. C'est bien ça ?

J'ai hoché la tête.

— On en a fait des mille et des cents, des reproductions faciales comme celle-là, a-t-il poursuivi en réglant une lumière mais, sur un crâne en plastique, c'est la première fois.

— Laissez-moi deviner. La caméra capture l'image, l'envoie au PC qui synthétise les données et les relie entre elles.

Ryan a une façon de rendre les choses les plus complexes compréhensibles à un enfant de cinq ans.

— C'est un peu plus compliqué mais, grosso modo, c'est ça. Une fois que j'aurai tracé les contours du visage grâce à ces marqueurs, je sélectionnerai les traits dans la base de données du programme en prenant ceux qui me paraissent convenir le mieux.

— Tu n'as pas déjà employé cette technique pour un des types du groupe « Vie intérieure et puissance » ? a demandé Ryan.

Il se référait à une affaire vieille de plusieurs années sur laquelle nous avions travaillé ensemble – des étudiants de McGill embrigadés dans une secte par un fou sociopathe en quête d'immortalité. C'était grâce à une ébauche similaire que Lucien et moi avions pu établir qu'un squelette découvert en Caroline du Sud dans une tombe peu profonde à proximité de l'endroit où la secte avait sa communauté était bien celui d'un des disparus.

— Oui. Quoi de neuf avec Chantal ?

— Prison à domicile. Le juge a bien voulu lui donner une seconde chance.

Hier soir, laissant Ryan sur place expliquer la situation aux flics, j'avais ramené Chantal chez elle. Ce matin, il devait passer voir si elle y était toujours.

— Tu crois que sa mère saura la surveiller ?

— Comparé à ce qui l'attend pour un petit bout de temps, je serais tenté de dire que Manuel Noriega est libre comme l'air.

— Elle était plutôt soumise, hier soir.

— Ouais, elle avait un peu mis la sourdine à son côté « Je vous emmerde, allez vous faire foutre » !

Ryan avait l'air tendu. Ce n'était pas étonnant, il devait faire l'objet d'une enquête interne, comme toujours à Montréal dès qu'un coup de feu est tiré par la police. Pour préserver l'impartialité, c'est la section homicide de la CUM qui vérifie les officiers de la SQ, et inversement. Hier soir, au moment de partir avec Chantal, j'avais vu Ryan remettre son arme à un officier de cette brigade.

— Et de ton côté, comment ça va ?

Il a haussé les épaules.

— Deux types déclarés morts à leur arrivée à l'hôpital, l'un d'eux abattu par moi.

— Tu étais bien obligé de tirer, Ryan, et ils le savent.

— C'est quand même à cause de moi que la rue Sainte-Catherine est devenue OK Corral.

— Ce type venait de tuer Nordstern et s'apprêtait à prendre une femme en otage.

— Ils t'ont appelée ?

— Pas encore.

— Tu ne t'ennuieras pas, crois-moi.

— Je leur dirai exactement ce qui s'est passé. Le tireur a été identifié ?

— Un Guatémaltèque, Carlos Vicente.

— Ce con avait son passeport sur lui pour aller zigouiller quelqu'un ?

Ryan a secoué la tête.

— Non, la clef de sa chambre à la Days Inn de la rue Guy. Ses papiers étaient dans un sac de voyage.

— Pas très professionnel.

— On a aussi retrouvé deux mille dollars américains et un billet d'avion pour Phoenix.

— Et quoi d'autre ?

— Un slip crade.

J'ai fusillé Ryan du regard.

— J'ai appelé Galiano pour qu'il fasse des recherches. *A priori*, rien. Il va creuser.

— Et Nordstern ?

— Il est plutôt mal parti pour le Pulitzer.

Second regard assassin de ma part. Ryan a enchaîné comme si de rien n'était.

— Je suis en route pour l'hôtel Saint-Malo. Comme tu étais pote avec lui, je me suis dit que tu voudrais peut-être venir.

— Ma cliente attend ses soins du visage.

— Je peux la finir tout seul, Dr Brennan, a proposé Lucien sur le ton du remplaçant dans l'équipe de foot du lycée qui se voit soudain auréolé de gloire.

J'ai dû avoir l'air dubitatif, car il a insisté : « Laissez-moi essayer », du ton sur lequel il aurait dit à l'entraîneur : « S'iou plaît, m'sieur, faites-moi jouer ! »

Pourquoi pas, après tout ? Au pire, si son ébauche ne me paraissait pas conforme, j'en referais une autre moi-même.

— OK. Le faciès entier, alors. Mais sans forcer sur les traits. Assurez-vous qu'ils correspondent bien à l'architecture osseuse.

— *Allons-y* !* a lancé Ryan.
— *Allons-y* !*

Le Saint-Malo, rue du Fort, à environ six pâtés de maisons du Forum Pepsi, était un petit hôtel sans prétention. Son propriétaire, grand et squelettique, avait l'œil gauche qui disait merde à l'autre et la peau couleur de thé vieux d'un jour. Pas très enthousiaste à la perspective de nous ouvrir la chambre, le patron. L'insigne de Ryan l'a convaincu. La chambre n'était pas plus grande qu'une cellule et avait, à peu de chose près, une ambiance identique : propre, fonctionnelle et sans chichis. L'inventaire du mobilier m'a pris trois secondes : lit en fer, armoire vieillotte, commode vieillotte, table de nuit vieillotte, Bible de Gideon. Pas un objet personnel en vue, rien dans la commode ou dans l'armoire. Une salle de bains un peu plus habitée : brosse à dents, dentifrice Crest, rasoir jetable, Gillette Cool Wave pour peaux sensibles, gel Dippidy-Do. Savon fourni par l'hôtel.

— Pas de shampooing, ai-je fait remarquer quand Ryan a écarté le rideau de douche du bout de son stylo.

— Voyons, avec du Dippidy-Do, ce serait superflu !

Retour dans la chambre.

— Eh bien, voilà un monsieur qui voyageait léger, a déclaré Ryan en tirant un sac de dessous le lit.

— Mais malin, quand même, sachant se mêler aux indigènes.

— Tu dis ça parce que c'est un sac de sport ?

— Pas de sport, de hockey.

— Je te ferai remarquer que la National Hockey League a vingt-quatre magasins en franchise au sud de la frontière.

— En tout cas, le hockey n'avait pas gâché son bon goût américain en matière de mode.

— Tu parles, chez vous les gens portent des fromages sur la tête !

— Tu vas l'ouvrir, ce sac, oui ou non ?

Sous mon regard attentif, Ryan en a extrait plusieurs chemises et un pantalon kaki.

— Amateur de boxer-shorts, a-t-il proféré en brandissant l'objet entre le pouce et l'index.

Il a plongé à nouveau la main dans le sac. Cette fois-ci, un passeport.

— Américain.

— Tu me le passes ?

Ryan me l'a remis, ouvert. Nordstern devait avoir des problèmes de cheveux, le jour où la photo avait été prise. Et il n'avait pas l'air non plus d'avoir eu son content de sommeil, la nuit d'avant. Il était pâle, avec des valises sous les yeux. J'ai ressenti une nouvelle bouffée de remords. Non, je n'avais pas aimé ce type, mais je ne lui aurais jamais souhaité de finir ainsi. En voyant ses affaires éparpillées sur le lit, je me suis demandé s'il avait une femme ou une petite amie. Des enfants, peut-être. Qui allait les prévenir de sa mort ?

— Apparemment, il n'avait pas encore croisé la route du Dippidy-Do quand il s'est fait tirer le portrait, a dit Ryan.

— Ce passeport a été délivré l'année dernière... Né à Chicago, le 17 juillet 1966. Et moi qui ne lui donnais même pas trente ans.

— C'est le Dippidy-Do. Ça vous gomme les années.

— Tu as bientôt fini, avec ce gel ?

Ryan ne riait pas de la mort de Nordstern, il faisait

plutôt de l'humour de flic pour chasser la tension. Ça m'arrivait aussi. Pourtant, sa désinvolture commençait à m'agacer. Il a sorti encore quatre livres du sac. Je les connaissais tous. *Guatemala : Getting Away with Murder* ; *Las Masacres en Rabinal* ; *State Violence in Guatemala : 1960-1999* ; *Guatemala : Never Again.*

— Finalement, il faisait peut-être vraiment une enquête sur les droits de l'homme.

Ryan a ouvert la fermeture Éclair de la poche latérale.

— Ho, ho...

Un billet d'avion, une clef et un carnet de notes à spirale. J'ai attendu gentiment qu'il lise les données du billet.

— Arrivé à Montréal jeudi dernier par le vol American Airlines.

— Le 1257 avec escale à Miami ?

— Ouais.

— C'est celui que j'ai pris avec Mme Specter.

— Et tu ne l'as pas vu ?

— Nous étions en première, à l'avant. Nous sommes montées en dernier et descendues en premier. À l'escale, nous étions dans le salon des premières.

— Peut-être bien qu'en effet Nordstern te suivait.

— Ou l'épouse de l'ambassadeur.

— Juste.

— C'est un billet aller-retour ?

— Retour open.

J'ai regardé les affaires étalées sous nos yeux. Visiblement, Nordstern comptait revenir au Saint-Malo. Se savait-il menacé ? Avait-il seulement songé qu'on pouvait l'éliminer ?

Ryan examinait l'étiquette en plastique attachée à la clef.

— Hôtel Todos Santos, Calle 12, zone 1.

— Autrement dit : Nordstern prévoyait de retourner au Guatemala.

Il a ouvert le carnet à spirale. Une enveloppe blanche carrée en est tombée. Au bruit, j'ai deviné ce qu'elle contenait. Je l'ai ramassée et ouverte. Un CD-Rom. Sur l'étiquette, cinq majuscules au stylo-bille : SCELL.

— Qu'est-ce que c'est que ce bordel ? s'est écrié Ryan.

— Du rock punk ? ai-je répondu, vexée de mon ignorance dans ce domaine.

— Du rock fossilisé ?

— Et si c'était un code en espagnol ?

Je n'y croyais guère moi-même.

— Squelette ? a suggéré Ryan.

— Avec un *c* ?

— Il était peut-être nul en orthographe.

— Pas un journaliste !

— Cell comme cellulaire... Un portable ?

— S-cell. Celui de Specter ! avons-nous crié tous les deux en même temps.

— Putain ! Tu crois que Nordstern écoutait le portable de la gamine ?

Une image de la mère de Chantal parlant de sa migraine sur le pas de la porte s'est imposée à mon esprit.

— Tu te souviens, Mme Specter a parlé de petits jeux à propos de son mari ?

— Tu veux dire que l'ambassadeur aurait la fermeture Éclair rapide ?

— Peut-être que Nordstern se fichait complètement de Chantal.

— Et qu'il l'utilisait comme appât pour un plus gros poisson ?

— Qui sait s'il n'avait pas ça en tête quand il m'a dit que je faisais fausse route.

— Un ambassadeur qui fait des fredaines, ce n'est pas le scoop de l'année.

— Non, évidemment, ai-je convenu.

— Zigouiller quelqu'un pour conduite scabreuse, ce n'est pas très solide comme motif.

— Et si les poils retrouvés sur le jean d'une fille assassinée proviennent du chat d'un ambassadeur ?

— Dans ce cas-là, le poisson fait au moins vingt-cinq kilos !

— Nom de Dieu !

— Quoi ?

— Je viens juste de me rappeler un truc.

« Accouche ! » m'a signifié Ryan d'un geste.

— Les deux membres de notre équipe qui ont été abattus alors qu'ils revenaient à Chupan Ya, tu te rappelles ?

— Oui.

— Carlos est mort, mais Molly a survécu. Elle est rentrée au Minnesota.

— Dans quel état ?

— Elle devrait se remettre complètement. Avant de quitter le Guatemala, je suis allée la voir à l'hôpital, avec Mateo. Ses souvenirs étaient confus, mais elle croyait se rappeler que les attaquants avaient parlé d'un inspecteur. Mateo et moi, on s'est dit que ça pourrait bien être Specter.

— Alors là, le poisson ferré n'est même pas une baleine, c'est carrément Moby Dick.

J'ai remis le CD dans l'enveloppe. Quand j'ai relevé

la tête, les yeux de Ryan étaient vrillés sur moi. Et ils ne riaient pas.

— Qu'est-ce qu'il y a ?

— Pourquoi est-ce qu'un journaliste de Chicago filerait des gens jusqu'à Montréal pour une affaire qui se passe au Guatemala ? Pense à ça.

Je l'avais déjà fait.

— Nordstern était sur un coup tellement fumant qu'on n'a pas hésité à le zigouiller en pays étranger.

Ça aussi, j'y avais pensé.

— Garde bien ta tête sur tes épaules, Brennan. Les gens qui ont explosé Nordstern sont impitoyables. Ils ne s'arrêteront pas là.

J'ai senti la chair de poule remonter le long de mes bras.

Un moment a passé. Ryan a souri. Il avait réintégré la peau de son personnage de flic j'm'en foutiste.

— Je vais dire à Galiano de se brancher sur le Todos Santos.

— À ta place, je lui tomberais direct sur le poil, à Specter, pendant que je termine le faciès au labo. Et pas de quartier ! Après, on visionnera le CD-Rom de Nordstern, on épluchera son carnet et on aura une petite idée du coup sur lequel il était.

Large sourire de Ryan.

— Merde alors, la rumeur dit vrai !

— Quoi donc ?

— Que tu es le cerveau de l'opération.

J'ai résisté, non sans mal, au plaisir de lui refiler un coup de pied dans la cheville.

L'appel m'est parvenu pendant que je secouais mon parapluie pour en faire tomber l'eau. La dernière personne au monde dont j'avais envie d'entendre la voix. C'est avec l'enthousiasme que je réserve aux inspecteurs des impôts, aux gars du Ku Klux Klan et aux musulmans intégristes que je l'ai invité à venir dans mon bureau.

Le sergent-détective Luc Claudel a fait son entrée dans les minutes qui ont suivi. Le dos raide, les traits crispés dans son habituel rictus de mépris. Je me suis levée, mais en restant derrière mon bureau.

— *Bonjour, monsieur Claudel. Comment ça va* ?*

N'attendant pas de salutation en retour, je n'ai pas été déçue.

— Je dois vous poser certaines questions.

Claudel me considère comme un mal nécessaire, statut qu'il m'accorde à contrecœur en raison des succès que j'ai remportés dans plusieurs cas d'homicide relevant de la CUM. Son attitude à mon égard est systématiquement froide, réservée et résolument francophone. Le fait qu'il se soit adressé à moi en anglais m'a étonnée.

— Prenez un siège.

Il s'est assis.

Je me suis assise.

Il a posé un magnétophone sur mon bureau.

— Cette conversation sera enregistrée.

Bien sûr que je n'y vois pas d'inconvénient, sale connard à face de chouette. Tout haut, je me suis bornée à un :

— Comme vous voudrez !

Claudel a mis l'appareil en marche, indiqué le jour, l'heure et le nom des intervenants.

— Je suis chargé de l'enquête sur la fusillade d'hier soir.

Oh, jour béni du ciel ! J'ai attendu.

— Vous étiez sur les lieux ?

— Oui.

— Vous aviez une vue dégagée sur les événements qui se sont produits là-bas ?

— Oui.

— Pouviez-vous entendre les mots échangés entre le lieutenant-détective Andrew Ryan et sa cible ?

Sa cible ?

— Oui.

Claudel gardait les yeux fixés sur un point à mi-distance entre nous.

— L'homme était-il armé ?

— Il avait un Luger 9 mm.

— L'homme a-t-il eu un mouvement indiquant son intention de tirer ?

— Ce salopard a abattu Nordstern, puis a tourné son pistolet sur Ryan.

— N'allez pas plus vite que moi, je vous prie.

Le petit espace rempli d'air entre mes molaires supérieures et inférieures s'est réduit à zéro.

— Suite au coup tiré sur Olaf Nordstern, le lieutenant-détective Ryan a-t-il ordonné au bandit de jeter son arme ?

— Plus d'une fois.

— Le bandit armé s'y est-il conformé ?

— Il a attrapé une femme recroquevillée sur le trottoir. Celle-ci a demandé à être excusée pour motif de responsabilité parentale, mais je crois que sa demande a été rejetée.

Les sourcils de Claudel ont formé un V au-dessus de ses yeux.

— Dr Brennan, je vais vous demander une nouvelle fois de me laisser mener l'entretien à ma façon.

Normal.

— Le bandit armé a-t-il tenté de prendre un otage ?

— Oui.

— À votre avis, l'otage était-il clairement et précisément en situation de danger ?

— Si Ryan n'avait pas agi, son espérance de vie n'aurait pas excédé trois minutes.

— Quand le lieutenant-détective Ryan a tiré, le bandit armé a-t-il déchargé son arme ?

— Il a failli badigeonner le Forum avec mon cortex cérébral.

Les lèvres de Claudel se sont comprimées en un trait rectiligne. Il a pris une longue inspiration et a relâché l'air par ses narines rigides et pincées.

— Pourquoi étiez-vous au Forum, Dr Brennan ?

— Je cherchais la fille d'une amie.

— Étiez-vous en mission officielle ?

— Non.

— Pourquoi le détective Ryan était-il au Forum ?

Que se passait-il ? À coup sûr, Ryan avait déjà répondu à ces questions.

— Il avait rendez-vous avec moi.

Enfin, les yeux de chouette se sont concentrés sur les miens.

— Le détective Ryan était-il là en mission officielle ?

— Non, pour me draguer.

Nos regards se sont accrochés l'un à l'autre, comme les lutteurs dans *Smack Down.*

— À votre avis, Andrew Ryan a-t-il agi correctement en abattant Carlos Vincente ?

— Il a été super.

Claudel s'est levé.

— Merci.
— C'est tout ?
— Pour le moment.
Claudel a coupé l'enregistrement et empoché l'appareil.
— *Bonjour, madame**.
Comme d'habitude, Claudel m'avait foutue dans une rogne telle que j'ai craint l'embolie. Pour me remettre, je suis allée me chercher un Coca light au distributeur de l'entrée. Je l'ai bu dans mon bureau, les pieds sur le rebord de la fenêtre, en mangeant le sandwich au thon et les petits gâteaux Oreo que j'avais apportés de la maison.
Douze étages plus bas, un chaland remontait le Saint-Laurent dans le brouillard. Des camions lilliputiens aspergeaient le pont Jacques-Cartier depuis les bords. Les voitures glissaient sur l'asphalte brillant en soulevant des gerbes d'eau sous leurs pneus. Les piétons se hâtaient, la tête rentrée dans les épaules. Les parapluies multicolores étaient les seules taches de gaieté dans ce monde détrempé.
Ma fille et moi sourions sur une plage de Caroline. Autre lieu, autre temps. Temps heureux.
Au dernier gâteau sec, je me suis convaincue que la brièveté de l'entretien avec Claudel était bon signe. Si les actes de Ryan avaient soulevé le moindre souci, il se serait fait un plaisir de me retourner sur le gril.
Absolument.
Dans le cas présent, bref était synonyme de bien.
Une heure vingt à ma montre. L'heure d'aller voir où en était Lucien.
J'ai fait une boule de mes papiers gras et j'ai visé la poubelle. Panier. Sur ce, je suis allée à l'imagerie.

Lucien était parti déjeuner, mais l'image composite me fixait de l'écran.

Un seul coup d'œil, et mon calme difficilement retrouvé s'est brisé comme un pare-brise dans un film de Schwarzenegger.

23.

Patricia Eduardo ne souriait pas. Son visage n'exprimait ni mécontentement ni surprise. Sur un portrait, elle avait de longs cheveux bruns ; sur un autre, de grosses boucles en tire-bouchon ; sur un troisième, les cheveux courts.

J'ai parcouru les variantes composées par Lucien, le souffle court. Avec lunettes, sans lunettes. Des sourcils droits, des sourcils arqués. Des lèvres pleines, des lèvres minces. Des paupières tombantes, des paupières bien ouvertes. Si les détails superficiels variaient, la structure anatomique demeurait la même.

Je venais de repasser à la seconde image à cheveux longs quand Lucien est entré.

— Qu'est-ce que vous en pensez ? a-t-il demandé en posant une bouteille d'Évian sur la table à côté de moi.

— Vous pouvez ajouter une frange ?

— Bien sûr.

J'ai écarté ma chaise. Lucien s'est assis à sa place et a tapé sur des touches. Une frange est apparue. Il l'a rajoutée au dessin.

— Et un chapeau ?

— Quel genre ?

— Une bombe d'équitation.

Il a cherché dans la base de données.

— Y a pas !

— Un truc avec une visière, alors.

Il a trouvé quelque chose d'approchant, l'a sélectionné et collé sur l'image.

Je me suis rappelé les portraits de Patricia Eduardo à côté de son cheval, ses yeux sombres, son regard déterminé.

Le visage que je visionnais en ce moment était blanc et lisse, progéniture engendrée par des pixels. Qu'importe ! C'était bien la jeune fille qui montait le cheval des Appalaches.

D'autres souvenirs me sont revenus. Une fosse pleine d'eaux usées et d'excréments humains. Un crâne aux orifices remplis de saloperies. Des os tout petits dans une manche aux trois quarts décomposée. Était-ce possible ? Comment cette employée d'hôpital de dix-neuf ans, qui aimait les chevaux et était sortie un soir à Zona Viva, pouvait-elle avoir trouvé le repos éternel dans un endroit aussi abominable ?

J'ai scruté son visage. J'y ai vu des chatons noyés. J'y ai vu Claudia de la Alda. J'y ai vu Chupan Ya.

Ce salopard ! Ce putain de merde d'assassin !

— Qu'est-ce que vous en pensez ?

La voix de Lucien m'a ramenée sur terre.

— C'est bien. (Je me suis forcée au calme.) Bien mieux que ce que j'aurais fait moi-même.

— Réellement ?

— Absolument.

C'était la vérité. Si j'avais créé une ressemblance aussi frappante, j'aurais douté de mon objectivité. Ce qu'on ne pouvait reprocher à Lucien puisqu'il n'avait jamais vu ni même entendu parler de Patricia Eduardo.

— Sortez-m'en plusieurs copies, vous serez gentil.
— Je vous les apporte dans votre bureau.
— Merci.

— *Detective Galiano.*
— C'est Tempe.
— *Ay, buenos días !* Vous m'attrapez au vol, et c'est tant mieux. J'étais sur le point de partir avec Hernández.
— C'était Patricia Eduardo dans la fosse septique.
— Sans aucun doute ?
— Aucun.
— Le faciès ?
— Un sosie, version macchabée.
Silence à l'autre bout de la ligne. J'ai repris :
— Je sais, l'expression n'est pas des mieux choisies. Quoi qu'il en soit, le graphiste du service a fait la composition à l'aveugle. La mère de Patricia ne verrait pas la différence avec son portrait de classe.
— *Dios mío !*
— Je vous faxe une copie.
Un ange a survolé tout le continent, du Guatemala jusqu'au nord.
— On continue à cuisiner Miguel Gutiérrez, a finalement déclaré Galiano.
— Le jardinier des de la Alda ?
— *¡ Cerote !* Un étron.
— C'est-à-dire un prince au royaume des hommes, c'est cela ? Il raconte quoi ?
— En version *Reader's Digest*, qu'il a fait une fixation sur Claudia. Il a commencé à la filer, à passer des nuits entières sous sa fenêtre.
— Un voyeur, quel bonheur !

— Au bout du compte, il s'est décidé à agir. Il clame que la victime était consentante.

— Elle était probablement trop jeune pour savoir le rembarrer sans le vexer.

— Le 14 juillet, il s'est pointé au musée et lui a proposé de la raccompagner en voiture. Claudia a accepté. En cours de route, il lui a demandé de lui expliquer des choses sur les ruines de Kaminaljuyu. Elle a accepté. Arrivé là, il s'est garé dans la ruelle derrière et lui a sauté dessus. Elle s'est débattue. Il a perdu le contrôle et l'a étranglée. Après, il a balancé son corps dans la *barranca*. Vous connaissez le reste.

— C'est lui qui a prévenu la señora de la Alda ?

— Oui. Après la visite d'un habitant des cieux.

— D'un ange ?

— Uriel en personne, qui lui a dit qu'il avait foutu la merde et l'a enjoint de dire un rosaire et de se confesser.

— Seigneur !

— Je doute que le dab des dabs soit impliqué dans l'affaire.

— Avez-vous trouvé un lien entre Gutiérrez et Patricia Eduardo ?

— *Nada*.

— Et avec le Paraíso ?

— Pas encore. On va creuser encore, maintenant.

J'ai gardé le silence un moment avant de lâcher le second morceau :

— Les poils de chat relient Patricia à celui des Specter.

— On creuse déjà dans cette direction.

— Ryan fait des recherches sur l'ambassadeur.

— Oui, c'est moi qui le lui ai demandé. Sans grand espoir, d'ailleurs.

— Barrage diplomatique ?

— Autant vouloir forcer la CIA.

Une pause, puis :

— Ryan nous a prévenus pour Nordstern.

— Nous en saurons plus quand nous aurons épluché ses notes.

— Avec Hernández, on a saisi un ordinateur portable dans sa chambre, au Todos Santos.

— Des trucs intéressants ?

— On vous le dira quand on aura craqué le mot de passe.

— Ryan est très bon à ça. Je voulais vous dire, Galiano, je tiens à vous aider.

— J'en suis ravi. (Un long soupir a volé jusqu'à moi. Il a repris d'une voix devenue rauque :) Toutes ces morts me hantent, Tempe. Claudia, Patricia. Ces filles avaient l'âge de mon Alejandro. Ce n'est pas un âge pour mourir.

— Díaz sera fou de rage quand il saura, pour les scans.

— On lui offrira une glace !

Envolée, la mélancolie !

— J'en ai fini, ici. Il est temps que je reprenne le boulot sur les victimes de Chupan Ya. Mais si je peux vous aider à coincer le tueur de Patricia Eduardo, je mourrai heureuse.

— Pas dans mon secteur, d'accord ?

— Marché conclu.

— C'est drôle, non ?

— Quoi donc ?

— Le nom et le prénom du meurtrier.

— Miguel Ángel Gutiérrez ?

Ça m'a pris un moment pour comprendre.

— Oui, un inconscient rongé par la culpabilité peut vraiment faire chier.

Mes rapports d'analyse sur le torse et la tête réduite une fois terminés, je suis allée annoncer à LaManche mon intention de repartir pour le Guatemala. Il m'a dit d'être prudente et m'a souhaité bon vent.

Ryan est entré dans mon bureau alors que je réservais une place sur le vol Delta. Il m'a laissé demander un siège près de l'allée et m'a arraché le combiné de la main.

— *Bonjour, mademoiselle. Comment ça va* ?*

J'ai voulu récupérer le téléphone, *mon* téléphone ! Ryan a reculé avec un grand sourire. Et de continuer à ronronner dans l'appareil :

— *Mais oui**. Mais je parle anglais aussi.

D'un geste, je lui ai ordonné : « Rends-moi ça. » Il a attrapé ma main et l'a emprisonnée dans la sienne.

— Pas vraiment. Mais votre travail, alors, ça c'est coton ! (Voix ruisselante de compassion.) Personnellement, je serais incapable de garder en tête ces numéros de vol et ces horaires sans tout mélanger.

Incroyable ! Ce type faisait même du gringue à une hôtesse de voyage de la banlieue d'Atlanta ! Mes globes oculaires en ont fait un tour de trois cent soixante degrés dans mes orbites.

— De Montréal.

Et la minette l'interrogeait sur sa vie.

— Vous avez bien raison. C'est à deux pas, en fin de compte.

Arrachant ma main de la sienne, je me suis renversée en arrière dans mon fauteuil et me suis mise à faire glisser un stylo entre mes doigts.

— Vous croyez que vous pourriez me trouver un

petit siège sur ce vol que vient de réserver le Dr Brennan, *ma chère** ?

J'ai arrêté à mi-stylo.

— Lieutenant-détective Andrew Ryan.

Une pause.

— Police provinciale.

Une voix lointaine à consonance métallique m'est parvenue pendant que Ryan changeait d'oreille.

— Le danger ? Oh, on apprend à vivre avec, vous savez.

J'ai failli m'étouffer.

Pause.

— *Fantastique**.

Qu'est-ce qui était fantastique ?

— Ce serait génial.

Quoi donc ?

— Pas le moindre problème. Le Dr Brennan n'ignore pas que je suis grand. Ça ne la gênera pas du tout d'occuper le siège du milieu.

Un ressort m'a projetée en avant :

— Ça gênera infiniment le Dr Brennan d'occuper le siège du milieu.

Ryan m'a calmée de la main. De rage, j'ai jeté mon stylo. Il l'a rattrapé au vol.

— Un mètre quatre-vingt-huit.

Et des yeux bleu nuit ! Pas besoin d'entendre la fille pour deviner sa réponse.

— Oui, j'imagine, rétorquait Ryan avec un petit rire plein d'humilité.

Ça commençait à devenir ridicule.

— Vraiment ? Je m'en voudrais de vous inciter à enfreindre la loi.

Longue pause.

— Deux A et deux B dans la ville de G ! Vous alors, vous êtes incroyable !

Pause.

— Je vous revaudrai ça, Nickie Edwards.

Pause.

— C'est cela.

Ryan m'a passé l'appareil. J'ai raccroché sans faire de commentaire.

— Inutile de me remercier, a dit Ryan.

— De quoi ?

— Nous serons en première.

— J'enverrai une carte à Nickie.

— Je ne lui ai pourtant pas demandé de traitement de faveur.

— Non, le poids de ton charme français l'a tout simplement écrasée.

— C'est à croire.

— Est-ce que Nickie te tricotera un chandail pour les fraîches nuits guatémaltèques ?

— Tu crois qu'en rappelant tout de suite, j'ai des chances de retomber sur elle ?

Il tendait déjà la main vers le téléphone, penché au-dessus de mon fauteuil. Je l'ai repoussé d'une main plaquée sur sa poitrine.

— Tu as tous les moyens de la faire retrouver, ai-je laissé tomber d'une voix glaciale.

— Ce serait un abus de pouvoir.

— Ne t'en fais pas. Nickie te rappellera elle-même dès qu'elle aura ingurgité toutes les bandes de l'Assimil de français.

— Le chandail, tu crois qu'elle me l'enverra avant, par Federal Express ?

J'ai poussé plus fort. Ryan s'est redressé, sans pour autant accroître la distance entre nous.

— On continue ce charmant tête-à-tête ou tu me dis pourquoi tu as pris un billet d'avion pour Guatemala ?

— Parce que c'est le moyen le plus rapide de s'y rendre.

— Ryan...

— La perspective de bénéficier de ma compagnie ne t'enchante pas ? Tu me brises le cœur.

Il a placé ses deux mains sur l'organe blessé.

— Tu ne viens pas au Guatemala pour me faire plaisir.

— Mais si.

Sourire d'enfant de chœur.

— Tu vas me dire pourquoi, oui ou non ?

Ryan a énuméré les raisons sur ses doigts.

— *Uno* : Olaf Nordstern a été tué à Montréal peu de temps après son arrivée du Guatemala. *Dos* : L'assassin de Nordstern avait un passeport guatémaltèque. *Tres* : André Specter, citoyen de notre ville faisant actuellement l'objet d'une enquête discrète, est ambassadeur du Canada au Guatemala.

— Et tu t'es proposé pour y aller.

— J'ai proposé mes services.

— On t'a assigné une nouvelle mission ?

— Le Guatemala m'a paru plus amusant que la garde à vue au commissariat central.

— Et comme tu parles espagnol...

— *Sí, señorita.*

— Tu t'étais bien gardé de me le dire.

— Tu ne me l'avais jamais demandé.

— Tu as trouvé des choses sur Specter ?

— D'après sa femme, c'est Albert Schweitzer.

— Tu m'étonnes !

— D'après les Affaires extérieures, c'est Nelson Mandela. Et... chasse hypergardée.

— Galiano m'avait prévenue. Et qu'en pense Chantal ?

— D'après elle, son vieux, c'est le marquis de Sade. (Ryan a secoué la tête.) Elle lui en veut sacrément.

— Qu'est-ce qu'elle dit ?

— Un paquet de choses, et pas des plus élogieuses. Avant tout, que son père est un coureur de jupons invétéré, d'aussi loin qu'elle se souvienne.

— Comment est-elle au courant ? Ce n'est qu'une enfant.

— Par de nombreuses disputes entre ses parents. Et aussi, une nuit, elle l'a surpris en pleine conversation au téléphone rose.

— Peut-être qu'il parlait avec sa femme ?

— L'ambassadrice était au pieu en haut pendant que M. l'ambassadeur faisait sa petite affaire en bas dans le bureau. Chantal dit aussi qu'un peu avant de quitter Guatemala avec Lucy, elle est tombée sur son père sortant du Ritz Continental avec une pépée au bras.

— Et lui, il les a vues ?

— Non, mais Chantal a reconnu la compagne de son papa. Une fille qui aurait été dans la même école qu'elle jusqu'à son diplôme, deux ans plus tôt.

— La vache. Elle t'a dit son nom ?

— Aida Pera.

— Tu l'as crue ?

Ryan a eu un geste d'ignorance.

— Mais c'est sûr que je l'interrogerai.

— Donc, l'ambassadeur aime les très jeunes filles.

— Si Chantal dit la vérité.

— Tu as interrogé les jeunes de Chez Tante Clémence ?

— Ce plaisir m'a été refusé. Les trois faire-valoir ont, semble-t-il, disparu.

— Tu leur avais pourtant dit de ne pas quitter la ville.

— Ils sont probablement partis en excursion géologique. Les collègues leur mettront le grappin dessus.

— En attendant ?

Il a sorti de sa poche le CD-Rom de Nordstern.

— On fait connaissance avec SCELL.

Je l'ai inséré dans mon PC et j'ai cliqué sur la commande D :\. Un nom de fichier est apparu : « fullrptstem ».

— C'est un dossier .pdf monumental. Plus de vingt mille kilo-octets.

— Tu peux l'ouvrir ? a demandé Ryan en s'accroupissant près de moi.

— Sans logiciel approprié, ça sera du baragouin.

— Tu en as un ?

— Pas sur cette machine.

— Ce n'est pas un de ces programmes qu'on peut télécharger gratuitement ?

— Il est impossible d'ajouter des programmes dans les ordinateurs du gouvernement.

— Dieu bénisse la bureaucratie ! Essayons quand même. Celui-là a peut-être un lecteur incorporé.

J'ai ouvert le dossier. L'écran s'est rempli de lettres et de symboles indéchiffrables séparés par des lignes de points indiquant les changements de page ou de colonne.

— Fichu.

Ryan s'est relevé. Son genou a craqué.

J'ai regardé ma montre. Cinq heures quarante-deux.

— J'ai un lecteur Acrobat dans mon portable. Je peux emporter le disque chez moi, le parcourir en vitesse et te faire un résumé demain dans l'avion.

Ryan s'est relevé, son genou a craqué une nouvelle fois. Je savais déjà ce qu'il allait dire. Ça n'a pas raté.

— On pourrait le faire ens...

— J'ai des montagnes de choses à faire, ce soir. Ça peut me prendre un temps infini avant que je m'y colle.

— Et ton dîner ?

— J'attraperai quelque chose chez un traiteur en rentrant.

— Les fast-food, c'est très mauvais pour le pancréas.

— Depuis quand mon pancréas te concerne-t-il ?

— Tout ce qui te concerne me concerne.

— Voyez-vous ça !

J'ai enfoncé la touche *eject*, le CD-Rom est apparu.

— Si tu tombes malade dans les montagnes, je n'ai pas envie de me retrouver à laver tes petites culottes.

J'ai failli lui jeter le disque à la figure. Me ravisant, je le lui ai tendu. Il a levé les sourcils.

— Tu peux l'emporter chez toi, le parcourir en vitesse et me faire un résumé demain dans l'avion, ai-je dit.

— Nom d'un chien, mais c'est vrai ! Quelle bonne idée ! a-t-il répondu, mi-figue, mi-raisin.

J'ai rangé le disque dans ma serviette.

— Je passe te prendre à onze heures ?

— J'aurai deux valises de culottes.

Un camion s'étant renversé dans le tunnel, le retour à la maison m'a pris presque une heure.

J'ai pioché un plat tout fait dans le congélateur et je l'ai fourré au micro-ondes. Profitant des quelques minutes d'attente, j'ai allumé mon ordinateur portable et branché le lecteur pour dossiers .pdf. Le four émettait des bip-bip pendant que je cliquais sur le dossier « fullrptstem ».

Quand je suis revenue m'asseoir devant l'écran, un tableau surréaliste m'attendait. Des gouttes et des gribouillis, éjectés d'une masse au centre, roulaient vers le haut et formaient un titre.

Des mots qui ne voulaient rien dire !

24.

— Qu'est-ce que c'est que ces conneries de cellules souches ?

Ryan était d'une humeur massacrante depuis qu'il était passé me chercher à onze heures, et le fait que le vol soit retardé de quarante-cinq minutes n'était pas pour lui rendre sa joie de vivre.

— Et tes pédés de connards de fondamentalistes pissent dans leur slip pour protéger ça ?

— Ce ne sont pas mes connards de fondamentalistes.

— C'est tout ce qu'on a ?

— Oui, mais sur deux cent vingt-deux pages.

— C'est un rapport sur l'état d'avancement des travaux, ou quoi ?

— Et aussi un débat sur l'orientation à donner aux recherches dans l'avenir.

— Quel est le génie qui l'a pondu ? a aboyé Ryan, enragé de ne pas pouvoir fumer.

— Les Institutions nationales de la santé.

— Comment se fait-il que Nordstern ait eu ce rapport entre les mains ?

— Il a dû le trouver sur Internet.

— Pourquoi ?

— Excellente question, détective.

Ryan regardait sa montre pour la cent millième fois quand les chiffres ont clignoté sur l'écran derrière l'hôtesse au sol. Notre vol Delta décollerait avec une heure de retard.

— Les salauds !

— Relax ! On arrivera bien à établir un rapport entre tous les éléments.

— Merci, Pollyanna.

J'ai pris un journal dans ma serviette et j'ai entrepris de le feuilleter. Ryan s'est levé. Il a traversé la salle d'attente dans un sens, l'a retraversée dans l'autre, puis est revenu s'asseoir.

— Alors, qu'est-ce que tu as appris d'intéressant ?

— Sur quoi ?

— Les cellules souches.

— Bien plus que je n'avais envie d'en savoir. Ça m'a tenue debout jusqu'à deux heures du matin.

Un homme de la taille du Dakota du Sud a laissé tomber un sac par terre et s'est effondré dans le siège à ma droite. Un raz de marée de transpiration et d'huile pour les cheveux s'est abattu sur moi. Les yeux de Ryan ont croisé les miens puis ont indiqué les fenêtres. Il s'est levé sans un mot. Par compassion, je n'ai suivi que trente secondes plus tard.

— Les cellules souches sont extraites des embryons ? a demandé Ryan.

— Elles peuvent être extraites de tissus provenant d'embryons, de fœtus ou d'hommes adultes.

— Et ce sont celles qui ne proviennent pas d'adultes qui provoquent la frénésie chez les chrétiens fanatiques ?

— La droite religieuse est en effet très fortement

opposée à toute utilisation de cellules souches provenant d'embryons.

— La connerie habituelle sur la sainteté de la vie ? a lâché Ryan qui possède une façon bien à lui d'aller au cœur des choses.

— Oui, c'est l'argument invoqué.

— Et G.W. Bush gobe ça ?

— En partie seulement. Il s'efforce de ne pas prendre position. Il a limité l'attribution des subventions fédérales aux seules recherches utilisant des lignées de cellules souches déjà existantes.

— Autrement dit, les scientifiques qui veulent obtenir des subventions du gouvernement ne peuvent utiliser que des cellules cultivées en laboratoire ?

— Ou des cellules souches prélevées sur un adulte.

— Et ça marche aussi bien ?

— Tu veux mon avis personnel ?

— Non, la tendance au sein du Politburo.

— Eh bien, c'est non, voilà. Je retourne à mon journal.

Au bout de quelques instants, il a repris :

— C'est bon. Déballe-moi ton petit cours de base sur la cellule souche, mais en condensé, si tu veux bien.

— Nous sommes d'accord sur une écoute courtoise comme premier principe du protocole ?

— Ouais, ouais.

— Les deux cents types de cellules présents dans le corps humain résultent tous de l'une des trois couches germinales suivantes : l'endoderme, le mésoderme ou l'ectoderme.

— Couches interne, médiane et externe.

— Bravo, Andrew.

— Merci, madame Brennan.

— Une cellule souche d'embryon, ou cellule CE,

est ce qu'on appelle pluripotente. Ce qui signifie qu'elle a la capacité d'engendrer des types de cellules provenant de n'importe laquelle de ces trois couches. Les cellules souches se reproduisent tout au long de la vie d'un organisme, mais elles demeurent inactives tant qu'elles n'ont pas reçu le signal de se développer en quelque chose de précis : le pancréas, le cœur, les os, la peau.

— Des petites choses soumises.

— Le terme cellule souche embryonnaire recouvre en fait deux types distincts de cellules souches : celles qui proviennent d'un embryon proprement dit, et celles qui proviennent d'un fœtus.

— Ce sont les deux seules provenances ?

— Dans l'état des connaissances actuelles, oui. Pour être tout à fait exacte, je dirais que les cellules souches embryonnaires sont prélevées sur des ovules fécondés depuis quelques jours à peine.

— Avant qu'ils ne soient implantés dans l'utérus de la mère ?

— Exact. À ce stade, l'embryon est une sphère creuse appelée blastocyste. Les cellules souches embryonnaires sont prélevées sur la couche intérieure de cette sphère, alors que les cellules germinales embryonnaires sont prélevées sur des fœtus âgés de cinq à dix semaines.

— Et celles d'adulte ?

— Ce sont des cellules non spécialisées présentes dans les tissus spécialisés et qui ont la capacité de se renouveler et de se différencier dans tous les types de cellules présents dans les tissus spécialisés d'où elles proviennent.

— Qui sont ?

— La moelle, le sang, la cornée et la rétine de l'œil,

le cerveau, les muscles du squelette, la pulpe dentaire, le foie, la peau...

— Pourquoi ne pas prélever directement ces cellules-là ?

— On le fait. Des cellules souches d'adulte isolées dans la moelle et le sang ont été étudiées de façon très approfondie et sont employées à des fins thérapeutiques.

— Pourquoi ne pas utiliser seulement les cellules d'adulte et laisser les embryons et les fœtus tranquilles ?

J'ai énuméré les raisons :

— Les cellules souches d'adulte sont rares et difficiles à identifier, à isoler, et à purifier. Elles sont en très petit nombre, et elles ne se répliquent pas indéfiniment en culture, contrairement aux cellules souches et aux cellules germinales embryonnaires. Enfin, à ce jour, on ne connaît pas de cellules souches d'adulte qui soient pluripotentes.

— Si je comprends bien, les cellules souches et les cellules germinales embryonnaires sont les seules qui aient vraiment de l'intérêt ?

— C'est cela.

Ryan a gardé le silence un moment. Puis :

— Quel est l'avantage d'en posséder de grandes quantités ?

— Pour traiter la maladie de Parkinson, le diabète, les maladies de cœur chroniques, les maladies du rein en phase terminale, les défaillances du foie, le cancer, les accidents du cordon médullaire, la sclérose en plaques, la maladie d'Alzheimer...

— Bref, tout et le reste.

— Exactement. Je ne peux pas comprendre que des gens s'opposent à ce genre de recherches.

Ryan a senti d'après ma voix que le *baby blues* menaçait de prendre son envol. C'est pourquoi il a cru bon de pointer le doigt sur mon nez et de me déclarer sur un ton de prédicateur :

— Ça, sœur Temperance, c'est le premier pas sur la pente savonneuse des grossesses décidées uniquement dans le but d'obtenir des embryons grâce auxquels nous aurons une population d'athlétiques Aryens blonds aux yeux bleus et d'aguichantes walkyries aux longues jambes et à l'opulente poitrine.

Sur cette repartie, l'embarquement a été annoncé.

En vol, nous avons parlé d'amis communs, évoqué des moments et des expériences vécus ensemble. J'ai raconté à Ryan l'étude sur les rats et le fromage que conduisait Katy pour son mémoire de psycho et ses recherches de boulot pour l'été. Il m'a demandé des nouvelles de ma sœur Harry, et il a bien ri quand je lui ai décrit sa dernière passion, un clown de rodéo originaire de Wichita Falls. Il m'a raconté par le menu les déboires de sa nièce Danielle qui avait fugué à Vancouver pour vendre des bijoux dans la rue. Nous sommes tombés d'accord pour trouver que ces deux cinglées avaient bien des points en commun.

Finalement, la fatigue a eu raison de moi. Je me suis endormie, la tête sur l'épaule de Ryan. Petit creux chaud et rassurant, même si ça me râpait un peu le cou.

Le temps de récupérer nos bagages, de nous frayer un chemin dans la foule des bagagistes empressés à les porter et de dégotter un taxi, il était neuf heures et demie du soir. J'ai donné l'adresse de l'hôtel au chauffeur. Il s'est tourné vers Ryan pour connaître le chemin. Je le lui ai expliqué.

À dix heures et quart, nous arrivions à destination.

Laissant Ryan décharger les bagages, j'ai réglé la course. Quand je lui ai demandé un reçu, le chauffeur m'a regardée comme si je lui réclamais un échantillon d'urine. En pestant, il a fini par dénicher un bout de papier dans une pochette de son siège et y a fait un gribouillis.

Le réceptionniste m'a saluée par mon nom et souhaité bon retour. Après un coup d'œil à Ryan, il a demandé si nous voulions une chambre pour deux.

— Une pour moi. Est-ce que la trois cent quatorze est libre ?

— *Sí, señora.*

— Eh bien, je vais la prendre.

— Et le señor ?

— Vous lui demanderez.

J'ai tendu ma carte de crédit, signé le reçu et je suis montée à l'étage, lestée de mes sacs. Mes vêtements rangés dans l'armoire et mes affaires de toilette dans la salle d'eau, je m'apprêtais à entrer dans mon bain quand le téléphone a sonné.

— Ne commence pas, Ryan, je me mets au lit.

— Pourquoi devrais-je commencer par Ryan ? s'est étonné Galiano.

— Vous lui avez demandé de venir.

— Je vous l'ai également demandé. Je préfère commencer par vous.

— Je viens de me taper le VIP des détectives pendant presque douze heures, j'ai besoin de sommeil.

— C'est vrai qu'il avait l'air à cran.

Autrement dit, les frères d'université s'étaient déjà parlé. Ça m'a énervée.

— Évidemment, quand on descend un type..., poursuivait Galiano.

— En effet.

— Demain, nous avons l'intention d'aller tailler une bavette avec Aida Pera, la petite amie de l'ambassadeur. Ensuite, j'irai voir la mère de Patricia Eduardo. Elle prétend avoir de nouvelles informations.

— Vous semblez sceptique.

— Elle est un peu spéciale.

— Et le père ?

— Il est mort.

— Elle a accepté de donner un échantillon de salive ?

Avant de partir pour Montréal, j'avais demandé à Galiano de mettre en route le processus. Maintenant que nous avions une identification éventuelle, il serait possible de comparer l'ADN de la señora Eduardo avec celui prélevé sur les os du fœtus découvert avec le corps au Paraíso. Comme l'ADN mitochondrial se transmet exclusivement par les femmes, le bébé et sa grand-mère auraient le même.

— Oui, et j'ai fait expédier les os du fœtus au laboratoire de Mateo.

— Le portrait que je vous ai envoyé a été montré à la señora Eduardo ?

— Oui.

— Elle accepte l'idée que ce soit Patricia ?

— Oui. Comme tout le monde ici, à la police.

— Elle doit être désespérée.

Je l'ai entendu soupirer.

— *Ay, Dios*. C'est la nouvelle la plus triste qu'une mère puisse recevoir.

Pendant un moment, nous n'avons plus rien dit, ni lui ni moi. Je pensais à Katy. Il devait penser à son Alejandro.

— Bon, voulez-vous venir avec nous ?

Je répondu oui et demandé quel était le métier d'Aida Pera.

— Elle travaille comme secrétaire depuis qu'elle a quitté le lycée, il y a deux ans. Sur ce point, Chantal n'a pas menti.

— Qu'est-ce qu'elle dit à propos de Specter ?

— Je ne lui ai pas lâché la bombe par téléphone. Je comptais le faire en la voyant.

— À quelle heure, demain ?

— Huit heures.

— N'oubliez pas le café.

J'ai raccroché, me suis déshabillée et j'ai sauté dans mon bain. Pour en bondir aussitôt et déraper sur le carrelage en me heurtant la hanche au lavabo. L'eau était si froide qu'elle aurait pu se couvrir de verglas. Tout en jurant, je me suis enroulée dans une serviette et j'ai joué avec les robinets. De la neige fondue est sortie des deux.

Grelottant et maudissant l'hôtel, je me suis jetée sous mes couvertures. Ma tremblote a heureusement fini par se calmer.

Ryan n'a pas téléphoné.

Je me suis endormie sans savoir vraiment si j'en étais soulagée ou encore plus agacée.

Le lendemain matin, je me suis réveillée au bruit d'un marteau piqueur assez puissant pour m'assourdir à jamais. J'ai sorti la tête par la fenêtre. Trois étages plus bas, six hommes refaisaient le trottoir. Un boulot parti pour durer.

L'horreur !

J'ai téléphoné à Mateo pour lui apprendre mon retour et mon intention de venir travailler au laboratoire de la FAFG dans l'après-midi.

Ryan était déjà dans le hall de l'hôtel quand je suis descendue.

— Bien dormi, beau brin de fille ?

— Comme une souche.

— L'humeur est au beau fixe ?

— Quoi ? !

— Tu devais être fatiguée, hier soir.

Je suis restée la bouche ouverte de stupéfaction. Au même moment, Galiano a klaxonné. Et c'est la bouche toujours ouverte que j'ai franchi la porte vitrée, traversé le trottoir et suis montée à l'avant de la voiture. Que Ryan monte derrière !

En route vers l'appartement d'Aida Pera, Galiano nous a informés des suites de l'affaire Claudia de la Alda.

— La nuit où Patricia Eduardo a disparu, Gutiérrez était à sa paroisse en train de préparer des fleurs pour la fête de la Toussaint.

— Quelqu'un confirme son alibi ? a demandé Ryan.

— À peu près une demi-douzaine de fidèles, à commencer par sa propriétaire, la señora Ajuchan, qui dit qu'elle est rentrée à la maison avec lui et jure qu'il n'a pas pu en partir, en voiture tout du moins, car la sienne bloquait l'allée.

— Un complice ? a insisté Ryan.

— Ajuchan jure ses grands dieux qu'elle se réveille chaque fois que Gutiérrez entre ou sort de la maison. (Galiano a pris à gauche.) Elle soutient aussi qu'il ne ferait pas de mal à une mouche, que c'est un solitaire et qu'il n'a pas d'amis.

— La fouille de sa chambre a donné quelque chose ? ai-je demandé.

— Ce salaud avait bien quarante photos de Claudia sur le miroir au-dessus de sa commode. Disposées comme dans un oratoire. Avec bougies et tout le bataclan.

— Qu'est-ce qu'il en dit ? a voulu savoir Ryan.

— Qu'il admirait sa vertu et sa piété.

— Qui a pris les photos ?

— Il est resté un peu vague sur le sujet. Mais on a retrouvé dans son armoire un appareil avec une pellicule entamée. Vous ne devinerez jamais qui était dessus.

— La fille de ses patrons.

— Bravo. Prise de loin, au téléobjectif.

— Il a été vu par des médecins ? ai-je demandé.

Tout en répondant, Galiano a tourné encore une fois à gauche, puis à droite dans une rue bordée de maisons à trois étages.

— Les toubibs disent qu'il souffre de fixation compulsionnelle ou autre baratin psychologique du genre érotomanie. Que c'était plus fort que lui, qu'il n'a certainement jamais voulu faire de mal à Claudia.

— En tout cas, ça ne lui a pas fait de bien, à elle.

Galiano a garé la voiture et s'est tourné vers nous.

— Et Patricia Eduardo ? a demandé Ryan.

— Gutiérrez dit qu'il ne l'a jamais vue de sa vie, qu'il n'est jamais allé à la Zona Viva ou au café San Felipe et qu'il n'a jamais entendu parler de la pension Paraíso. Il jure que Claudia de la Alda est l'unique amour de sa vie.

— Et son unique assassinat, a laissé tomber Ryan d'une voix cinglante.

— Oui.

— Vous le croyez ? ai-je demandé.

— *¡ Hijo de la gran puta !* Il est passé trois fois par le détecteur de mensonges.

Galiano s'est retourné et a désigné du menton un

bâtiment délabré de l'autre côté de la rue. Stuc rose écaillé, porte rouge sang et un barjot à côté en train de somnoler debout. Graffitis sur les murs. Plus intelligents que d'habitude, méritant un 6 sur 20.

— Aida Pera habite au second avec une cousine plus âgée.

— Elle n'est pas à son travail ?

— Elle a préféré prendre un jour de congé quand je lui ai dit que je voulais la voir. Pour ne pas énerver son patron.

— Elle a demandé ce que vous lui vouliez ?

Galiano a paru étonné.

— Non.

Nous sommes descendus de voiture. Au claquement des portières, le dingo s'est affaissé le long du mur pour se retrouver étalé en travers du perron. Au moment de l'enjamber, j'ai remarqué sa braguette à moitié remontée. Ou descendue. Selon les points de vue, j'imagine.

L'entrée devait faire dans les deux mètres sur deux et puait le désinfectant. Au sol, un carrelage en damier noir et blanc. Une carte imprimée portant les noms de Pera et d'Irias désignait l'une des six boîtes aux lettres en laiton. Galiano a pressé le bouton adjacent. La réponse ne s'est pas fait attendre. On avait guetté notre arrivée.

— *¿ Sí ?*

— Détective Galiano.

La porte d'entrée a cliqueté. Nous l'avons franchie puis avons emprunté un escalier à la queue leu leu.

Au second, un minuscule palier et deux portes. Je posais à peine le pied sur la dernière marche quand un bruit de serrures s'est fait entendre. La porte s'est ouverte et une jeune femme d'une beauté double ration a passé un œil dehors. J'ai senti Galiano et Ryan se redresser dans mon dos. Réaction typiquement masculine, mais j'aurais pu les imiter.

— Détective Galiano ?

Une voix d'enfant.

— *Buenos días, señorita Pera.*

Aida Pera s'est inclinée d'un air solennel. Elle avait des cheveux souples, la peau claire et des yeux bruns immenses, à la fois confiants et inquiets. Le genre de regard qui dit aux hommes « Occupez-vous de moi » et les rend complètement idiots.

— Merci de bien vouloir nous recevoir si tôt, a déclaré Galiano.

Après un second hochement de tête, Aida Pera nous a regardés, Ryan et moi. Galiano a fait les présentations. Un léger renflement s'est formé entre les deux sourcils de la belle et a disparu aussitôt.

— De quoi s'agit-il ? a-t-elle demandé en jouant avec la chaîne de sécurité.

Elle avait de jolis doigts, longs et minces, mais les ongles mal soignés et les cuticules à vif. Pour autant que je puisse voir, c'était son unique défaut.

— Pouvons-nous entrer ? a demandé Galiano d'une voix rassurante.

Aida Pera s'est reculée, nous avons pénétré dans un vestibule. En face de nous, un long couloir menant au fond de l'appartement ; sur le côté, un salon où elle nous a conduits. Napperons de dentelle sur les accoudoirs et les dossiers du divan et des fauteuils. Je me suis interrogée sur l'âge de la cousine.

— Señorita Pera, je crois savoir que vous êtes amie avec l'ambassadeur du Canada, André Specter, a attaqué d'emblée Galiano.

Cette fois le renflement au-dessus du nez s'est maintenu.

— Puis-je vous demander la nature de cette relation ?

Tout en se mordant la jointure d'un doigt, Pera a fait glisser son regard de Galiano à Ryan puis à moi. J'ai dû lui paraître la moins menaçante du trio, car c'est à moi qu'elle s'est adressée.

— Je ne peux pas parler de ma relation avec André. C'est impossible. Il... André m'a fait promettre...

— Nous pouvons vous interroger au commissariat.

Galiano avait durci la voix. Les yeux d'Aida Pera ont à nouveau fait un tour complet de l'assistance. Galiano. Ryan. Moi. Cette fois encore, elle a choisi la fille dans le lot.

— Vous ne le répéterez à personne ?

Un enfant faisant une confidence.

— Nous ferons de notre mieux pour respecter votre secret, s'est engagé Galiano.

Les yeux de Bambi de la jeune fille se sont posés sur lui, puis sont revenus sur moi.

— André et moi, nous allons nous marier.

25.

Galiano m'a lancé un coup d'œil et a détourné le regard. J'ai demandé :

— Depuis combien de temps voyez-vous l'ambassadeur ?

— Six mois.

— Êtes-vous amants ?

Elle a hoché la tête et fixé le plancher.

— Je sais bien que vous pensez que je suis trop jeune pour André. Mais je ne le suis pas. Je l'aime, il m'aime, et rien d'autre ne compte.

— Même sa femme et sa fille ?

— André est très malheureux. Il veut quitter sa femme dès qu'il le pourra.

Ben voyons ! La rengaine habituelle.

— Vous avez quel âge, Aida ?

— Dix-huit ans.

Je commençais à m'énerver.

— C'est pour quand ?

Elle a relevé la tête.

— Quand quoi ?

— Le mariage.

— Nous n'avons pas encore fixé de date, mais bientôt. (Elle a regardé Galiano, puis Ryan, cherchant un soutien de leur part.) Dès qu'André pourra arranger les choses, vous savez, sans compromettre sa position.

— Et ensuite ?

— Nous partirons. Il sera nommé dans un endroit sympa. À Paris, peut-être. Ou bien Rome ou Madrid. Je serai sa femme, je voyagerai avec lui et j'irai à toutes les soirées.

Et Saddam Hussein se convertira au christianisme et baptisera les foules.

— L'ambassadeur vous a-t-il parlé de ses anciennes maîtresses ?

— Vous ne comprenez pas. André n'est pas comme ça.

Elle a regardé Galiano. Elle a regardé Ryan. Elle m'a regardée. Sur ce point, elle avait raison : nous ne comprenions pas.

— Est-ce qu'il vous a déjà blessée ?

Elle a froncé les sourcils.

— Que voulez-vous dire ?

— Secouée, frappée, forcée à faire des choses que vous ne vouliez pas

— Jamais. (Puis, sur un ton voilé :) C'est un homme si gentil, André, doux, merveilleux.

— Et qui trompe sa femme.

— Ce n'est pas ce que vous croyez.

Tu parles. Salopard de violeur d'enfant !

— Vous connaissez une jeune fille du nom de Patricia Eduardo ?

Elle a fait une petite secousse de la tête.

— Claudia de la Alda ?

— Non.

Le contour de ses yeux était en train de rougir.

— Est-ce que vous devez voir M. Specter dans les jours qui viennent ?

— C'est difficile de faire des plans. André appelle quand il parvient à se libérer.

Et vous, vous attendez à côté du téléphone !

— Est-ce qu'il vient ici d'habitude ? est intervenu Galiano.

— Quand ma cousine n'est pas là. (Son nez était à présent aussi rouge que ses yeux, et elle commençait à renifler.) On sort aussi, de temps en temps.

Je lui ai tendu un mouchoir en papier, Galiano une carte.

— Appelez-moi quand vous aurez de ses nouvelles.

— André a fait quelque chose d'illégal ?

Galiano a ignoré sa question.

— Quand il téléphonera, acceptez de le voir et appelez-moi. Mais ne lui en dites rien.

Aida Pera a ouvert sa bouche pour protester.

— Faites-le, señorita Pera. Vous vous épargnerez bien des ennuis.

Sur ce, il s'est levé. Ryan et moi l'avons imité. Aida Pera nous a suivis jusqu'à la porte.

Pendant que nous sortions sur le palier, elle a dit encore :

— C'est dur, vous savez. Ce n'est pas comme au cinéma.

— Ça, c'est sûr, ai-je laissé tomber.

Dehors, le ciel s'était assombri. Impatient d'étudier les dossiers de Nordstern, Ryan a pris un taxi pour aller au commissariat général, tandis que Galiano et moi-même partions voir la señora Eduardo.

Il pleuvait à verse quand nous sommes arrivés en vue de sa maison. Moins luxueuse que celle des Specter ou des Gerardi, la demeure était cependant confortable et bien entretenue. Cosy, aurait déclaré un agent immobilier.

« E.T., appelle chez toi ! » La phrase s'est mise à me tambouriner le cerveau dès que la señora Eduardo a ouvert la porte : elle ne devait pas mesurer plus d'un mètre cinq. Elle avait les yeux les plus grands que j'aie vus de ma vie, un visage tout ridé et rond comme la lune, des membres décharnés et des doigts tordus et noueux. Elle nous a conduits dans un salon aux meubles recouverts d'un tissu à fleurs et nous a priés de nous asseoir. Elle-même s'est hissée sur une chaise en bois à dos droit et a enroulé une cheville autour de l'autre. Une fois installée, elle a fait le signe de la croix. Des larmes brillaient dans ses yeux hors du commun.

J'ai pris place dans un fauteuil rembourré à l'extrême, tout en me demandant si elle n'était pas atteinte d'une anomalie chromosomique. Question qui a naturellement débouché sur la suivante : comment avait-elle pu engendrer une fille aussi attirante que Patricia ?

Galiano m'a présentée à la señora Eduardo et lui a exprimé nos condoléances. Elle s'est signée à nouveau en poussant un profond soupir.

— Avez-vous arrêté quelqu'un ? a-t-elle demandé d'une petite voix chevrotante.

— Nous y travaillons, a répondu Galiano.

La paupière gauche de la señora Eduardo a cligné au ralenti, la droite a suivi avec une demi-seconde de retard.

— Votre fille vous a-t-elle jamais parlé d'un homme appelé André Specter ?

— Non.

— D'un Miguel Gutiérrez ?

— Non. Qui sont ces hommes ?

— Vous êtes sûre ?

— Absolument certaine, a assuré la señora Eduardo après avoir pris le temps de se répéter tout bas les noms, ou fait semblant de le faire. Ils ont quelque chose à voir avec ma fille ?

Une larme a débordé de son œil et roulé en bas de sa joue. Elle l'a essuyée d'un geste brusque.

— Simple vérification.

— Ce sont des suspects ?

— Pas dans la mort de votre fille.

— Dans celle de qui ?

— Miguel Gutiérrez a avoué avoir tué une autre jeune fille, Claudia de la Alda.

— Vous pensez qu'il aurait pu tuer aussi Patricia ?

Quel que soit le mal dont elle souffrait, il ne semblait pas avoir touché son intelligence.

— Non.

— Et Specter ?

Seconde larme, seconde tape sur la joue.

— Ne nous occupons pas de Specter.

— Qui est-ce ?

La maladie en question n'avait pas non plus diminué sa ténacité.

— Puisque votre fille ne vous a pas parlé d'eux, c'est hors sujet. Vous aviez des choses à me dire, je crois. De quoi s'agit-il ?

Les yeux immenses se sont rétrécis. J'ai perçu de la méfiance dans son regard.

— Je me suis rappelé le nom du chef de Patricia à l'hôpital.

— La personne avec qui elle a eu des mots ?

La señora Eduardo a hoché la tête. L'étonnant clignement de l'œil a repris. Galiano a sorti son calepin.

— Zuckerman.

À ce nom, j'ai ressenti comme un léger déclic.

— Prénom ? a demandé Galiano.

— Je ne sais pas.

— Sexe ?

— Je ne sais pas.

— Savez-vous la raison de leur dispute ?

— Patricia n'est pas entrée dans les détails.

C'est alors que Renoncule a fait son apparition. Il est allé tout droit sur Galiano et s'est frotté dans les deux sens contre sa jambe. La señora Eduardo a glissé à bas de sa chaise et a tapé dans ses mains. Le chat a fait le dos rond et a recommencé ses huit autour des chevilles de Galiano. Elle a tapé plus fort dans ses mains.

— Pschit, veux-tu ! Continuez. Et toi, va rejoindre les autres.

Renoncule a considéré son étrange maîtresse un très long moment, a levé lentement sa queue puis l'a rabattue, et a finalement quitté la pièce.

— Je vous prie de l'excuser. Renoncule était le chat de Patricia.

Sa lèvre inférieure a tremblé, j'ai craint qu'elle n'éclate en sanglots.

— Depuis qu'elle est partie, il n'écoute personne.

Galiano a rempoché son carnet et s'est levé.

Pour le voir, la señora Eduardo a dû renverser sa tête en arrière. Des larmes brillaient sur ses deux joues.

— Vous devez retrouver le monstre qui a fait ça à ma Patricia. Elle était tout ce que j'avais.

Les mâchoires de Galiano se sont contractées, ses yeux de chien se sont remplis de larmes.

— Nous le ferons, madame. Je vous en donne ma parole. Nous l'attraperons.

La señora Eduardo s'est remise sur ses pieds.

Galiano s'est penché vers elle et a pris ses deux mains dans les siennes.

— Nous irons voir le Dr Zuckerman. Encore une fois, nous compatissons très sincèrement à votre douleur. N'hésitez pas à nous appeler si quelque chose vous revenait en mémoire.

— Voilà un chat qui ne manquait pas de culot ! a déclaré Galiano en enfonçant sa canette de Pepsi vide dans le support en plastique du tableau de bord.

— Chacun fait son deuil à sa manière.

— J'aime autant ne pas recroiser sa route.

— Il a levé la patte sur votre bel uniforme ?

— Oh, ce pantalon a vu pire.

— Qu'est-ce qu'elle a comme maladie ?

— De l'arthrite rhumatoïde contractée à un tout jeune âge. Je crois que c'est ça qui a stoppé sa croissance.

Nous étions en route pour le commissariat central après un court arrêt dans un Pollo Campero, équivalent guatémaltèque du Kentucky Fried Chicken.

Le portable de Galiano a sonné alors que nous tournions sur l'Avenida 6. Il a répondu et, au bout d'un instant, m'a articulé tout bas : « Aida Pera » et a poursuivi au téléphone :

— Ne lui parlez pas de notre visite. Ni de cet appel.

Aida Pera a dit quelque chose.

— Encouragez-la à sortir.

Autre phrase d'Aida Pera.

— Hum hum.

Nouvelle pause.

— On va s'en occuper.

Galiano a coupé la communication et jeté le téléphone sur le siège. J'ai demandé :

— L'ambassadeur se morfond tout seul chez lui ?

— Il passera voir sa chérie à neuf heures, ce soir. Il veut probablement lui annoncer qu'il a réservé une église pour la cérémonie.

— Vous pourrez vous trouver dans les parages, à cette heure-là ?

— Difficile de prévoir à l'avance.

— Ne pouvez-vous pas tout simplement faire venir ce salaud au commissariat et le passer au gril ?

— On voit bien que vous n'avez jamais entendu parler de la convention de Vienne sur les relations diplomatiques et consulaires, a ricané Galiano.

— En effet.

— C'est un accord qui limite sérieusement les pouvoirs des autorités locales en matière d'arrestation et de détention des diplomates.

— L'immunité diplomatique ?

— Tout juste.

— C'est pour ça que la ville de New York s'assied tous les ans sur des millions de dollars de PV impayés.

J'ai fini mon Coca.

— L'immunité n'est pas levée pour les délits ?

— L'immunité ne peut être levée que par l'État qui l'a décrétée. En l'occurrence, si le Canada refuse de lever celle de Specter, le Guatemala peut seulement le déclarer *persona non grata* et l'expulser.

— Les autorités guatémaltèques ne sont pas habilitées à enquêter sur tout le monde, du moment que c'est à l'intérieur des frontières du pays ?

— Enquêter oui, mais pour interroger un diplomate, il faut l'aval de son gouvernement.

— Avez-vous adressé au Canada une demande en ce sens ?

— C'est en cours. Si nous apportons des preuves

suffisantes, nous pourrons éventuellement être autorisés à interroger Specter, mais en présence de fonctionnaires canadiens...

— Ryan.

— Ryan, et probablement d'autres membres du personnel diplomatique. Mais il y a un hic. La personne soumise à interrogatoire doit donner son accord pour être interrogée. De plus, elle ne dépose pas sous serment et sa déposition ne peut être utilisée pour la déchoir de son statut.

— C'est donc l'État dont le diplomate est le ressortissant qui décide de son destin.

— Exactement.

Ryan occupait la salle de conférences du second étage où j'avais rencontré pour la première fois l'inoubliable procureur Antonio Díaz. Journaux, brochures, papiers, cahiers et dossiers s'entassaient en piles bien séparées sur la table devant lui.

Le menton dans la main, il écoutait des bandes sur un magnétophone identique à celui que Nordstern avait employé lors de notre entretien. Une bonne douzaine de cassettes s'étalaient sur sa droite, deux autres sur sa gauche. En nous voyant, il a enfoncé le bouton d'arrêt et s'est renversé contre son dossier.

— Putain, c'est laborieux.

Nous avons attendu la suite.

— Notre ex-lauréat potentiel du prix Pulitzer a interrogé un bon paquet de gens mécontents.

— À Chupan Ya ? ai-je demandé.

— Pas seulement. Dans d'autres villages qui se sont aussi fait baiser par l'armée. C'était vraiment la Gestapo, dans le coin.

— Tu as trouvé quelque chose qui expliquerait pourquoi Nordstern s'est fait descendre ? a demandé Galiano en posant une cuisse sur le bord de la table.

— Peut-être, sans le savoir.

J'ai ramassé une demi-douzaine de cassettes. Chacune portait un nom, maya souvent : le fils de la señora Ch'i'p, un vieux d'un village à l'ouest de Chupan Ya. Certaines contenaient plusieurs interviews : Mateo Reyes partageait une bande avec Elena Norvillo et Maria Paiz ; T. Brennan était accouplée à un E. Sandoval. J'ai demandé à Galiano qui c'était. Il a eu un geste d'ignorance.

— Quelqu'un que Nordstern a dû interviewer juste après vous.

Ryan a poussé un soupir à fendre l'âme. Je me suis tournée vers lui. Il avait l'air rétamé.

— Si tu as besoin d'aide, je peux dire à Mateo que je ne viendrai que demain.

Il m'a regardée comme si je lui annonçais qu'il avait gagné le gros lot.

— Ça va drôlement me soulager. Tu en sais bien plus que moi sur la question. (Avec un mouvement du pouce vers la valise posée par terre sous la fenêtre, il a ajouté :) Je te laisserai farfouiller dans les caleçons que la maman de Nordstern lui avait si gentiment empaquetés.

— Non, merci. Un slip sale me suffit amplement.

Galiano s'est levé.

— Je vous laisse. Je vais organiser la sortie de ce soir avec Hernández.

Ryan a levé les sourcils.

— Tempe t'expliquera. Je serai en salle de guerre.

— Que veux-tu que je fasse ? ai-je demandé à Ryan.

— Passe en revue les livres et les papiers pendant que je continue avec les interviews.

— Je cherche quoi ?

— Quelque chose.

J'ai téléphoné à Mateo. Mon retard ne lui posait aucun problème. De plus, il connaissait une Eugenia Sandoval qui travaillait au CEIHS, Centro de Investigaciones de Historia Social. Information que j'ai transmise à Ryan dès que j'ai eu raccroché.

— Logique, m'a-t-il répondu.

J'ai rassemblé livres et journaux et me suis installée en face de lui. Certaines publications étaient en espagnol, la plupart en anglais. J'ai commencé par faire une liste.

The Massacre at El Mazote : A Parable of the Cold War ; *Massacres in the Jungle, Ixcán, Guatemala, 1975-1982* ; *Persecution by Proxy : The Civil Patrols in Guatemala*, publié par le Robert F. Kennedy Center pour les droits de l'homme ; *Harvest of violence : The Maya Indians and the Guatemala Crisis* ; un numéro de l'*America's Watch Report*, daté du mois d'août 1986 : *Civil Patrols in Guatemala.*

— Apparemment, Nordstern faisait son boulot.

— Jusqu'à ce qu'il soit grassement remercié.

— On a contacté le *Chicago Tribune* ?

— Nordstern y travaillait comme free-lance, mais le *Tribune* lui avait bien commandé un papier sur Clyde Snow et la FAFG.

— Alors pourquoi s'intéressait-il aux cellules souches ?

— Pour un autre papier, peut-être.

— Peut-être.

Deux heures plus tard, j'ai enfin pêché un indice dans un numéro de *La Lucha Maya*, parmi une série de portraits et de paysages en couleurs pleine page : maisons à toit de chaume à Santa Clara, jeune garçon en train de pêcher sur le lac Atitlán, baptême à Xeputul, cortège funèbre à Chontalá.

Au début des années 1980, sur instruction des responsables militaires de la région, des patrouilles civiles avaient exécuté vingt-sept habitants dans ce village. Dix ans plus tard, Clyde Snow avait exhumé leurs restes.

En face de la page qui représentait ces paysans portant des cercueils jusqu'au cimetière de Chichicastenango, un portrait de groupe d'hommes en armes. Membres des patrouilles civiles à Huehuetenango, disait la légende.

Ce système de patrouilles civiles avait été mis en place partout dans les campagnes. Participation obligatoire. Résultat, l'agriculture avait perdu des bras et des familles entières avaient sombré dans la misère. Des règles et des valeurs nouvelles, fondées sur la force et les armes, avaient remplacé les modèles d'autorité traditionnelle, ce qui avait semé la zizanie parmi les paysans mayas.

Ryan a introduit une nouvelle cassette dans l'appareil. Voix de Nordstern, puis la mienne.

J'ai continué à feuilleter les images. Un vieil homme forcé de quitter sa maison à Chunima, suite aux menaces de mort lancées à son encontre par des patrouilles civiles. Une femme en larmes, portant son bébé dans le dos.

Page suivante, des patrouilles civiles à Chunima, armes dressées sur fond de montagnes dans la brume. D'après la légende, le chef du groupe avait abattu deux paysans qui refusaient de s'engager comme volontaires. J'ai étudié la photo. Ces jeunes auraient pu former une équipe de football. Une meute de scouts. Une chorale de lycée.

Soudain, ma voix a retenti dans la pièce. Ma voix racontant à Nordstern le massacre à Chupan Ya.

— En août 1982, des soldats et des patrouilles civiles sont entrés dans le village...

À Chupan Ya, les patrouilles civiles avaient apporté leur soutien à l'armée. Soldats et civils avaient violé de concert les femmes et les filles avant de les tuer à l'arme à feu ou à la machette et d'incendier les habitations.

J'ai tourné une nouvelle page de la revue.

Xaxaxak, un quartier de Sololá. Des patrouilles civiles défilant comme après une victoire, des armes automatiques leur barrant la poitrine. Il y avait des soldats parmi les spectateurs, certains en tenue de combat, d'autres en uniforme, signe d'un grade supérieur et d'une solde plus élevée.

Sur la légende, un nom entouré par Nordstern. Mes yeux sont tombés dessus au moment précis où, sur la bande, le journaliste disait :

— *Sous le commandement d'Alejandro Bastos.*

— *Cela, je ne le sais pas.*

— *Continuez.*

— *Vous paraissez en connaître beaucoup plus que moi sur le sujet. (Bruits.) Il se fait tard, monsieur Nordstern. Mon travail m'attend.*

— *Chupan Ya ou la fosse septique ?*

— Arrête ! Repasse ce morceau-là !

Ryan a enclenché le rembobinage. Les derniers mots de l'entretien ont retenti à nouveau. Je lui ai passé mon livre.

— Regarde ça.

Il a étudié la photo et lu la légende.

— Alejandro Bastos commandait la section locale de l'armée.

— Et Nordstern l'accuse d'être à l'origine du massacre de Chupan Ya ! me suis-je écriée.

— À ton avis, pourquoi est-ce qu'il a entouré la tête du type sournois à côté de lui ? a demandé Ryan en retournant le livre vers moi.

J'ai regardé le visage à l'intérieur du rond.

— Nom de Dieu !

26.

— Antonio Díaz !

Son identité ne faisait pas l'ombre d'un doute pour moi, même s'il ne portait pas de lunettes roses.

— C'est qui ?

— L'abominable procureur dont je t'ai parlé.

— Le type qui a confisqué le corps de Patricia Eduardo ?

— Oui.

Ryan a tendu le bras pour que je lui repasse le livre.

— Ce Díaz était dans l'armée ?

— Ça m'en a tout l'air.

— Avec Bastos ?

— Si c'est le cas, cette photo vaut son pesant de *chalupas*.

— Et c'est ce type que Nordstern accusait d'avoir mené le bal, à Chupan Ya ?

— Tu as entendu la bande.

— Mais qui est cet Alejandro Bastos ?

— Ça, mystère.

Ryan a fait mine de se lever.

— Rassieds-toi, mon vieux.

Il s'est laissé retomber sur sa chaise.

— Díaz a servi sous les ordres de ce Bastos. Qu'est-ce que ça peut bien vouloir dire ?

Exactement la question que je me posais. Qu'est-ce qui préoccupait Nordstern : que Díaz ait été dans l'armée et soit maintenant procureur ? Le fait n'avait rien d'exceptionnel, à en croire ce que Galiano m'avait laissé entendre au restaurant Gucumatz. D'après lui, le système judiciaire abritait en son sein quantité d'anciens tortionnaires et meurtriers. Et tout le monde était au courant. Alors, le corps retrouvé au Paraíso aurait-il un rapport avec le massacre de Chupan Ya ? Mais lequel ? Aucune réponse ne me venait à l'esprit.

— Peut-être que c'est juste une coïncidence, ai-je avancé sans y croire vraiment.

— Peut-être aussi que ça n'en est pas une, a répliqué Ryan.

— Peut-être que Díaz a d'autres raisons de ne pas vouloir que je travaille sur l'affaire Eduardo.

— Comme quoi ?

— Il a peut-être cru que c'était quelqu'un d'autre dans la fosse.

— Qui ça ?

— Quelqu'un ayant des rapports avec Chupan Ya.

— Une adolescente enceinte ?

Là, je n'avais rien à répondre.

— Peut-être que Díaz voulait seulement m'écarter des recherches effectuées à Chupan Ya.

— Pour quelle raison ?

— Parce qu'il craignait des révélations sur son passé... Des révélations qui lui coûteraient son poste actuel.

Je ne faisais qu'exprimer tout haut mes pensées. Ryan a aussitôt objecté :

— Si tel était son but, il t'aurait laissée patauger

dans la merde, au contraire. Plus tu t'investis dans l'enquête du Paraíso, et moins tu bosses sur le massacre de Chupan Ya.

Une pensée terrifiante m'a soudain traversé l'esprit.

— Et si Díaz était derrière l'agression contre Molly et Carlos ?

— Ne nous emballons pas avant d'avoir en main des faits solides. Tu sais des choses sur ce Bastos ?

J'ai secoué la tête. Il a repris :

— La vraie question, c'est pourquoi Nordstern a-t-il entouré la tête de Díaz sur la photo ?

— Oui, c'est ça la bonne question.

— Laquelle ?

D'un même mouvement, nous nous sommes tournés. Galiano se tenait dans l'encadrement de la porte.

— Qui est Alejandro Bastos ?

— Un colonel d'armée. Il a même été ministre de quelque chose sous Ríos Montt. Il est mort, il y a deux ans.

— Est-ce qu'il a été impliqué dans les massacres ?

— Jusqu'aux yeux. Ce salopard était la preuve vivante que l'amnistie était une idée de con.

Ryan a montré la photo à Galiano.

— *¡ Hijo de puta !* s'est exclamé celui-ci. (Puis, relevant les yeux :) Et il avait Díaz avec lui ! L'ordure.

En anglais, cette fois.

Une mouche a bourdonné contre la fenêtre. Je me suis mise à la fixer avec un sentiment de frustration au moins égal au sien. Moi non plus, je ne m'en sortais pas.

— Quoi de neuf du côté Specter ?

— L'ambassadeur a un alibi infaillible pour la semaine où a disparu Patricia Eduardo.

— Il était dans un couvent avec Dominique en train

de lui renouveler ses vœux de fidélité et de soutien ? a lancé Ryan.

— Non, à une conférence sur le commerce international à Bruxelles. Il y a fait des rapports tous les jours et, le soir, il avait des cocktails.

— J'en connais une à qui ça aurait vachement plu, a dit Ryan.

— Et alors ?

Les deux hommes m'ont regardée comme si j'avais dit qu'Eva Braun était une femme bien.

— Specter est évidemment un cochon de première, mais Aida Pera n'est jamais qu'une gamine.

— De dix-huit ans.

— C'est bien ce que je dis, une gamine.

Pendant plusieurs secondes, l'unique bruit perceptible dans la pièce a été le bourdonnement de la mouche. Puis, sans raison particulière, j'ai ajouté :

— Pour que Patricia Eduardo ait sur son jean des poils provenant de Guimauve, il a bien fallu qu'elle soit en contact avec la famille Specter.

— Peut-être que les poils sont arrivés là pendant que Specter tentait de fourrer sa main à l'intérieur de son jean, a émis Ryan.

— Patricia Eduardo a disparu le 29 octobre, a fait observer Galiano. Elle n'est pas forcément morte ce jour-là.

— Vous avez fait des recherches sur le Dr Zuckerman ?

Galiano a sorti son éternel calepin.

— Maria Zuckerman a fait médecine à l'université de New York, et son internat en obstétrique/gynécologie à l'hôpital Johns Hopkins. Ensuite, elle a passé plusieurs années en Australie, dans un institut de biologie reproductive de Melbourne.

— Autrement dit, c'est loin d'être une idiote.

— Elle est attachée à l'hôpital Centro Médico. Elle a été la chef directe de Patricia Eduardo, ces deux dernières années. D'après une collègue, Patricia se serait disputée avec elle pour des raisons qu'elle ignore. Et voici un à-côté intéressant : il semble que j'aie déjà rencontré ce fameux Dr Zuckerman.

Le nom m'a fait tilt.

— C'est le médecin qui dirige la clinique Mujeres por Mujeres dans la zone 1 ! me suis-je écriée.

— Exactement. Je sens qu'elle va encore moins apprécier ma visite que la dernière fois.

— J'irais bien avec vous.

— Le car démarre à huit heures pile !

Pauvre Mateo qui devrait encore m'attendre !

— Pour finir sur un petit détail croustillant, toujours selon sa collègue à l'hosto, Patricia aurait fréquenté un homme plus âgé, en secret de son petit ami.

En y repensant aujourd'hui, l'entrevue avec le Dr Zuckerman m'apparaît comme le début de la spirale finale. En effet, à partir de ce moment, les détails se sont multipliés, les informations ont proliféré et notre compréhension de la situation n'a cessé de se transformer comme les motifs d'un kaléidoscope.

J'étais restée encore deux ou trois heures avec Ryan à parcourir les livres et les papiers de Nordstern tout en écoutant les enregistrements avant de rentrer à l'hôtel, exténuée. Après un rapide dîner en tête à tête, nous avions regagné chacun sa chambre. Il ne m'avait pas fait de charme, et ça m'était bien égal.

En fait, depuis que Galiano nous avait appris que le chef de service de Patricia Eduardo et la directrice du centre pour les femmes étaient une seule et même personne, quelque chose me tracassait. J'avais la même impression que ce matin chez Mme Eduardo. J'avais beau me dire que c'était ce nom de Zuckerman, je sentais qu'il y avait autre chose. Et je le sentais avec un énervement croissant, comme lorsque vous vous grattez et que la démangeaison persiste.

Mais de quoi s'agissait-il ? D'une chose que j'avais vue, entendue ?

À neuf heures et quart, Ryan a téléphoné.

— Tu fais quoi en ce moment ?

— Je lis l'étiquette de mon flacon d'antiacide.

— Tu vis dangereusement.

— Tu croyais que je faisais quoi ? !

— Je voulais te remercier pour aujourd'hui. Ça m'a vachement aidé.

— Tout le plaisir était pour moi.

— À propos de plaisir...

— Ryan !

— OK, OK. Mais je te revaudrai ça quand on sera rentrés au royaume des neiges.

— De quelle façon ?

— Je t'emmènerai voir *Cats*.

À ce mot, ma démangeaison s'est brusquement localisée en un point précis.

— Il faut que je te laisse.

— Quoi ? Qu'est-ce que j'ai encore dit ?

— Je te rappelle demain.

J'ai raccroché et appelé Galiano. Sorti.

Merde !

Vite, l'annuaire du téléphone.

Hourrah !

J'ai composé le numéro.

La señora Eduardo a répondu à la première sonnerie.

Après m'être excusée de la déranger aussi tard, je suis entrée dans le vif du sujet :

— Señora Eduardo, ce matin quand vous avez chassé Renoncule de la pièce, vous lui avez dit d'aller rejoindre les autres. Vous parliez d'autres chats ?

— Oui, malheureusement. Il y a deux ans, des chatons sont nés à la ferme où Patricia avait ses chevaux en pension. Elle en a adopté deux et a trouvé des familles d'accueil pour les autres. Au début, elle voulait prendre les siens ici, mais nous avions déjà Renoncule. Je lui ai dit qu'ils devaient rester où ils étaient nés. Tant que Patricia était là, les choses ont très bien marché comme ça.

Elle a fait une pause. Le temps probablement de cligner des paupières.

— Et puis, il y a environ trois semaines, le propriétaire m'a demandé de les reprendre, sinon il les noyait. Je les ai donc à la maison, et Renoncule n'est pas content.

— Savez-vous qui a adopté les autres ?

— Des gens de par ici, je suppose. Patricia avait mis des affiches dans tout le quartier. Une douzaine de personnes ont répondu.

Je me suis raclé la gorge.

— Ce sont des chats à poils courts ?

— Des chats de gouttière on ne peut plus communs.

Le téléphone de Dominique Specter a sonné quatre fois avant qu'une voix d'homme demande en français d'abord, puis en anglais, de laisser un message. Ce que j'ai fait.

J'étais en train de me nettoyer les dents avec du fil dentaire quand mon portable a sonné : Dominique Specter.

Je me suis enquise de Chantal.

En pleine forme.

Du temps à Montréal.

Chaud.

Visiblement, l'ambassadrice n'était pas d'humeur causante.

— J'ai juste une question à vous poser, madame Specter.

— *Oui** ?

— D'où teniez-vous Guimauve ?

— Mon Dieu. Que je me souvienne !...

J'ai attendu le temps qu'il a fallu.

— Chantal avait vu une affiche au drugstore. Nous avons téléphoné. Il restait des chatons. Nous y sommes allées et nous en avons choisi un.

— Allées où ?

— Dans une sorte de ferme, avec des chevaux.

— Près de Guatemala ?

— Oui. Je ne saurais plus vous dire l'endroit exact.

Je l'ai remerciée et j'ai raccroché.

Mais quelle conne j'étais ! Et nulle par-dessus le marché. Ça, on pouvait dire que j'accumulais les fautes dans cette affaire ! J'avais su tout expliquer à Ryan sans me tromper, et je n'avais rien compris moi-même.

Les poils sur le jean de Patricia Eduardo n'appartenaient pas à Guimauve, mais provenaient de ses frères ou sœurs, d'un chat de la même portée. Ayant le même ADN mitochondrial que Guimauve.

André Specter n'était donc pas un meurtrier. Rien qu'un cochon qui trompait sa famille et abusait de la crédulité des jeunes filles.

Je me suis endormie, assommée par une avalanche de questions :

Qui avait tué Patricia Eduardo ?

Pour quelle raison Díaz s'opposait-il à ce que j'identifie le corps du Paraíso ?

À quel propos Patricia Eduardo et le Dr Zuckerman s'étaient-elles disputées ?

Combien de personnes étaient impliquées dans le massacre de Chupan Ya ?

Qui avait tiré sur Molly et sur Carlos ?

Quel lièvre avait bien pu lever Ollie Nordstern pour se faire descendre ?

Pourquoi s'intéressait-il aux cellules souches ?

Des questions, encore des questions, et jamais de réponses.

J'ai eu un sommeil agité.

Galiano n'est arrivé qu'à huit heures et demie, avec un café. J'avais déjà eu le temps d'en avaler trois tasses. Ma tension était telle qu'on aurait pu illuminer deux Shea Stadium en se branchant sur moi.

Je lui ai à peine laissé le temps de s'asseoir avant de lui raconter mes conversations avec la señora Eduardo et Mme Specter. Il n'a pas paru surpris. Enfin, pour autant que je puisse m'en rendre compte, vu qu'il se cachait derrière ses lunettes Darth Vader.

— Un des employés de l'ambassade s'est montré plutôt coopératif, a-t-il annoncé.

— Et votre opération d'hier soir ?

— Specter n'a pas montré le bout de son nez. Aida Pera a dû le prévenir.

En ce vendredi matin, la clinique du Dr Zuckerman débordait d'activité. Une bonne dizaine de femmes s'entassaient dans la salle d'attente, plusieurs avec des enfants en bas âge. Les rares qui n'étaient pas enceintes étaient là pour éviter de l'être inopinément.

Quatre bébés s'amusaient par terre avec des jouets

en plastique. Deux autres, plus grands, faisaient des coloriages, assis à une table d'enfant, le pot contenant les crayons entre eux. Les œuvres de leurs prédécesseurs, scotchées au mur derrière eux, rivalisaient avec les traces de coups de pied, les traînées de doigts sales, les traits de crayon et autres rayures laissées par des petites voitures.

Galiano s'est dirigé vers l'accueil et a demandé à parler au Dr Zuckerman. La secrétaire a relevé la tête. Derrière ses lunettes, ses yeux sont devenus tout ronds à la vue de l'insigne.

— *Un momento, por favor.*

Elle s'est élancée dans le couloir à droite de son bureau. Du temps a passé. Les mères nous regardaient avec de grands yeux solennels. Les gosses continuaient à colorier, les traits tendus par l'effort qu'ils déployaient pour ne pas déborder.

La réceptionniste n'est revenue qu'après cinq bonnes minutes.

— Je suis désolée, le Dr Zuckerman ne peut pas vous recevoir. Comme vous pouvez le voir, il y a foule, ce matin.

Geste nerveux en direction du bataillon d'utérus dans la salle d'attente. Galiano a planté son regard dans ses lunettes.

— De deux choses l'une : ou le Dr Zuckerman vient elle-même ici maintenant, ou nous allons la trouver.

— Mais vous ne pouvez pas entrer dans la salle de consultation !

Elle était presque en pleurs.

Galiano a dépiauté un chewing-gum et se l'est fourré dans la bouche sans la lâcher des yeux.

Sur un profond soupir, elle est repartie dans le couloir en agitant ses deux mains vers le ciel.

Un bébé s'est mis à pleurer. La maman a soulevé son chemisier et placé la bouche de l'enfant sur son mamelon. Galiano a hoché la tête en souriant. La mère s'est détournée.

Une porte s'est ouverte à toute volée au fond du couloir et le Dr Zuckerman a foncé vers l'accueil avec des halètements de petite locomotive lancée à toute vitesse. C'était une femme épaisse, une fausse blonde à cheveux courts – des cheveux qu'elle devait se couper toute seule, sous un mauvais éclairage et avec des ciseaux émoussés.

— Pour qui vous prenez-vous ?

Un fort accent. Australien, me suis-je dit.

La réceptionniste a rampé derrière son bureau et s'est plongée dans un dossier en attente.

— Faire irruption de la sorte, traumatiser mes patientes...

— On traumatise davantage ou on règle ça entre nous ?

Sourire glacial de Galiano.

— Vous n'avez pas l'air de comprendre, monsieur. Je n'ai pas de temps à vous accorder ce matin.

Galiano a sorti des menottes de dessous sa veste et s'est mis à les balancer devant les yeux du docteur.

Regard furieux de Zuckerman.

Galiano a poursuivi son mouvement de balancier.

— Ceci est ridicule !

Zuckerman a tourné les talons et s'est engagée dans le couloir d'un pas précipité. Nous avons suivi. Dans une salle d'examen, j'ai repéré une femme recouverte d'un drap, genoux pliés, les pieds dans les étriers. Je ne l'ai pas enviée.

Nous avons dépassé une porte marquée Dr Zuckerman et sommes entrés dans une pièce remplie de chaises alignées devant une télé avec magnétoscope incorporé. Pour visionner des vidéos du genre : *Dix trucs pour vous palper les seins. Comment utiliser la méthode des rythmes. Comment baigner bébé.*

Galiano ne s'est pas emberlificoté dans les préliminaires.

— À l'hôpital Centro Médico, vous aviez sous vos ordres une certaine Patricia Eduardo.

— Oui.

— Y a-t-il une raison particulière pour que vous ne me l'ayez pas mentionné lors de notre dernier entretien ?

— Vos questions portaient sur mes patientes.

— Laissez-moi comprendre, docteur. Je viens ici pour vous poser des questions sur trois femmes. L'une d'elles se trouve être votre subordonnée dans un autre service, et vous ne me le signalez pas ?

— C'est un nom courant. J'avais la tête ailleurs. Je n'ai pas fait le rapprochement.

— Je vois. (Le ton qui signifiait le contraire.) Eh bien, parlons d'elle maintenant.

— J'ai beaucoup d'employées sous mes ordres. Je ne sais rien de leurs activités en dehors de l'hôpital. Patricia Eduardo était juste l'une d'entre elles.

— Vous ne vous inquiétez jamais de leur vie privée ?

— Ce serait indiscret.

— Ah ? ! Vous avez été vue vous disputant avec Patricia, peu de temps avant sa disparition.

— Mes subordonnées ne comblent pas toujours les espoirs que j'ai placés en elles.

— C'était le cas avec Patricia ?

Elle a hésité un quart de seconde.

— Non.

— À quel propos vous êtes-vous battues ?

— Battues ? Je ne donnerais pas à cette discussion le nom de pugilat. Mlle Eduardo n'était pas d'accord avec le conseil que je lui donnais.

— Et qui était ?

— D'ordre médical.

— En tant que supérieure qui ne se mêle pas de la vie de ses subordonnées ?

— En tant que médecin.

— Patricia était donc bien une patiente ?

Zuckerman a réalisé tout de suite son erreur.

— Elle est peut-être venue une fois à cette clinique.

— Pour quel motif ?

— Je ne peux pas me rappeler de quoi souffrent toutes les femmes qui viennent me consulter.

— Patricia n'était pas une inconnue. C'était quelqu'un avec qui vous travailliez tous les jours.

Zuckerman n'a pas fait de commentaires.

— Elle n'est pas inscrite dans votre fichier ici.

— Ce sont des choses qui arrivent.

— Parlez-nous d'elle.

— Vous savez que je ne peux pas le faire.

— Secret médical ?

— Oui.

— Il s'agit d'une enquête sur un meurtre, alors, votre secret médical, vous pouvez vous le foutre au cul.

Zuckerman s'est raidie. Le grain de beauté sur sa joue a paru doubler de volume.

— Nous faisons ça ici ou au commissariat central ?

Zuckerman a pointé le doigt sur moi.

— Cette dame n'est pas là en mission officielle.

— Vous avez parfaitement raison, me suis-je

empressée de répondre. Je m'en voudrais de vous faire trahir votre serment. J'attendrai à l'accueil.

Sur ce, j'ai quitté la pièce sans attendre les réactions de qui que ce soit. Le couloir était vide. Sur la pointe des pieds, je me suis faufilée à l'intérieur du bureau du Dr Zuckerman et j'ai refermé la porte.

Le soleil du matin qui passait à travers les stores à demi fermés jetait des ombres nettes sur la table et faisait étinceler de mille couleurs une petite pendule en cristal. Son tic-tac, léger et rapide comme le cœur d'un colibri, était le seul bruit dans la pièce.

Des étagères sur deux des murs. Une armoire de classement sur un troisième. Le tout d'un gris administratif. Une deuxième porte. Cabinet de toilette, salle de bains ?

J'ai fait un rapide inventaire des bouquins. Journaux professionnels habituels. *JAMA*. *Fertility*. Bouquins de médecine courants. Un certain nombre sur la biologie cellulaire. Plus encore sur la physiologie de la reproduction et l'embryologie.

Bruit de porte qu'on ouvre de l'autre côté de la cloison. Retenant mon souffle, j'ai tendu l'oreille.

Tic-tac. Tic-tac. Tic-tac. Tic-tac.

Je me suis précipitée sur la porte. Ce que j'ai vu derrière m'a sidérée : deux longues paillasses en travers de la pièce, encombrées de microscopes, de tubes à essai et de boîtes de Pétri ; des armoires vitrées remplies de bouteilles et de tubes ; deux étagères où s'entassaient des bocaux contenant des embryons et des fœtus, chacun portant la durée de gestation. Un jeune homme était en train de ranger un bocal dans l'un des trois réfrigérateurs collés contre le mur du fond. J'ai pu lire l'étiquette : *Sérum de fœtus bovin*.

Au bruit que j'ai fait, il s'est retourné. T-shirt vert

sur pantalon de treillis enfoncé dans des bottes noires. Cheveux gominés attachés dans le cou. Une chaîne en or avec des initiales : J.S. Panoplie du gars de commando.

Ses yeux fixaient la pièce dans mon dos.

— Le toubib vous a laissée entrer ?

Avant que je puisse répondre, le Dr Zuckerman a fait irruption dans son bureau.

Je me suis retournée. Un quart de seconde, nos regards sont restés vrillés l'un à l'autre.

— Vous n'avez rien à faire ici !

Visage grenat jusqu'à la racine de ses cheveux affreux.

— Excusez-moi. Je me suis perdue.

Passant devant moi, Zuckerman a refermé la porte du labo.

— Partez.

Lèvres serrées, elle a pris une profonde respiration. Ses narines se sont dilatées.

Je ne me le suis pas fait dire deux fois. Du couloir, j'ai entendu un nom prononcé par une voix en colère. Je n'ai pas traîné. Je devais retrouver Galiano.

J'avais beau ne pas lui avoir été présentée, je savais qui était le type en tenue de commando.

27.

— Vous êtes sûre ? a demandé Galiano.

Nous étions dans sa voiture, à quelque distance de la clinique de Zuckerman.

— Son papa a une face de rat, sa maman des yeux de couleurs différentes.

— Un brun et un bleu ?

J'ai fait signe que oui. Difficile d'oublier les deux empotés qui tenaient le Paraíso.

— Et il avait les lettres J.S. à la chaîne de son cou.

— Jorge Serano.

— Surtout, j'ai entendu Zuckerman l'appeler par son nom.

Une bouffée d'exaltation m'a soulevée. Elle est vite retombée.

— Qu'est-ce qu'ils peuvent bien foutre, dans ce labo ?

— Vous avez vu des lapins ? a demandé Galiano.

Je lui ai jeté un coup d'œil. OK, il plaisantait.

— Si jamais vous avez raison...

— Mais j'ai raison, Galiano !

— Si c'est bien lui, nous avons enfin le lien entre Zuckerman et le Paraíso. Et Zuckerman connaissait

Patricia Eduardo. Oui, c'est peut-être le premier chaînon manquant.

— Le docteur se dispute avec Patricia Eduardo et on retrouve celle-ci morte dans l'hôtel des parents d'un employé de Zuckerman !

J'étais excitée comme une puce.

— Attention, vous allez vous faire péter les coronaires.

— Je manifeste seulement de l'énergie et de la décision.

— Tenez, vous m'inspirez. Allons donc faire causette avec ce Jorge Serano.

Retour à la clinique. L'oiseau s'était envolé.

Zuckerman *idem*, tout comme les femmes qui patientaient dans la salle d'attente.

Un bon point en faveur du serment d'Hippocrate.

La réceptionniste a reconnu que Jorge Serano était l'assistant personnel du Dr Zuckerman. Elle n'avait qu'une adresse où le joindre, l'hôtel de ses parents.

J'ai proposé à Galiano d'aller jeter un coup d'œil au labo de Zuckerman. En l'absence de mandat officiel, il a refusé.

Nous sommes partis pour le Paraíso.

Les Serano première génération n'avaient pas été frappés d'intelligence subite entre notre dernière rencontre et aujourd'hui. Cela faisait des semaines qu'ils n'avaient pas vu leur fils, ils ignoraient tout de ses faits et gestes. Ils n'avaient pas non plus la moindre idée de son emploi du temps le 29 octobre dernier. Ils ne connaissaient pas Maria Zuckerman et n'avaient jamais entendu parler de sa clinique.

Galiano leur a présenté le portrait de Patricia Eduardo. Ils n'avaient jamais posé les yeux sur cette fille, et ne pouvaient pas imaginer comment la malheureuse avait pu se retrouver dans leur fosse septique. Le cheval a suscité l'admiration de la señora Serano.

Après l'entretien, Galiano m'a déposée à la FAFG et s'en est allé enquêter sur ce Jorge Serano. Je commençais seulement à disposer les ossements d'une victime de Chupan Ya quand Ryan a téléphoné.

— J'ai trouvé quelque chose sur les caleçons de Nordstern.

— Des traces de pneus ?

— Tu es à mourir de rire, Brennan. J'ai besoin de ton aide pour traduire.

— Tu parles mieux l'espagnol que moi.

— Mais pas le biologique.

— Tu ne peux pas te débrouiller tout seul ? Depuis que j'ai accepté d'aider Galiano, je n'ai pas eu cinq minutes pour les ossements de Chupan Ya. Et c'est le travail que je suis censée faire aux heures de bureau.

— Bat m'a dit que tu n'avais pas déjeuné.

Quand Ryan se lance dans un topo sur les bienfaits d'une alimentation régulière, ma grand-mère fait figure d'amateur.

— J'ai promis à Mateo...

— Allez-y ! m'a coupée celui-ci, qui venait de se matérialiser devant ma table d'examen. Vous aurez attrapé votre tueur depuis des lustres que nous serons encore tous ici.

— Ça ne vous ennuie pas ? lui ai-je demandé tout bas, le combiné appuyé contre ma poitrine.

Il a secoué la tête.

J'ai indiqué à Ryan le chemin pour venir me prendre et j'ai raccroché.

— Mateo, est-ce que je peux vous demander quelque chose ?

— Naturellement.

— Qui c'est, Alejandro Bastos ?

La cicatrice sur sa lèvre s'est allongée jusqu'à devenir aussi fine qu'un cheveu.

— Un colonel. Le responsable de la mort de ce type, entre autres, a-t-il ajouté en désignant le squelette. Qu'il pourrisse en enfer !

Dans la liste de mes préférences, le poisson frit farineux et baignant dans l'huile vient juste après le tisonnier chauffé à blanc enfoncé dans la narine. Or c'est exactement ce que j'étais en train de manger pendant que Ryan feuilletait l'agenda de Nordstern. Ayant retrouvé la date qu'il cherchait, il me l'a tendu par-dessus mon assiette pour que je puisse lire.

Le 16 mai, Nordstern avait eu rendez-vous avec Elias Jiménez.

— C'était deux jours avant son entretien avec moi.

J'ai mâché et avalé, la première opération se réduisant à une simple formalité.

— Qui c'est ? ai-je demandé.

— Un professeur de biologie cellulaire à l'université de San Carlos.

— Tu as retrouvé l'enregistrement parmi les cassettes ?

— Pas sur celles que j'ai déjà écoutées.

— Autrement dit, ce professeur aura bientôt la joie de recevoir notre visite ?

— Dès que Galiano se sera libéré.

— Le milieu universitaire t'intimiderait-il ?

— Je suis un flic en visite à l'étranger, sans pouvoir, sans arme et sans appui. Je pourrais aussi bien être un journaliste.

— Et puis tu es vachement respectueux du règlement.

— Un mec droit comme un I.

J'ai écarté le poisson le plus loin de moi possible.

— Des génomes sauteurs. Mieux vaut ne pas en abuser avant une promenade en Batmobile !

En route vers la Ciudad Universitaria, zone 12, Galiano nous a fait part du résultat de ses recherches de l'après-midi. Sur Jorge Serano, il y avait peu à dire sinon qu'il avait assidûment fréquenté les commissariats, étant gamin. La plupart du temps pour des indélicatesses mineures, telles que le vol à l'étalage, le vandalisme et la conduite en état d'ivresse. Aujourd'hui, Jorge ne s'était pas éternisé dans les parages en vue de débattre de ses problèmes passés, il avait fondu comme neige au soleil.

Quant à Antonio Díaz, c'est Hernández qui s'en était occupé. Lieutenant dans l'armée au début des années 1980, il avait fait presque tout son temps dans la région de Sololá sous les ordres d'Alejandro Bastos.

Terrífico.

Ce qui était le cas d'un certain nombre d'officiers de police de haut rang, avait découvert par la même occasion le coéquipier de Galiano.

Muy terrífico.

Le professeur Jiménez travaillait dans un bloc rectangulaire bleu et blanc planté au centre du campus et dénommé Edificio M-2. Les panneaux *Ciencias Biológicas* nous ont conduits jusqu'à son bureau au deuxième étage.

Ce qui m'a le plus frappée en lui, c'est son goitre : il avait la taille d'une noix et la couleur d'une prune. En dehors de cela, je ne garde du professeur que le souvenir d'un très vieil homme aux yeux noirs intenses.

Il ne s'est pas levé à notre entrée. À vrai dire, il nous a à peine regardés franchir sa porte.

Son bureau faisait à peu près deux mètres sur deux mètres cinquante. Les murs étaient couverts de photos en couleurs de cellules à diverses étapes de la mitose. Ou de la méiose, je ne sais pas.

Jiménez n'a pas laissé à Galiano le temps d'ouvrir la bouche.

— Ce monsieur est venu me poser des questions sur les cellules souches. Je lui ai fait une synthèse du sujet et j'ai répondu à ses questions. C'est tout ce que je sais.

— Olaf Nordstern ?

— Je ne me rappelle pas. Il a dit qu'il se renseignait pour un article.

— Qu'est-ce qu'il vous a demandé ?

— Il voulait savoir si le président George Bush approuvait les recherches sur les lignées de cellules souches d'embryon.

— Et alors ?

— Je le lui ai dit.

— Dit *quoi* ?

— Que d'après les NIH...

— Les National Institutes of Health... Les instances sanitaires nationales, ai-je jugé bon de traduire à l'intention de mes compagnons.

— ... il existait soixante-dix-huit lignées.

— Où ça ? ai-je demandé.

Jiménez a tiré une sortie d'imprimante d'une pile de papiers et me l'a remise. Je l'ai parcourue tandis que Galiano se voyait offrir un cours accéléré sur l'état des recherches sur les cellules souches.

Liste de noms suivis de quantités :

BresaGen Inc., Athens, Georgie : 4
CyThera Inc., San Diego, Californie : 9
Institut Monash, Melbourne, Australie : 6
Geron Corporation, Menlo Park, Californie : 7
Université de Göteborg, Göteborg, Suède : 19
Institut Karolinska, Stockholm, Suède : 6
Maria Biotech Co, Ltd, Institut médical de l'Hôpital d'infertilité, Séoul, Corée : 3
MizMedi Hospital – Université nationale de Séoul, Corée : 1
Centre national des sciences biologiques / Institut Tata de recherches fondamentales, Bangalore, Inde : 3
Pochon CHA University, Séoul, Corée : 2
Confiance dans les sciences de la vie, Mumbai, Inde : 7
Université Technion, Haïfa, Israël : 4
Université de Californie, San Francisco, Californie : 2
Fondation pour la recherche des anciens élèves du Wisconsin, Madison, Wisconsin : 5.

J'ai discrètement montré les chiffres à Ryan. Ses yeux ont rencontré les miens.

— Et soixante-dix-huit lignées, c'est suffisant ? demandait Galiano après avoir écouté le laïus du professeur.

— Évidemment pas !

Jiménez avait une drôle de façon de laisser tomber sa tête à gauche quand il parlait. Peut-être son goitre comprimait-il ses cordes vocales, peut-être voulait-il simplement le cacher ?

— Certaines lignées peuvent devenir inactives ou perdre leur pluripotence. Ou le bocal peut tomber et se briser. Quatre des six colonies créées par une société de biotechnologie américaine, on ne sait pas laquelle, se sont révélées instables... Je ne vous dis pas la guerre pour en obtenir, a grogné Jiménez. (Pointant du doigt ma feuille, il a ajouté :) Voyez combien de ces lignées sont entre les mains de laboratoires privés.

— Et l'on sait que les entreprises privées ne sont pas fanatiques du partage, a laissé tomber Ryan.

— Je ne vous le fais pas dire, jeune homme.

— Aucune mesure n'a été mise en place par le gouvernement américain pour assurer un libre accès ? a demandé Galiano.

— Les NIH travaillent à l'établissement d'un catalogue des cellules souches embryonnaires d'origine humaine. Mais elles admettent le principe de laisser la distribution à la discrétion des laboratoires qui les ont enfantées.

— Dans ce cas, les cellules souches pourraient bien devenir une marchandise très convoitée, a émis Ryan.

Le rire de Jiménez a retenti comme un ricanement.

— La valeur des stocks a grimpé en flèche après l'annonce de Bush.

Des idées très préoccupantes commençaient à se faire jour dans un coin de mon cerveau.

— Dr Jiménez, est-ce que la culture des cellules souches d'origine humaine requiert une méthodologie très pointue ?

— Un étudiant de seconde année en biochimie ne saurait pas les produire, si c'est la question que vous me posez, mais pour quelqu'un de bien formé, ce n'est pas très compliqué.

— Comment la pratique-t-on ?

— Vous obtenez des embryons frais ou congelés...

— Où ça ?

— Auprès des labos des cliniques spécialisées dans le traitement de l'infertilité. Vous extrayez des cellules de cette masse de cellules contenue dans le blastocyste. Vous les déposez dans des flacons de culture contenant un milieu de croissance additionné de sérum de fœtus bovin...

Mon pouls s'est envolé dans la stratosphère tandis qu'il poursuivait :

— ... sur des couches nutritives de fibroblastes embryonnaires de souris, préalablement irradiés aux rayons gamma pour empêcher qu'ils se répliquent. Vous les laissez croître de neuf à quinze jours et, quand les masses de cellules internes se sont divisées et agglomérées ensemble, vous dissociez les cellules se trouvant à la périphérie, vous les remettez dans la culture, et...

Je n'écoutais plus. J'avais compris les intentions du Dr Zuckerman. J'ai tenté d'attirer l'attention de Ryan. Sur un ton monocorde, Jiménez exposait une technique alternative consistant à injecter des cellules souches dans les testicules de souris immuno-déprimées.

— Merci, professeur, l'ai-je interrompu.

Ryan et Galiano m'ont regardée comme si j'étais devenue marteau.

— Une dernière question. Nordstern vous a-t-il posé des questions sur une femme du nom de Maria Zuckerman ?

— C'est possible.

— Que lui avez-vous dit ?

— La même chose que je vous dirais, jeune dame. Que je n'ai jamais entendu parler d'elle.

— Zuckerman essaie de développer une lignée de cellules souches, je vous dis !

Nous avions réintégré la Batmobile. J'avais les joues en feu et je sentais des choses étranges et brûlantes se balader dans mon ventre.

— Pourquoi ? a demandé Ryan.

— Comment veux-tu que je le sache ? Peut-être qu'elle court après la célébrité. Ou qu'il existe un marché noir de cellules souches.

J'ai fermé les yeux un instant. Les poissons du déjeuner faisaient des cabrioles à l'intérieur de mes paupières.

— En tout cas, j'ai vu le labo de Zuckerman, et j'ai vu le sérum de fœtus bovin.

— Ça sert peut-être à d'autres manipulations, a suggéré Galiano.

— L'institut Monash de biologie reproductive à Melbourne possède six lignées de cellules souches. (J'ai avalé ma salive.) Or Zuckerman a passé deux ans à Melbourne. Vérifiez, je parie tout ce que vous voulez que c'était dans cet institut.

— Mais pourquoi ? a répété Ryan.

— Probablement pour alimenter un marché noir qu'elle espère bientôt florissant, puisque les cellules souches sont devenues une marchandise rare, paraît-il, a répondu Galiano. (Il s'est interrompu pour me dévisager d'un œil scrutateur.) Vous vous sentez bien ?

— Très bien.

— Vous êtes grenat, pourtant.

— Je suis très bien, je vous dis.

— Ainsi, le bon docteur aurait l'intention de se constituer un pactole ? a dit Ryan.

Galiano m'a regardée à nouveau et a commencé une phrase. Il s'est interrompu au milieu pour s'emparer de sa radio.

— Comme ces trous du cul qui font commerce

d'organes humains prélevés illégalement, poursuivait Ryan, moins sceptique tout à coup. Putain de merde...

Je l'ai coupé :

— Et Jorge Serano aide Zuckerman.

Galiano lançait un avis de recherche à l'encontre de Zuckerman et de Serano.

Mon estomac a émis un drôle de bruit. Les deux hommes m'ont jeté un regard. Mais ils m'ont tous deux fait grâce de leurs commentaires.

Nous avons roulé plusieurs kilomètres au son de mes gargouillis. À croire qu'ils avaient décidé de rivaliser avec la radio de la police. J'ai fini par participer à cette polyphonie.

— Par quel biais Patricia Eduardo entre-t-elle dans cette histoire de cellules souches ?

— Et Antonio Díaz ? a demandé Galiano.

— Et Ollie Nordstern ? a renchéri Ryan.

Aucun de nous n'avait de réponse.

— Voilà ce que je propose, a déclaré Ryan. Bat se trouve un juge qui lui pond un mandat de perquisition.

— Et je ne m'adresserai pas à cette saloperie de Díaz.

— Moi, je finis d'écouter les interviews, et Brennan épluche le reste des papiers de Nordstern.

— D'accord, mais à l'hôtel.

Je ressentais soudain le besoin d'être à proximité immédiate de ma salle de bains. Ryan a pris un air vexé.

— Tu n'aimes pas ma compagnie ?

— C'est la mouche, ai-je répondu. On ne s'entend pas, toutes les deux.

Le temps de récupérer les papiers de Nordstern au commissariat, il était cinq heures passées quand je suis arrivée à l'hôtel.

Le trottoir avait l'air d'avoir reçu un missile tomahawk. Quatre marteaux piqueurs étaient engagés dans un combat acharné, et leur vacarme répercutait des vibrations dans les deux lobes de mon cerveau. À voir les projecteurs et les gamelles, les travaux allaient durer toute la nuit.

J'ai marmonné un juron bien senti.

Ryan et Galiano m'ont demandé si tout irait bien. J'ai répondu qu'il me fallait seulement une bonne nuit de sommeil. Silence radio sur mon besoin de salle de bains.

Je les ai vus rigoler pendant qu'ils démarraient. Ma paranoïa est remontée en flèche. Ça méritait bien un second juron.

Arrivée dans ma chambre, j'ai foncé droit sur ma trousse de médicaments.

Katy a beau se ficher de moi, je ne pars jamais à l'étranger sans une pharmacie complète. Gouttes pour les yeux, spray pour le nez, antiacide, laxatif, on ne sait jamais, n'est-ce pas ?

Eh bien, moi, aujourd'hui, je savais.

Imodium et Pepto-Bismol ont trouvé d'office le chemin de mon estomac. Je me suis allongée sur mon lit.

Deux secondes plus tard, sprint à la salle de bains. Retour au lit, des décennies après. Pas vraiment solide-solide, mais nettement mieux.

Les marteaux piqueurs se sont mis à tambouriner.

Ma tête a suivi le tempo. J'ai branché le ventilateur dans l'espoir de noyer le vacarme. Au lieu de cela, un ronron s'est joint au concert de percussions.

Retour à la salle de bains pour passer un gant de toilette sous l'eau froide, le poser sur mon front et revenir m'étendre, avec une joie de vivre de plus en plus vacillante.

Je commençais tout juste à somnoler quand mon portable a sonné.

Juron.

— Oui !

— Ryan.

— Oui.

— Tu vas mieux ?

— Toi et tes poissons de merde !

— Tu aurais dû m'écouter et prendre le hot dog au maïs. C'est quoi, ce boucan ?

— Les marteaux piqueurs.

— Tu avais deviné juste. Zuckerman a bien reçu une bourse et passé deux ans à Melbourne dans un institut de recherches en biologie reproductive.

— Hum hum.

J'écoutais Ryan en même temps que mes borborygmes.

— Tu ne devineras jamais qui d'autre y travaillait alors.

28.

— Le Dr Lucas qui est venu au Paraíso avec Antonio Díaz pour saisir le corps ?

— Exactement. Héctor Luis Castillo Lucas.

— Mais il est médecin légiste.

— Apparemment, ce n'était pas sa spécialité au début de sa carrière.

— Quel rapport y a-t-il entre Díaz et Lucas ?

— Demande plutôt quel rapport il y a entre Zuckerman et Lucas !

— Vous avez du neuf sur elle ou sur Jorge Serano ?

— Pas encore. La clinique et l'appartement de Zuckerman sont sous surveillance et un avis de recherche a été lancé sur sa voiture. Le Paraíso est surveillé lui aussi. On devrait les avoir coincés avant le journal du soir.

— Galiano a obtenu le mandat pour perquisitionner à la clinique ?

— Il est chez le juge en ce moment même.

J'ai raccroché et suis allée rafraîchir le gant de toilette avant de me rallonger sur mon lit.

Tout cela ne faisait aucun sens. À première vue, tout du moins. Le Dr Lucas travaillait-il pour Díaz ? Avait-il ordonné l'incinération des restes de Patricia

Eduardo à l'instigation du procureur ? Ou était-ce l'inverse, et ce serait Lucas qui tiendrait Díaz sous sa coupe ?

Un Díaz très certainement mêlé au massacre de Chupan Ya, peut-être même à l'agression contre Carlos et Molly. Mais le corps trouvé au Paraíso, quelle raison aurait-il eue de vouloir le retirer de la circulation ? En quoi le meurtre d'une jeune fille enceinte pouvait-il l'intéresser ?

Carlos et Molly... Leurs agresseurs avaient-ils vraiment prononcé mon nom ? Étais-je la prochaine cible ? Mais de qui ?

Le corps secoué de frissons de peur et de froid, je me suis glissée sous mes couvertures.

Les questions continuaient leur sarabande dans ma tête. Lucas connaissait forcément Zuckerman. Deux médecins guatémaltèques en Australie à la même époque, employés dans le même centre de recherches et qui ne se connaîtraient pas ? Voilà qui aurait été surprenant. Mais travaillaient-ils toujours ensemble, aujourd'hui ? Et sur quoi ?

Quel était donc le grand secret de Nordstern ? Et comment l'avait-il découvert ?

Existait-il un lien entre Bastos et Díaz, autre que ce temps passé ensemble à l'armée ? Pourquoi Nordstern avait-il entouré la tête de Díaz, à côté de Bastos, sur la photo du défilé militaire à Xaxaxak ?

Ces éléments étaient-ils tous liés ou seulement certains d'entre eux ? Ne s'agissait-il pas tout simplement de corruption dans un pays où elle régnait à tous les niveaux ?

Et moi, étais-je en danger ?

Les marteaux piqueurs faisaient un tel raffut qu'ils effaçaient jusqu'à la clameur de la ville en cette heure de pointe. Le ventilateur aussi y allait de ses ronrons. L'obscurité a progressivement envahi la chambre, les bruits ont diminué peu à peu.

Je ne saurais dire combien de temps s'était écoulé quand la sonnerie du téléphone de ma chambre a retenti. En tout cas, il faisait complètement noir dans la pièce.

Un souffle au bout du fil, puis la tonalité.

Encore un connard de merde qui s'était trompé de numéro !

J'ai raccroché violemment.

Assise au bord du lit, j'ai tenu un moment mes mains sur mes joues. Elles ne brûlaient plus autant. Les médicaments avaient produit leur effet.

Rat-a-tat-a-tat. Rat-a-tat-taaaaat. Rat. Rat. Rat.

Combien de tonnes de ciment restait-il encore à concasser, en bas ?

— Ça suffit.

J'ai pris un Coca light dans le minibar et j'en ai avalé une petite gorgée, pour voir.

Mumm, ça faisait du bien !

Quelques gorgées encore pour m'en assurer, et j'ai reposé la canette sur ma table de nuit. Direction la douche. Les yeux fermés, j'ai laissé le jet me marteler les seins, le dos et mon pauvre ventre ballonné. Puis j'ai baissé la tête. Les épaules, maintenant. Les hanches. Jusqu'à ce qu'on ne voie plus rien dans la salle de bains, tant il y avait de vapeur.

Bien séchée, j'ai entrepris de me démêler les cheveux puis de me brosser les dents. Ensuite, j'ai enfilé des chaussettes en coton et un survêtement marqué FBI. J'étais une autre femme.

Portée par ce sentiment, j'ai pris les dossiers de Nordstern et me suis installée à la table. La télé s'est allumée dans la chambre voisine. Zapping prolongé et arrêt sur un match de football.

J'ai choisi une première chemise intitulée : « Specter ». Coupures de presse, notes et photos de famille. Plus deux polaroïds de l'ambassadeur avec Aida Pera.

Deuxième chemise sans titre : notes de restaurant et de taxis. Listes de frais. Autant passer à la suivante.

J'ai fini mon Coca.

Dehors, les marteaux piqueurs continuaient leur boucan.

Troisième chemise étiquetée : « SCELL ». Je l'avais parcourue à moitié quand je suis tombée sur un article découpé dans le journal *Nature* : « Culture de cellules souches prélevées sur des individus décédés ».

J'ai senti mon cœur se serrer.

Une équipe de recherches du Salk Institute à La Jolla, en Californie, avait développé une technique permettant de prélever *post mortem* des cellules souches sur des échantillons humains.

— La vache !

Ma voix a produit l'effet d'une bombe.

Je me suis plongée dans l'article.

Après avoir été placés successivement dans différentes solutions, des tissus prélevés sur le cerveau d'un bébé de onze semaines, de même que sur celui d'un homme de vingt-sept ans, avaient engendré des cellules immatures. La même technique avait été appliquée à partir de cellules d'individus d'âges différents, ainsi que sur des échantillons prélevés deux jours après la mort. Rapport téléchargé de BBC News Home Page, à en croire la note en bas du feuillet. À côté de l'adresse Internet, un nom écrit à la main : Zuckerman.

Brusquement, j'ai éprouvé une sensation simultanée de froid et de chaud. Mes mains avaient la tremblote.

Rechute.

Il était temps de prendre un autre Imodium.

En revenant de la salle de bains, j'ai remarqué une ombre bizarre sur la moquette devant la porte. Je m'en suis approchée. Le verrou n'était pas bien enclenché. Aurais-je laissé ma porte ouverte pour foncer dans la salle de bains, en arrivant ? C'est vrai que je ne me sentais pas bien, mais un tel oubli, ce n'était pas mon genre. J'ai refermé la porte et tourné la clef. Une sorte de trépidation s'ajoutait à présent à mes autres symptômes.

En composant le numéro de Galiano, j'ai eu l'impression que mes dernières forces m'avaient quittée. Le tremblement de mes mains s'était intensifié.

Absent, Galiano, et Ryan pareil. J'ai dû déglutir avant de pouvoir leur laisser un message.

Merde ! Je ne pouvais pas me permettre de tomber malade. Pas question de flancher !

Ayant rassemblé les dossiers de Nordstern en pile près de moi, je me suis rassise dans le fauteuil, un pied sous les fesses, enveloppée dans le dessus-de-lit. Je me sentais de moins en moins bien à chaque minute qui passait.

Pour ne pas dire : carrément mal.

J'ai ouvert une chemise. Des notes prises au cours d'interviews. Je dégoulinais. Tout en lisant, je devais m'éponger le visage. Je sentais la sueur couler le long de mon dos.

Au bout de quelques minutes, douleur aiguë au ventre et tremblement sous la langue, puis bouffée de chaleur de la gorge aux cheveux. J'ai couru dans la salle de bains et vomi jusqu'à en avoir mal aux côtes.

Retour à la table et nouvel emmaillotage dans le dessus-de-lit. Re-course à la salle de bains. À chaque voyage, la sensation d'avoir de moins en moins de forces.

À ma quatrième réinstallation dans le fauteuil, j'ai fermé les yeux et remonté le dessus-de-lit jusque sous mon menton. Le coton rugueux me râpait la peau. J'ai senti ma propre odeur. La tête me tournait, des constellations d'étoiles scintillaient sous mes paupières. Les marteaux piqueurs faisaient à présent un bruit de pop-corn dans la casserole. Vision de sauterelles une nuit d'été, leurs ailes arachnéennes, leurs yeux rouges et globuleux. Je sentais presque leur bourdonnement dans mes veines.

Je me suis revue avec Katy enfant, âgée de trois ou quatre ans peut-être, en train de regarder un livre de comptines. Sous le soleil, ses cheveux blond platine se coloraient d'une teinte de clair de lune dans la brume. Elle avait la robe chasuble que je lui avais rapportée de Nantucket.

— *Je vais t'aider, ma chérie.*

— *Je peux le faire toute seule.*

— *Oh, je n'en doute pas !*

— *Je connais mes lettres. C'est juste que parfois j'arrive pas à les mettre ensemble.*

— *Oui, c'est dur. Alors prends tout ton temps.*

— *Héctor Protecteur a un habit très court.*
Héctor Protecteur se rend à la cour.
La reine ne l'aime pas. Pas plus que le roi.
Héctor Protecteur est chassé de là-bas.
Pourquoi ils ne l'aiment pas, Maman ?

— *Je ne sais pas.*

— *Parce qu'il est méchant ?*

— *Je ne crois pas.*

— *Elle s'appelle comment, la reine ?*

— Arabella.

Katy éclate de rire.

— Et le roi ?

— Charlie Oliver.

Elle rit encore plus fort.

— Tu inventes toujours de drôles de noms, Maman.

— Parce que j'aime bien te voir rire.

— C'est quoi, le nom de famille d'Héctor Protecteur ?

— Lucas.

— Peut-être que ce n'est pas vraiment un protecteur.

— Peut-être.

— Alors, un quoi, Maman ?

— Un amateur ?

Elle rit à gorge déployée.

— Un érecteur.

Un électeur.

Un éjecteur.

Un dissecteur.

Un inspecteur.

J'ai repris mes esprits, debout dans la salle de bains, les mains et le front appuyés contre le miroir.

Et si c'était ce nom-là que Molly avait entendu ? Non pas inspecteur, non pas Specter, mais Héctor.

Héctor Lucas.

Avais-je tout compris à l'envers, auquel cas ce serait le médecin qui manipulerait le procureur ? Lucas aurait-il aussi commandité l'agression contre Molly et Carlos ? Mais en quoi notre travail à Chupan Ya pouvait-il l'intéresser ? Non, cela n'avait aucun sens, du moins à mes yeux. Aurait-il fait tuer Nordstern parce que celui-ci était tout près de dévoiler la vérité ?

Aurait-il tué Patricia Eduardo ? Réservait-il le même sort au Dr Zuckerman et à Jorge Serano ?

Galiano et Ryan étaient-ils eux aussi dans sa ligne de mire ?

D'un pas vacillant, je suis allée prendre mon portable sur la table de nuit.

Ni Ryan ni Galiano ne répondaient.

Du bras, j'ai essuyé la sueur sur mon visage.

Où étaient-ils allés ? À la clinique de Zuckerman ? À la morgue ?

Réfléchis, Brennan !

J'ai respiré lentement, fermé puis rouvert les yeux. La chambre tourbillonnait. Des étoiles clignotaient toujours derrière mes paupières.

Que faire ?

J'ai relâché l'air. Nouvelle respiration.

Si Lucas représentait vraiment un danger, alors Ryan et Galiano n'avaient aucun moyen de le savoir. Or Zuckerman pouvait l'avoir prévenu et Lucas, croyant qu'ils venaient l'arrêter, pouvait très bien les abattre.

Je me suis jetée sur mes chaussures, sur mon sac et sur la porte.

Vingt minutes pour trouver un taxi.

— *Dónde ?*

Où donc étaient partis Ryan et Galiano ? Pas à la clinique ni au Paraíso, puisque ces deux endroits étaient sous surveillance.

Le chauffeur pianotait sur son volant.

Où pouvait bien être Lucas ?

Mais n'était-ce pas Díaz que je voulais voir ? Qui pourrait me renseigner ? Le Dr Fereira !

Je tremblais de tout mon corps, mes dents claquaient comme des mâchoires de marionnette.

— *¿ Dónde, señora ?*

Concentre-toi !

— À la Morgue del Organismo Judicial.

— *¿ Zona Tres ?*

— *Sí.*

Mais qu'est-ce que j'allais faire là-bas ? C'était complètement idiot. Pourquoi n'arrêtais-je pas le taxi ?

À mesure que nous traversions la ville, une panoplie de couleurs et de formes en perpétuel changement passait devant mes yeux. Bannières suspendues au-dessus des rues. Réclames collées sur des barrières, des murs ou des panneaux. Je n'essayais même pas de les lire, j'en étais incapable. La tête me tournait autant qu'à l'époque où je buvais et m'endormais debout, un pied planté au sol pour rester ancrée au monde.

Au sourire du chauffeur en prenant mes billets et à son départ en trombe, j'ai compris qu'il m'avait roulée.

Tant pis !

J'ai regardé la rue, à droite et à gauche. Paysage aussi lugubre que dans mon souvenir. Le cimetière m'a paru plus grand et plus sombre. La voiture de Galiano n'était nulle part en vue. J'ai regardé la morgue.

Fereira. Je devais voir le Dr Fereira. J'ai remonté l'allée à gauche du bâtiment. Le crissement du gravier sous mes baskets faisait un bruit de tonnerre.

J'ai débouché sur un parking. Y étaient garés deux véhicules de transport, une Volvo blanche et une fourgonnette noire. Pas l'ombre de la voiture de Galiano.

Une goutte de sueur est tombée pile dans mon œil droit. Je l'ai essuyée avec ma manche.

Et maintenant, que faire ? Je n'avais pas pensé à l'éventualité de me retrouver toute seule ici, sans Ryan ni Galiano.

L'entrée du personnel à l'arrière du bâtiment était

fermée à clef. Idem pour le garage réservé à la livraison des corps.

En m'efforçant de faire le moins de bruit possible, je suis allée regarder à l'intérieur du premier véhicule de transport. Rien.

Vite, le deuxième.

Le troisième.

Victoire : un trousseau de clefs sur le siège !

Le cœur battant, je m'en suis emparée et suis repartie en vitesse à la porte du personnel.

Aucune des clefs ne convenait.

Zut !

Les mains tremblantes, j'ai essayé la serrure du garage, une clef après l'autre.

Rien.

Rien.

Rien.

Le trousseau m'a échappé des mains. Grelottant de tous mes membres, j'ai tâtonné à quatre pattes, dans le noir. Une éternité plus tard, ma main s'est refermée sur les clefs.

Je me suis relevée et j'ai recommencé.

À la cinquième ou sixième tentative, une clef est entrée dans la serrure. J'ai relevé la porte d'une quinzaine de centimètres et me suis arrêtée.

Pas de sirène d'alarme, pas de signal discret, pas de garde armé.

J'ai soulevé encore de quelques centimètres. Le grincement des poulies faisait plus de bruit que les marteaux piqueurs devant l'hôtel.

Personne n'est apparu. Personne n'a crié.

Respirant à peine, je me suis accroupie et me suis faufilée sous la porte en marchant comme un crabe. Pourquoi est-ce que je voulais entrer dans la morgue, déjà ? Ah, oui. Pour trouver le Dr Fereira. Ou Ryan, ou Galiano.

Une odeur de mort et de désinfectant m'a enveloppée. Odeur familière que je reconnaîtrais n'importe où.

Dos contre le mur, j'ai avancé le long d'un couloir. J'ai dépassé une balance à chariots roulants, un bureau et une petite salle fermée par une porte vitrée avec un rideau.

Il y a la même, à Montréal. Les morts sont placés devant la vitre. On ouvre le rideau, et la personne venue identifier le corps réagit : chagrin ou soulagement. C'est l'endroit le plus sinistre de tout le bâtiment.

Après cette salle, le couloir débouchait en T sur un autre corridor. J'ai regardé à gauche, puis à droite.

Des étincelles ont de nouveau brouillé ma vue. Les yeux fermés, j'ai respiré profondément. Ça allait mieux.

Malgré l'obscurité, je savais où j'étais. À gauche, les salles d'autopsie ; à droite, le bureau d'Angelina Fereira tout au bout du couloir.

Combien de temps s'était-il passé depuis qu'elle m'avait remis les scans du crâne de Patricia Eduardo ? Une semaine, un mois ? Une existence entière ? Mon cerveau était bien incapable de faire le calcul.

J'ai pris à droite. Si elle était là, elle pourrait m'apprendre des choses sur Lucas.

Un coup au ventre m'a pliée en deux. J'ai respiré par petits halètements rapides et attendu que la douleur s'estompe. Quand je me suis redressée, j'ai cru que la foudre venait de m'arracher les paupières. Le tonnerre a éclaté dans ma tête. Me retenant des deux mains au mur, j'ai vomi avec de grands hoquets.

Dr Fereira, Ryan, Galiano, où êtes-vous ?

Une vie plus tard, les contractions se sont arrêtées.

J'avais un goût amer dans la bouche, les côtes endolories et les jambes en caoutchouc.

Me tenant toujours au mur, j'ai avancé jusqu'au bureau du docteur Fereira. Personne. Je suis revenue vers les salles d'autopsie.

La salle n° 1 était noire et déserte.

Idem pour la n° 2.

Une lumière bleu-violet filtrait sous la porte de la troisième, celle où j'avais examiné les restes de Patricia Eduardo. Le Dr Fereira devait s'y trouver.

J'ai ouvert sans faire de bruit.

Il règne un calme surréaliste dans une morgue, la nuit. Aucun bruit de succion ne sort des tuyaux, aucune scie ne pleure, aucun filet d'eau ne coule dans les bacs, et l'on n'entend pas non plus le heurt d'instruments qu'on repose. C'est un silence qui ne ressemble à aucun autre. Un silence de mort.

— Dr Fereira ?

Quelqu'un avait laissé un négatoscope allumé, et la fluorescence d'un blanc bleuté qui se diffusait autour de la radio encore fixée sur le panneau illuminait la salle comme un écran de télé noir et blanc dans l'obscurité. Les objets en métal ou en verre avaient un aspect froid et brillant comme de l'acier.

Au fond de la salle, près de l'armoire frigorifique en inox, il y avait un sac mortuaire sur un chariot. Son renflement indiquait qu'il contenait un corps.

Nouveau spasme. Des taches noires se sont mises à danser devant mes yeux.

J'ai atteint la table en trébuchant, et posé ma tête sur l'acier. Puis j'ai tenté de respirer profondément.

Inspiration.

Expiration.

Inspiration.

Expiration.

Les points se sont dissous. La nausée s'est calmée.

Ça allait mieux.

Une silhouette près de la glacière.

Quelqu'un devait être en train de travailler.

— Dr Fereira ?

J'ai voulu prendre mon portable.

Ma poche était vide !

Merde !

L'avais-je laissé tomber quelque part ? Oublié à l'hôtel ? Mais quand avais-je quitté l'hôtel ?

J'ai regardé ma montre. Impossible de distinguer les chiffres.

Rien n'allait comme il faut. Il fallait que je parte. De toute façon, je n'étais pas en état de les aider.

À ce moment-là, j'ai senti, plus que je ne l'ai entendu, quelque chose dans mon dos.

Moins un son qu'un mouvement de l'air.

J'ai pivoté sur moi-même.

Des feux d'artifice continuaient d'éclater dans mon cerveau. Mon corps, de l'aine à la gorge, était la cible d'une fusillade ininterrompue.

Quelqu'un se tenait dans l'encadrement de la porte.

— Dr Fereira ?

Avais-je parlé ou avais-je cru le faire ?

La silhouette tenait quelque chose à la main.

— Señor Díaz ?

Pas de réponse.

— Dr Zuckerman ?

Elle demeurait figée sur place.

J'ai senti mes mains déraper. Ma joue a heurté le rebord métallique du chariot. Mes poumons se sont vidés d'un coup. Le sol s'est précipité vers mon visage.

Trou noir.

29.

Je n'avais jamais eu aussi froid de ma vie.

J'étais allongée sur un lit de glace tout au fond d'un étang, dans un noir total.

J'ai remué les doigts pour retrouver la sensation et j'ai lutté pour remonter à l'air libre.

Impossible, la résistance était trop forte, et la surface trop éloignée.

J'ai pris une grande inspiration.

Des poissons morts. Des algues. Des êtres venus des profondeurs.

J'ai écarté les bras comme un enfant qui fait l'ange dans la neige.

Mes doigts ont touché quelque chose. J'ai suivi le contour : un montant vertical avec un rebord arrondi. J'ai poursuivi l'exploration. De la glace ? Non, du métal. Un métal qui m'entourait comme un cercueil.

Vague impression de connu.

J'ai humé l'air. Une puanteur de mort et de désinfectant, mais dans des proportions inverses à ce qu'elles sont d'habitude : l'odeur de chair en décomposition avait nettement le dessus.

De la chair frigorifiée.

Mon cœur s'est ratatiné.

Seigneur !

J'étais sur un plateau d'acier à l'intérieur d'une glacière à la morgue.

Avec les morts !

Combien de temps étais-je restée sans connaissance ? Qui m'avait enfermée là ? Mon agresseur était-il toujours là ?

J'ai ouvert les yeux et soulevé la tête.

Des éclats de verre m'ont déchiré le cerveau. Mes entrailles se sont contractées.

J'ai tendu l'oreille.

Silence total.

Redressée sur les coudes, j'ai cligné vivement des yeux.

Un noir d'encre.

Je me suis assise et j'ai attendu. Sensation d'instabilité, mais pas de nausée.

Mes pieds pesaient une tonne. En m'aidant de mes mains, j'ai ramené mes chevilles vers moi pour les frotter. Lentement, les sensations sont revenues.

J'ai tenté de percevoir un signe d'activité à l'extérieur de la glacière.

Le calme.

J'ai passé les jambes par-dessus le rebord et me suis hissée hors du plateau, jusqu'à poser les pieds par terre.

J'avais les genoux liquides, je me suis effondrée. Élancement de douleur au poignet gauche.

Merde !

Ma main droite a tâtonné jusqu'à une roue en caoutchouc.

Non sans mal, je me suis retournée à quatre pattes, puis je me suis relevée.

Une autre civière avec un plateau.

Je n'étais pas seule. Il y avait un sac mortuaire sur le plateau. Avec un corps dedans !

J'ai reculé le plus loin possible du cadavre. J'avais la bouche sèche, mon cœur tambourinait dans ma poitrine.

J'ai tourné sur mes talons. D'un pas hasardeux, je me suis dirigée vers l'endroit où devait se trouver la porte.

Mais y avait-il une poignée à l'intérieur ? Les glacières ont-elles des poignées internes ? J'avais ouvert des glacières des milliers de fois, je n'y avais jamais prêté attention. Faites qu'il y en ait une !

En tremblant, j'ai tâtonné dans le noir.

Mon Dieu, je vous en supplie !

Du métal froid et dur. Lisse. J'ai passé ma main le long de la paroi.

S'il vous plaît !

Je me sentais faiblir de minute en minute. J'avais un goût de bile dans la bouche et un mal fou à réprimer mon tremblement.

Des années, des décennies, des millénaires plus tard, ma main a rencontré une poignée.

Oui !

J'ai appuyé en poussant tout doucement. La porte s'est ouverte avec un léger chuintement. Coup d'œil par l'entrebâillement : la salle d'autopsie n° 3, faiblement éclairée.

Sur le négatoscope qui luisait dans le noir, des organes gris fumeux et des os opaques, portrait d'un être humain.

S'agissait-il de l'individu sur la civière derrière moi ? Les mêmes mains nous avaient-elles mis tous les deux dans la glace ?

À peine un rai de lumière entrait-il dans la glacière.

Je suis allée ouvrir le bas du sac sur le plateau. Des pieds d'un blanc pâteux, avec une étiquette à l'orteil.

Impossible de déchiffrer le nom. Pas assez de lumière, et des lettres minuscules.

RAM...

Ça passait du net au flou, comme les pierres au fond d'un ruisseau.

J'ai cligné les yeux.

RAMIR...

C'était tout brouillé.

RAMIREZ.

Smith ou Jones, au Guatemala.

Tout en remontant vers la tête de la civière, j'ai tiré sans faire de bruit la fermeture Éclair. Arrivée en haut, j'ai écarté les deux côtés du sac.

Maria Zuckerman !

Un visage de fantôme et un petit trou noir au milieu du front. Le devant de sa veste était tout taché ; ses mains, complètement rigides.

Prise de tremblements incontrôlés, j'ai redescendu le zip en longeant la civière en sens inverse. Par habitude.

J'ai reculé jusqu'à la porte. La poussant avec mon derrière, j'ai émergé dans la salle n° 3.

Ma nuque a rencontré quelque chose de froid.

Un revolver !

— Bon retour parmi les vivants, Dr Brennan. Merci infiniment de m'avoir économisé la peine.

Une voix que j'ai reconnue dans l'instant.

— Lucas ?

Je pouvais sentir le canon de l'arme, l'orifice par lequel une balle allait jaillir et me faire exploser le cerveau.

— Vous attendiez quelqu'un d'autre ?

— Díaz.

— Díaz fait ce que je lui dis, a ricané méchamment Lucas.

Les cellules de mon cerveau se liguaient pour me faire parvenir un ordre. Bien qu'en plein cirage, je l'ai entendu : « Fais durer le plus longtemps possible ! »

— Pourquoi avez-vous tué Maria Zuckerman ?

J'avais la tête lourde, la langue épaisse.

— Et Ollie Nordstern ?

— Lui, c'était un imbécile.

— Un imbécile assez malin pour percer à jour votre collecte de cellules.

Un hoquet derrière moi.

Surtout, faire qu'il continue à parler !

— Ça a aussi été l'erreur de Patricia Eduardo, n'est-ce pas ? Elle avait compris, elle aussi, le petit jeu du Dr Zuckerman !

— Vous n'avez pas perdu votre temps.

La salle tournait autour de moi.

— Vous êtes forte, Dr Brennan. Plus forte que je ne le pensais.

Le canon du pistolet s'est enfoncé dans mon cou.

— Au lit !

Une poussée plus puissante.

— En avant, marche !

Retourner dans la glacière, pas question !

— J'ai dit : Marche !

Lucas m'a poussée dans le dos.

Non !

Mourir d'une balle dans la tête ou Dieu sait comment dans l'armoire frigorifique ? Non ! D'un bond, je me suis retournée et élancée vers la porte.

Fermée à clef !

J'ai aussitôt pivoté sur moi-même. Faire face à l'attaquant, quoi qu'il arrive !

Lucas tenait un Beretta pointé sur ma poitrine.

Ma vision s'est brouillée.

— Allez-y, Dr Lucas, tuez-moi aussi !

— C'est inutile.

Nos regards étaient vrillés l'un à l'autre comme ceux de deux mangoustes en train de s'hypnotiser.

— Pourquoi Zuckerman, alors ?

L'espace d'un instant, il a semblé se briser.

— Pourquoi Zuckerman ?

Mais l'avais-je dit vraiment ou seulement imaginé ?

— Je vous trouve très pâle, Dr Brennan.

J'ai cligné d'un œil pour chasser une goutte de sueur.

— Ma distinguée collègue vous tiendra compagnie.

Je luttais de toutes mes forces pour tenter de comprendre.

— Pourquoi ? ai-je répété.

— Le Dr Zuckerman n'était pas quelqu'un en qui on peut avoir confiance. Un caractère faible, enclin à la panique. Pas comme vous.

Pourquoi Lucas ne tirait-il pas ?

— Vous tuiez vous-même vos victimes, Dr Lucas, ou vous vous contentiez de voler leurs cadavres ?

Il a dégluti. Sa pomme d'Adam a tressauté comme un gamin qui fait du saut à l'élastique.

— Grâce à nous, la science aurait pu faire un pas de géant.

— Et un marché noir de meurtres se mettre en place.

Les lèvres de Lucas se sont recourbées en une imitation de sourire.

— Vous êtes encore meilleure que je ne le pensais.

Très bien, j'aime assez qu'on appelle un chat un chat. Parlons donc de science.

— C'est ça, parlons-en.

Qu'il parle jusqu'à ne plus avoir de salive !

— Votre président a renvoyé la recherche sur les cellules souches à son niveau du XIIe siècle.

— Il a agi par souci d'éthique.

— D'éthique ? a ricané Lucas.

— Quoi ? Le fait qu'on tue des bébés pour récupérer des cellules souches ne devrait pas entrer en ligne de compte, selon vous ? (Mes pensées s'effilochaient. J'avais de plus en plus de mal à les mettre bout à bout.) L'éthique dans la science, c'est une connerie pour vous ? Les gens qui chassent les cellules souches ne valent pas mieux que Mengele et ses mutilateurs nazis !

— Un blastocyste n'est pas plus grand que le point sur ce I, a rétorqué Lucas en désignant de son pistolet l'affiche d'instructions en cas d'incendie.

— C'est quand même la vie !

— Non ! Ce sont des déchets issus de traitements pour la fertilité, des rejets de grossesses ratées ! a jeté Lucas.

Visiblement je parlais dans le désert, et mes paroles ne faisaient qu'augmenter son irritation.

— Des centaines de milliers de gens souffrent de la maladie de Parkinson, de diabète, d'un écrasement du cordon médullaire, poursuivait-il. Nous aurions pu les soulager.

— C'était le but du Dr Zuckerman ?

— Oui.

— Et le vôtre, c'était de faire grossir votre porte-monnaie ?

— Quel mal à cela ? (De la salive a scintillé aux coins de sa bouche.) Un docteur un peu futé peut se faire des millions avec des cœurs mécaniques, des médicaments, des brevets sur des appareils orthopédiques.

— En tuant les embryons ou juste en les dérobant ?

— Ça aurait pris à Zuckerman la vie entière pour arriver à mélanger correctement les ovules et le sperme dans ses petits plats. Ma méthode était plus rapide. Et elle aurait marché.

Je n'avais qu'une envie : fermer les yeux.

— Vous savez bien que c'est fini, ai-je lâché.

— Ça sera fini lorsque je le dirai !

Mais qu'il se taise ! Qu'il cesse de déblatérer, qu'il me laisse dormir !

— La disparition du Dr Zuckerman fait l'objet d'une enquête, sa mort sera résolue. Son labo est déjà sous scellés.

— Vous mentez.

Sa paupière inférieure s'est contractée.

— Deux détectives sont en route pour ici. Je devais les retrouver.

Lucas s'est humecté les lèvres.

J'ai continué à enfoncer le clou, faisant feu de tout bois, sans bien savoir ce que je disais.

— La vérité sur Chupan Ya est sur le point d'éclater. Nous tenons le compte de tout ce qui est arrivé à ces pauvres gens. (Mes genoux vacillaient.) Fini, votre chantage. La participation de Díaz dans les massacres est maintenant connue de tous. Il ne sera plus votre marionnette.

Les doigts de Lucas se sont serrés sur la crosse du pistolet.

— Jorge Serano est sous les verrous. On lui proposera un marché et il vous donnera, ça ne fait pas l'ombre d'un doute.

— Me donner, mais pour quoi ? (Ricanement railleur.) Pour avoir récupéré de malheureux embryons morts ?

— Pour le meurtre de Patricia Eduardo.

Le regard de Lucas n'a ni cillé, ni changé.

— Les restes ont été incinérés. Son identité ne sera jamais définitivement établie.

— Vous oubliez une chose, Dr Lucas, le bébé dans son ventre. Ce bébé à qui vous avez interdit de voir le jour.

J'ai entendu une sirène au loin. La tête de Lucas a brusquement tourné à droite.

Continue de parler, Brennan, ne t'arrête pas !

— Il y avait des os appartenant à ce bébé dans les vêtements de la mère. Ils fourniront l'ADN.

À chaque seconde qui passait, ma voix devenait plus lointaine.

— Cet ADN correspondra à l'échantillon prélevé sur la mère de Patricia Eduardo. Ce bébé renaîtra de la mort pour sceller votre destin.

Les articulations de Lucas blanchissaient de plus en plus à mesure que ses yeux viraient au noir.

Regard impitoyable du tireur isolé, du terroriste, du preneur d'otage acculé. Et le fait qu'il s'en rende compte n'arrangeait pas la situation.

— Dans ce cas, je pourrais aussi bien vous descendre, non ? Une mort de plus ou de moins...

Un voile est tombé sur mes yeux. J'étais incapable d'ajouter un mot. Je ne pouvais plus faire un geste. J'allais mourir dans une morgue au Guatemala.

— Vous êtes habile et inventive, Dr Brennan, a

repris Lucas. Je le reconnais. Considérez que c'est votre jour de chance.

Dans un brouillard obscur, je l'ai vu écarter son arme de ma poitrine, introduire le canon dans sa bouche et appuyer sur la détente.

30.

Cette histoire n'a jamais fait de gros titres. Ni au Guatemala, ni au Canada.

À Guatemala, l'inculpation de Miguel Angel Gutiérrez pour l'homicide de Claudia de la Alda a bien été mentionnée dans *La Hora*, assortie d'une déclaration de la mère de la victime exprimant sa satisfaction de le voir arrêté, mais la nouvelle, reléguée page dix-sept, ne faisait guère plus de vingt lignes sur une seule colonne.

Les meurtres de Patricia Eduardo et de Maria Zuckerman, tous deux attribués au crime organisé, ont fait l'objet d'articles séparés. Et la mort du Dr Lucas a été qualifiée de suicide.

Pas un mot sur les cellules souches.

À Montréal, *La Presse* et *La Gazette* ont rendu compte de la fusillade de la rue Sainte-Catherine perpétrée par Carlos Vicente, et précisé par la suite qu'un autre suspect, identifié dans la capitale du Guatemala, avait été abattu avant d'être appréhendé. Là non plus, pas la moindre supposition quant aux raisons susceptibles d'inciter un Guatémaltèque à descendre un citoyen américain dans la ville de Montréal.

Pas une ligne nulle part sur Antonio Díaz, André

Specter ou Alejandro Bastos. Díaz a conservé son poste de procureur, Specter sa fonction d'ambassadeur et Bastos son statut de mort, selon toute vraisemblance.

J'ai mis une croix sur l'espoir de savoir pourquoi Héctor Lucas avait retourné son arme contre lui. Pour ma part, je vois dans son acte arrogance et désespoir : l'homme se considérait comme un être supérieur. Se voyant démasqué, il a choisi sa fin. Et c'est cette même arrogance, me semble-t-il, qui l'a conduit à m'épargner : pour me démontrer que c'était lui qui décidait de me laisser la vie. Et pour que je ne l'oublie pas. Un mémorial à sa propre personne, en quelque sorte.

Le lendemain, sur le coup de sept heures, Ryan est venu me voir à l'hôpital. Avec des fleurs.

— Merci, Ryan. Elles sont superbes.

— Comme toi.

Sourire idiot.

— Avec mon œil au beurre noir, ma joue aubergine, une aiguille dans le bras et un suppositoire dans le cul grâce aux bons soins de Mme l'infirmière Kevorkian ?

— Qu'importe, je te trouve très jolie.

Lui, il avait les cheveux en broussaille, une barbe de deux jours et des salissures de cendre de cigarette plein la veste. N'empêche, je le trouvais très beau.

— C'est bon, j'ai dit. Accouche.

Si j'avais toute ma tête, j'étais encore très faible. La saleté qui avait dérangé mon métabolisme avait disparu, soit qu'elle ait été chassée par les drogues, soit qu'elle ait atteint le terme de son existence.

— Quand le juge a enfin délivré l'autorisation de perquisitionner à la clinique de Zuckerman, on t'a appelée à l'hôtel, avec Galiano. Pas de réponse. On a essayé encore quand les flics ont arrêté Jorge Serano.

— J'étais sous la douche ou bien déjà partie. Et comme j'avais oublié mon portable...

— On s'est dit que tu l'avais coupé pour dormir. Quand je suis rentré à l'hôtel, j'ai frappé à ta porte et tourné la poignée.

— Tu espérais quoi ?

— Juste voir comment allait ma copine.

Je lui ai donné un petit coup à l'estomac. Il s'est rejeté en arrière.

— M'emmener dans cette *taquería* ! Je te retiens, toi alors !

— C'est toi qui as tenu à prendre du poisson.

— Je me rappelle distinctement avoir refusé le botulisme servi en garniture.

— Ça, c'était un supplément offert par la maison, a rétorqué Ryan. Mais si tu préfères accuser le poisson, libre à toi. Quoi qu'il en soit, ta porte était ouverte et ta chambre en fouillis. Quand j'ai vu l'article sur des cellules souches prélevées sur des morts, je me suis demandé si tu étais partie jouer au détective ou faire une connerie de ce genre.

— Merci.

— Pas de quoi. J'ai tiré Galiano du lit. Juste pour voir si on arrivait à te retrouver.

— Il a dû être ravi.

— Bat est un type coulant. On a appelé la FAFG. Il y avait bien des gens qui bossaient encore à cette heure, mais tu n'étais pas du lot. J'ai dit à Bat que tu avais trouvé un rapport entre Zuckerman et Lucas, et il a décidé d'avoir une petite conversation avec lui. L'individu n'étant pas à son domicile, on s'est dit que ça ne mangeait pas de pain d'aller faire un tour à la morgue. La Volvo de Zuckerman était sur le parking, et la porte du garage en partie ouverte.

— Où étaient donc les gardes de la sécurité ?

— Lucas les avait renvoyés chez eux. On pense qu'il voulait prélever en vitesse des organes sur Maria Zuckerman.

— Par désespoir, pour les garder en souvenir ?

Ryan a hoché la tête.

— Quand on a déboulé dans la salle d'autopsie, la cervelle de Lucas décorait les murs, et toi, tu étais sans connaissance. On a donc transbahuté ton joli petit cul dans une ambulance et on est partis retrouver le délicieux Serano.

Ryan a écarté ma frange et m'a regardée avec une expression que je n'ai pas su déchiffrer.

— Lucas lui avait ordonné de se débarrasser de toi. Méthode choisie : l'asphyxie. D'autant plus facile à mettre en place que les marteaux piqueurs faisaient un boucan d'enfer et que toi, tu prenais la douche du siècle. Il a eu tôt fait de mettre quelque chose dans ton Coca. Il avait l'intention d'attendre le grand moment, caché dans l'armoire, et de t'étouffer ensuite avec l'oreiller. *Problema* : la femme de chambre est entrée. Serano n'a eu que le temps de se tirer, *muy pronto*.

— Vous avez interrogé la femme ?

— Tu parles, elle a cru que c'était moi !

— C'était quoi, la saloperie que Serano a fourrée dans mon Coca ?

— Va-t'en savoir ! Il ne nous l'a pas dit. On a prévenu les ambulanciers que tu avais eu une intoxication alimentaire. À l'hosto, ils t'ont fait un lavage d'estomac. Le personnel de l'hôtel a jeté la canette.

— En tout cas, ça m'a mise sur les rotules.

— C'était le but de la manœuvre. Les toubibs pensent que le Pepto et l'Imodium ont en partie enrayé l'effet. Grâce à quoi tu as pu garder connaissance. Et comme tu avais dégueulé...

Il m'a chatouillée sous le menton.

J'ai chassé sa main au loin. Là, j'ai fait la grimace.

— Ton poignet ?

— Une entorse.

Ryan m'a pris la main et m'a embrassé le bout des doigts.

— On s'est fait du mouron, jolie madame !

Gênée, j'ai préféré changer de sujet.

— C'est Lucas qui a fait tuer Nordstern ?

— Il semblerait que Nordstern soit vraiment venu ici pour écrire un article sur Clyde Snow et le fonctionnement des organisations de défense des droits de l'homme. En fouillant sur les massacres à Chupan Ya et ailleurs, il est tombé sur des comptes rendus de l'armée mentionnant la participation d'Alejandro Bastos et d'Antonio Díaz. À tout moment, il pouvait faire des révélations sur le procureur. Lucas, alors, n'aurait plus rien eu dans les mains pour le manipuler. C'est donc possible qu'il l'ait fait tuer pour éviter ça. Plus vraisemblablement, sa mort est liée à Patricia Eduardo, vu que Nordstern était du genre fouineur. En arrivant à Guatemala, il a dû lire un article sur les filles qui avaient disparu, ou bien en entendre parler. Du coup, il s'est mis à enquêter. Quand il s'est aperçu que l'une d'elles était la fille d'un ambassadeur, il a creusé plus loin et découvert que Chantal avait des problèmes personnels et un papa du genre scabreux. Il a voulu obtenir des détails.

— Pourquoi aller à Montréal ?

— À ce moment-là, il en était au même point que toi. S'il arrivait à prouver que Specter était impliqué d'une manière ou d'une autre dans le meurtre de la fille retrouvée dans la fosse septique, il aurait eu le scoop des dix dernières années. Pas question de le rater. Un diplomate élégant, des jeunes filles naïves, du sexe, des meurtres, une mystérieuse morte, une fosse septique, l'immunité diplomatique, et une intrigue à l'étranger, tu parles d'un sujet en or. Cela dit, je ne crois pas qu'il ait su que Patricia était enceinte.

Ryan s'est frotté le dos de la main tout en continuant de parler.

— Dieu seul sait comment Nordstern reliait tout ça aux cellules souches. En tout cas, on a retrouvé un reçu du Paraíso dans son dossier de notes de frais.

— Il y a réellement habité ?

— Les esprits curieux ne se laissent démonter par rien. C'est comme ça que Nordstern a fini par rencontrer Jorge Serano.

— Qui l'a conduit à Zuckerman ?

— Laquelle l'a conduit à s'intéresser aux cellules souches.

— Ce qui l'a conduit à se faire descendre, si ce ne sont pas ses révélations sur Díaz.

Nous sommes restés un moment sans rien dire.

— Et Chantal Specter, dans tout ça ?

— Restitution des marchandises dérobées au MusiGo et placement en cure de désintoxication, a répondu Ryan.

— Et Lucy Gerardi ?

— Enfermée chez elle par ses parents. Sans l'aide de Chantal, impossible de se tirer.

— Et l'enquête sur toi ? ai-je osé, non sans crainte.

— La police partage mon opinion sur le señor Vicente.

— Je suis bien soulagée, Ryan. Tu as été formidable.

L'infirmière K est entrée pour vérifier mon goutte-à-goutte. J'ai attendu qu'elle sorte pour demander :

— Et où est Galiano ?

J'ai lu comme un agacement sur les traits de Ryan.

— Il ne va pas tarder.

Glissant un bras sous mes épaules, il m'a attirée contre lui. J'ai senti une douce chaleur m'envahir quand il a posé la joue sur ma tête.

— Hier soir, en te voyant par terre à côté d'un cadavre et d'un pistolet, je ne te dis pas mon désespoir.

Je n'ai pas su quoi répondre, tellement j'étais ahurie. Le silence était probablement la meilleure des tactiques, car tout ce que j'aurais pu dire aurait sonné faux.

— J'ai pris conscience d'une chose, a repris Ryan d'une voix inhabituelle, et il a serré ma tête contre son cœur. Ou peut-être ai-je seulement fini par l'admettre.

Il s'est mis à jouer avec mes cheveux.

— Tempe...

Il a hésité.

Oh mon Dieu ! Allait-il le dire ?

Il s'est éclairci la gorge.

— J'ai vu trop de choses dans la vie pour avoir confiance en beaucoup de gens. Je ne crois pas vraiment aux contes de fées. (Je l'ai senti avaler sa salive.) Mais j'en suis venu à croire en toi.

Il m'a repoussée sur les oreillers et a posé un baiser sur mon front.

— Il est temps que nous réfléchissions à ce que nous représentons l'un pour l'autre.

J'ai voulu parler. Mes paupières ont refusé de coopérer.

— Penses-y.

Ses yeux couleur de bleuet me transperçaient jusqu'à l'âme.

— Et comment !

Lorsque mes paupières se sont rouvertes, j'ai découvert Mateo et Elena, penchés sur moi. Elena, les traits tellement crispés par l'inquiétude qu'elle en ressemblait à un pékinois.

— Comment vous sentez-vous ?

— Aussi vaillante que la pluie.

Mateo a éclaté de rire. Moi aussi. Ça m'a fait un mal de chien.

— Qu'est-ce qu'il y a de drôle ? a demandé Elena sur un ton pincé.

— C'est juste une expression de Molly.

Mateo venait d'avoir l'archéologue au téléphone. Apparemment, elle était sur le point de se rétablir complètement. Quant au travail sur les os de Chupan Ya, il se poursuivait à un bon rythme, m'ont-ils assuré. Et les villageois s'apprêtaient à célébrer des funérailles en grande pompe.

Là encore, malgré tous mes efforts, impossible de rester éveillée.

Le prochain fantôme à se matérialiser près de mon lit a été Galiano. Avec des fleurs.

D'ici peu, la chambre allait ressembler à un funérarium.

— Vous aviez raison pour l'agression contre vos collègues de fouilles.

— Molly et Carlos ?

Galiano a fait un signe d'assentiment. Même tenue négligée que Ryan tout à l'heure.

— Jorge Serano faisait partie du commando.

— Mais pourquoi les abattre ?

— Erreur sur la personne. Il a pris Molly pour vous. C'est Lucas qui avait lancé Serano sur vous, pour empêcher le travail de récupération en s'attaquant à la scientifique la plus réputée de l'équipe.

Un sentiment glacé et désagréable s'est propagé en moi. Culpabilité ? Chagrin ? Colère ?

— Mais pourquoi empêcher l'exhumation à Chupan Ya ?

Galiano a vaguement haussé les épaules.

— Lucas avait besoin de protections pour mener à bien ses recherches.

— Díaz ?

Il a hoché la tête.

— Peut-être craignait-il aussi que Díaz en sache trop et lâche tout ce qu'il savait sur les cellules souches, si on l'avait arrêté pour son rôle dans les massacres de civils. C'était une bonne monnaie d'échange.

— Mais quel salaud !

— Votre participation à la récupération au Paraíso était une raison supplémentaire de vous mettre hors circuit.

Galiano a pris ma main. Sa peau était rugueuse et fraîche. Il a posé un baiser sur le bout de mes doigts.

D'abord Ryan, maintenant Galiano. De là à me prendre pour le pape...

Il a pressé ses lèvres dans le creux de ma main.

Bon, d'accord, pas pour le pape.

— Je suis vraiment heureux que vous vous sentiez bien, Tempe.

Bien, moi ? Pas du tout. Je me sentais même de plus en plus mal à chaque seconde qui passait. Que pouvait donc bien trouver ma libido chez ces deux types ?

— Continuez.

— Serano était lié à Lucas, puisqu'il avait fait disparaître le corps de Patricia Eduardo dans la fosse septique. C'est pour ça qu'il a accepté de participer à la fusillade de Sololá.

— Pourquoi se débarrasser du corps si près de chez lui ?

— Je lui ai posé la question. Ce crétin croyait que la décomposition prendrait seulement quelques semaines. Quand le conduit d'évacuation s'est bouché et que son papa a voulu vider la fosse, le petit Jorge a bien failli faire dans son pantalon.

— Qui a tué Patricia Eduardo ?

— Lucas.

— Pourquoi ?

— Elle fréquentait un homme marié. Quand elle est tombée enceinte, elle est allée trouver le Dr Zuckerman. Celle-ci a probablement vu l'occasion d'élargir son cercle de donneurs de cellules. D'une façon ou d'une autre, Patricia a dû découvrir le pot aux roses. Les deux femmes se seront disputées, et Eduardo aura pu menacer Zuckerman de révéler ses agissements. Quoi qu'il en soit, la doctoresse a prévenu Lucas qui a mis Patricia hors d'état de nuire et a enrôlé Jorge Serano pour se débarrasser du corps. En tout cas, c'est la version que maintient actuellement Serano dans l'espoir d'obtenir une réduction de peine. Il est branché sur le mode transmission, depuis qu'on l'a arrêté.

— Il ne sait pas que Lucas et Zuckerman sont morts ?

— On a dû oublier de le lui annoncer.

— Mais comment a-t-il pu se retrouver mêlé à tout ça ?

— Disons que son style de vie dépassait son pouvoir d'achat dans le système d'économie de marché.

— Et être l'homme de main de Lucas, c'était bien payé ?

— Mieux que pousser le balai à l'hôtel Paraíso. Lucas ne voulait pas se salir les mains et Jorge voulait de l'argent.

— Et Nordstern, dans tout ça ?

— Là, Lucas a dû engager un extra pour l'abattre. Jorge n'était pas assez bien préparé pour œuvrer aussi loin de la mère patrie.

— À votre avis, Nordstern était vraiment au courant pour les cellules souches ?

— Nous avons trouvé des trucs intéressants dans son ordinateur. Il a fait beaucoup de recherches sur le sujet, et aussi sur les conséquences qu'allait avoir la décision des États-Unis de limiter les crédits. La plupart de ses informations, il les a téléchargées, soit pendant son séjour au Paraíso, soit juste après.

— Après que Serano l'a involontairement dirigé sur la clinique du Dr Zuckerman ?

— Une petite effraction pour se rendre compte *de visu*, c'était bien dans ses cordes. Il a probablement fouillé dans les dossiers de Zuckerman et compris ce que Lucas et elle mijotaient : faire fortune au marché noir.

— Quand tout cela a-t-il débuté ?

— Oh, il y a des années, quand Zuckerman travaillait sur la fécondation des ovules en vue d'obtenir des cellules souches. Vous prenez des ovules et du sperme et vous mélangez les deux jusqu'à ce qu'ils s'accrochent l'un à l'autre et commencent à grandir. Alors, vous détruisez les embryons et gardez les cellules souches dans un bouillon de culture.

J'ai attendu.

— Apparemment, Lucas s'énervait du peu de progrès obtenu par Zuckerman. Il voulait essayer une autre technique.

— Les cadavres ?

Galiano a hoché la tête.

— Lucas subtilisait des tissus pendant les autopsies.

— La vache !

— Mais le meilleur taux de succès, c'est avec les enfants, a laissé tomber Galiano, ses yeux plantés dans les miens. Et à la morgue, c'est rare qu'on tombe sur un gosse. Dans l'ordinateur de Nordstern, il y avait toute une série d'articles sur les gamins des rues de Guatemala.

— Il pensait que Lucas était à l'origine des assassinats d'enfants ? Pour obtenir du tissu ?

La colère et le dégoût faisaient trembler ma voix.

— On n'a pas de preuve, mais on cherche dans cette direction.

Nous avons gardé le silence. Un chariot a roulé dans le couloir. Une voix de robot a appelé un Dr Machin.

— Et Gutiérrez ?

— Un type au ciboulot dérangé qui ne pouvait pas avoir la fille de ses rêves.

— Claudia de la Alda ?

Galiano a hoché la tête.

J'ai murmuré :

— C'est si triste, tout ça !

Sans prévenir, il s'est penché pour m'embrasser. Ses lèvres étaient douces et chaudes, et son nez tordu un peu rugueux contre ma peau.

— Pour moi, ça a été la chance de vous rencontrer, *corazón*.

31.

Vers la mi-juin, nous avions achevé nos travaux sur le massacre de Chupan Ya.

Les restes de vingt-trois personnes avaient pu être rendus à leurs proches. Le village avait enterré ses morts en grande pompe, avec bien des larmes mais aussi avec un énorme soulagement. Clyde Snow avait fait le voyage depuis l'Oklahoma, et l'équipe de la FAFG était venue au grand complet, portée par le sentiment d'avoir su mener à terme un travail difficile. Nous nous étions battus pour quelque chose, nous avions tenu une allumette dans le noir.

Toutefois l'obscurité continuait de régner. Mes pensées me ramenaient à Patricia Eduardo, à Claudia de la Alda et à leurs mères. À l'oppression, à l'avidité et à la psychose collective. Et à tous ces gens honnêtes disparus pour toujours.

Morts aussi, Héctor Lucas, Maria Zuckerman et Carlos Vicente. Jorge Serano et Miguel Ángel Gutiérrez, eux, étaient sous les verrous.

Quant aux victimes de Chupan Ya, peut-être sortiraient-elles de l'incognito. En tout cas, c'est le but que s'étaient donné Mateo et Elena en rédigeant leur rapport circonstancié sur les atrocités commises dans le village.

En 1982 et 1983, lorsque des centaines d'autres villages avaient été détruits et des milliers de gens exterminés, le pouvoir était aux mains du général Efraín Ríos Montt. En juin 2001, les survivants avaient déposé une plainte pour génocide à son encontre. Mais il était à présent président du Congrès du Guatemala. Des obstacles considérables entravaient la bonne marche du procès. Tout ce que nous pouvions espérer, c'était d'en avoir levé certains grâce à notre action.

Dix heures et quart, le 21 juin, premier jour de l'été dans l'hémisphère Nord.

Je venais de ranger mes dernières affaires de toilette dans ma valise et je faisais le tour des yeux de ma chambre. Le petit tissage acheté au marché de Chichicastenango était toujours punaisé au-dessus du lit. Je l'ai décroché et admiré comme je l'avais fait tant de fois.

Le Kabawil est un ornement que l'on retrouve fréquemment dans l'art textile maya. Kaba signifie deux, et Wil la tête. Selon le mythe, cet oiseau à deux têtes a le don de voir de jour aussi bien que de nuit, de loin comme de près. C'est le symbole du présent et de l'avenir, des projets à court terme et des intentions lointaines. Il représente l'alliance entre les hommes et la nature.

Je l'ai plié et rangé dans ma valise.

Le Kabawil représente aussi l'alliance entre les hommes et les femmes. Et justement, j'avais passé bien des nuits à réfléchir à mon alliance avec la gent masculine. Avec deux de ses représentants, pour être tout à fait exacte.

Ryan n'avait pas développé le sujet évoqué à mon chevet. Peut-être que le fait de me voir rétablie avait suffi à dissiper ses craintes. Ou peut-être que j'avais été la proie d'une hallucination, que je m'étais imaginé toute cette conversation. Toujours est-il qu'il avait proposé que nous passions nos vacances ensemble.

Galiano aussi avait manifesté la volonté de m'enlever.

Moi, j'avais besoin de vacances en effet. Je commençais à ressembler un peu trop à ma photo de passeport.

En ce qui concernait mon évolution personnelle, j'avais conscience d'être engagée dans une voie qui menait à l'impasse – pour autant que j'en suive une, de voie.

Il était temps de trancher dans le vif.

L'expérience a du bon, en ce sens qu'elle nous permet de reconnaître nos erreurs au moment où nous les réitérons. Forte de cette maxime, je me suis demandé si je n'étais pas en train d'en commettre une. Mais comment le savoir sans la commettre ?

Je devais agir. Si je voulais rallumer en moi l'étincelle de bonheur, je devais prendre les mesures nécessaires. Oui mais voilà, le succès me faisait peur. Ce travail au Guatemala m'avait meurtrie plus qu'aucun autre auparavant, meurtrie au plus profond de mon être. Et la blessure qu'il m'avait laissée ne cicatriserait pas avant longtemps. Chaque fois que je repensais à la señora Ch'i'p, j'éprouvais un immense sentiment de vide.

Le téléphone de la chambre a sonné.

— Je suis dans l'entrée.

Un ton de voix léger, tel qu'il n'en avait pas eu depuis des semaines.

— Je ferme mes valises et je suis prête, ai-je répondu.

— Soleil et sable. Tu n'as pas oublié, j'espère.

— J'ai tout ce qu'il faut.

— Parée ?

Et comment ! Mes cheveux étaient d'un brillant à rendre aveugle quiconque posait les yeux sur moi, mes sandales me faisaient de petits pieds ravissants et ma robe bain de soleil était d'autant plus sexy que je portais en dessous un slip et un soutien-gorge de chez Victoria's Secret.

Je ne parle même pas du mascara sur mes cils et du blush sur mes joues.

Oui, pour être parée, j'étais parée !

Remerciements

Comme tous mes autres livres, celui-ci n'aurait pas vu le jour sans l'aide d'un certain nombre de personnes et, en premier lieu, celle de mon collègue et cher ami, le professeur Clyde Snow. Clyde, c'est grâce à toi que tout a débuté. Je t'en remercie, les opprimés du monde entier te remercient.

De même, j'éprouve une immense gratitude envers la Fundación de Antropología Forense de Guatemala pour le soutien et l'accueil que ses membres m'ont offerts, en particulier son président, Fredy Armando Peccerelli Monteroso, et son directeur, Claudia Rivera. Cet organisme mène des travaux d'une extrême importance et cela, dans des conditions incroyablement difficiles. *Muchas gracias*. J'espère que l'avenir m'offrira de nouveau l'occasion de vous apporter mon aide.

C'est du professeur Ron Fourney, Ph.D., biologiste, du département de recherches et de développement au Centre de recherches de la police canadienne (police montée royale canadienne), et de Barry D. Gaudette, B.S., directeur du Centre de recherches de la police canadienne, que je tiens mes informations sur l'analyse très complexe des poils d'animaux.

Carol Henderson, J.D., et le centre juridique Shepard

Broad à la Southeastern University de Nova, le professeur William Rodriguez, attaché au médecin légiste en chef des forces armées à l'Institut de pathologie des forces armées, m'ont fourni les renseignements nécessaires sur la construction et le fonctionnement des fosses septiques.

Robert J. Rochon, vice haut-commissaire à Londres pour le ministère des Affaires étrangères et du Commerce international canadien, a répondu à un grand nombre de mes questions sur le monde des diplomates.

Je dois au professeur Diane France, Ph.D., directrice du laboratoire d'identification humaine à l'université de l'État du Colorado, l'idée d'utiliser dans mon livre la technologie SLS – agglomération sélective par laser – pour établir les modèles de crâne, et c'est Allan DeWitt, P.E., qui m'a révélé les détails se rapportant à ce type d'examen.

Stephen Rudman, sergent-détective à la retraite de la police de la Communauté urbaine de Montréal, m'a expliqué le fonctionnement des enquêtes internes à la police du Québec.

Merci à Yves Sainte-Marie, directeur du laboratoire de sciences judiciaires et de médecine légale, au docteur André Lauzon, chef de service, et à tous mes collègues là-bas. Merci à James Woodward, chancelier de l'université de Caroline du Nord – branche de Charlotte –, pour son soutien constant et ô combien apprécié.

Les commentaires de Paul Reichs sur le manuscrit m'ont été eux aussi d'un grand secours. Et même ses coups de gueule. *Paldies*.

Paldies à vous mes filles, Kerry et Courtney, pour

m'avoir accompagnée au Guatemala. Votre présence a considérablement allégé mon fardeau.

Susanne Kirk, de chez Scribner, et Lynne Drew, à Random House-UK, méritent, elles aussi, toute mon admiration. Ces remarquables éditrices ont su faire d'un manuscrit laborieux un texte qui chante.

En dernier lieu, je tiens à remercier mon agent, Jennifer Rudolph Walsh. Cette citation en fin de liste ne signifie pas sa moindre importance, bien au contraire. Sans son oreille bienveillante, son soutien inébranlable et ses coups de pied aux fesses chaque fois que nécessaire, cette histoire ne serait jamais devenue un livre. Grand-J., vous êtes mon étoile !

Si jamais j'ai oublié quelqu'un, qu'il se manifeste. Je lui offrirai un verre, lui présenterai mes plus plates excuses et le remercierai en personne. L'année a été difficile pour tout le monde.

Finalement, c'est moi l'auteur de *Secrets d'outre-tombe*. Si des erreurs se sont glissées dans le texte, j'en suis seule responsable.

Le démon des sectes

(Pocket n° 11270)

Bébés assassinés, corps brûlés vifs, étudiantes disparues… Quel est le lien entre tous ces crimes ? Quelque chose qui ressemble à des sacrifices humains… Temperance Brennan, anthropologue judiciaire, remonte petit à petit le fil qui la conduira à une secte dirigée par un mystérieux et influant gourou belge. Mais la sœur de Tempe est entre leurs griffes…

Il y a toujours un Pocket à découvrir

Imprimé en France par

à La Flèche (Sarthe)
en juillet 2010

POCKET – 12, avenue d'Italie - 75627 Paris cedex 13

N° d'impression : 59111
Dépôt légal : avril 2005
Suite du premier tirage : juillet 2010
S14899/06